Het kind dat ik was

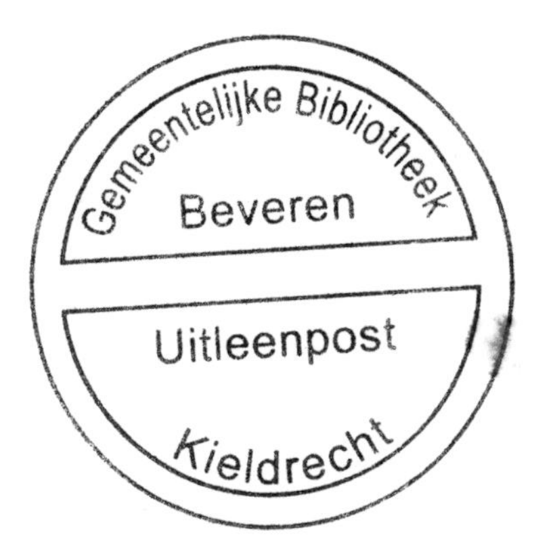

Loung Ung

Het kind dat ik was

Vertaald door Mireille Vroege

ARENA

Oorspronkelijke titel: *After They Killed Our Father*

Omslagontwerp: DPS, Amsterdam
Foto voorzijde omslag: Chris van Houts
Foto achterzijde omslag: Jerry Bauer / Opale / Hollandse Hoogte
Typografie en zetwerk: CeevanWee, Amsterdam
ISBN 978-90-6974-861-0
NUR 302

Aan het Khmer-volk – want hun stem is niet alleen de stem van de oorlog, maar ook die van liefde, familie, schoonheid, humor, kracht en moed.

Voor mijn vader en moeder – jullie zijn mijn engelen. Voor Keav, Geak en Chou, omdat jullie eeuwig en voor altijd mijn zusjes zullen blijven. En voor mijn broers Meng, Khouy en Kim, omdat jullie me hebben geleerd wat waardigheid en genade is. Voor mijn schoonzus Eang Tan, die mij heeft grootgebracht, en voor Huy-Eng, Morm en Pheng: met dank voor een fantastische nieuwe generatie Ungs.

Inhoud

Woord vooraf

Van 1975 tot 1979 moordde de Rode Khmer door terechtstellingen, hongersnood, ziekte en dwangarbeid systematisch naar schatting twee miljoen Cambodjanen uit – bijna een kwart van de hele bevolking. Onder die slachtoffers bevonden zich mijn ouders, twee zussen en nog een stuk of twintig andere familieleden. In *Eerst doodden ze mijn vader* (2000) vertel ik hoe mijn familie en ik dat hebben overleefd. *Eerst doodden ze mijn vader* kwam ook voort uit mijn behoefte om de Cambodjaanse genocide wereldkundig te maken.

Als kind wist ik niks over de Rode Khmer en die interesseerde me ook niet. Ik ben geboren in 1970 in een Chinees-Cambodjaans gezin uit de middenklasse in Phnom Penh, de hoofdstad van Cambodja. Tot mijn vijfde draaide mijn leven om mijn zes broertjes en zusjes, school, gefrituurde krekels, hanengevechten en brutaal doen tegen mijn ouders. Toen de communistische Rode Khmer van Pol Pot op 17 april 1975 de stad binnenviel, was mijn fijne leventje ten einde. Op die dag werd Cambodja een gevangenis en werden alle mensen gevangenen.

Samen met miljoenen andere Cambodjanen werd onze familie gedwongen de stad te verlaten, met achterlating van ons huis en al onze bezittingen. Drie jaar, acht maanden en eenentwintig dagen lang moesten we in dorpen wonen die meer op werkkampen leken, waar het elke dag maandag was en waar elke maandag een werkdag was, of je nu zes jaar was of zestig. In onze gevangenis was alles uit ons vroegere leven – godsdienst, school, muziek, klokken, radio, film en televisie – verboden. Reizen, vriendschappen en relaties, tussen familieleden onderling en anderszins, waren aan regels en wetten onderworpen. De Rode Khmer bepaalde wat voor kleren we moesten dragen, hoe we mochten praten, leven, werken, slapen en eten.

Van 's ochtends vroeg tot 's avonds laat groeven we greppels, bouwden we dammen en verbouwden we gewassen. Onze buik zwol op van de honger, maar de soldaten van de Rode Khmer bewaakten met hun geweren de velden om er toch vooral voor te zorgen dat we niets zouden stelen. Hoe hard we ook werkten, de rantsoenen die we kregen waren nooit genoeg. We hadden altijd honger en verkeerden op de rand van de hongerdood. Om in leven te blijven aten we alles wat eetbaar was, van rotte op de grond gevallen bladeren en vruchten tot de wortels van planten die we uitgroeven, en een heleboel dingen die je beter niet kon eten. Ratten, schildpadden en slangen die in onze vallen kwamen vast te zitten, werden niet zomaar weggegooid: we aten hun hersenen, staart, huid en bloed. Als we vrij hadden, zochten we de velden af op zoek naar sprinkhanen, kevers en krekels.

Het bewind van de Rode Khmer, ook wel de Angkar genaamd, wilde een zuiver utopische agrarische samenleving tot stand brengen, en ze meenden dat ze om dit doel te bereiken bedreigingen en verraders, echt of vermeend, uit de weg moesten ruimen. En dus stuurde de Angkar zijn soldaten erop uit om voormalige leraren, artsen, advocaten, architecten, ambtenaren, politici, politieagenten, zangers, acteurs en andere leiders op te sporen en hen en masse te laten executeren. Daarna stuurde de Angkar er nog meer soldaten op uit, dit keer om de echtgenotes en kinderen van deze verraders in te rekenen. Aangezien mijn vader vroeger een hooggeplaatste militair was geweest, wisten we dat we gevaar liepen.

Toen de soldaten mijn vader kwamen halen, was mijn zus van veertien, Keav, al aan voedselvergiftiging gestorven. Toen mijn vader met de soldaten de zonsondergang tegemoet liep, bad ik de goden niet om hem in leven te laten, om hem te helpen ontsnappen en zelfs niet om hem terug te laten keren. Ik bad alleen maar dat zijn dood snel en pijnloos zou zijn. Ik was zeven jaar. Mijn moeder wist dat we gevaar liepen en stuurde ons weg om in een werkkamp voor kinderen te gaan wonen. Toen de soldaten haar en mijn zusje van vier jaar, Geak, kwamen halen, bad ik allang niet meer en was ik een en al woede en haat.

Op mijn achtste was ik een weeskind dat zo hopeloos, beschadigd en woedend was dat ze me uit het kinderkamp haalden en in een opleidingskamp voor kindsoldaten plaatsten. Terwijl in andere delen van de wereld kinderen naar school gingen om te leren en vriendjes te maken, werd mij geleerd te haten en te doden. Terwijl andere kinderen met hun vriendjes verstoppertje speelden, telde ik stilletjes de seconden af, in afwachting of de bommen onze schuilkelder zouden raken. De scherven van een bom raakten mijn vriendinnetje Pithy in haar hoofd. Ik moest haar hersenen van mijn mouw vegen en me afsluiten voor mijn eigen emoties om in leven te blijven. Zelfs wanneer er geen bommen te horen waren, dreigde er nog steeds gevaar op de velden, in de bomen en struiken. Ik heb het geluk gehad dat ik overal aan ontsnapt ben – van giftige slangen, ziektes, landmijnen, kogels, tot een poging tot verkrachting door een Vietnamese soldaat. Terwijl ik mijn best deed om op eigen kracht in leven te blijven, vroeg ik de goden waarom niemand zich om mij bekommerde.

Mijn oorlogsverhaal *Eerst doodden ze mijn vader* eindigt in 1979 met de inval van de Vietnamezen in Cambodja, waarna ze het leger van de Rode Khmer versloegen. Daarna werden mijn vier nog in leven zijnde broers en zussen geleidelijk aan met elkaar herenigd. Kort daarop reisden we terug naar het dorp waar onze familieleden nog steeds woonden. In 1980 besloten mijn broer Meng en zijn vrouw Eang dat ze voor een betere toekomst voor onze familie de gevaarlijke reis van Cambodja naar Thailand wilden maken. Meng kon jammer genoeg maar zoveel goud lenen dat hij slechts één van ons kon meenemen. Hij koos mij, omdat ik de jongste was.

Toen het tijd was om te vertrekken, kwam de hele familie midden in het rode stoffige dorpje Ou-Dong bij elkaar om afscheid te nemen. Mijn zusje Chou en ik hielden zwijgend elkaars hand vast. Ik was toen tien jaar en zij twaalf. We waren nog kinderen, maar ons door de oorlog verscheurde hart was volwassen en door de dood van onze ouders en andere zussen diep met elkaar verbonden. We waren verwante zielen, elkaars beste vriendin, elkaars beschermer en verzorger.

Toen Meng met mij achterop wegfietste en Chou mijn hand uiteindelijk wel móést loslaten, draaide ik mijn rug naar haar toe. Ik wist dat ze niet weg zou gaan totdat wij uit het zicht verdwenen waren. Het laatste wat ik van Ou-Dong gezien heb was Chou, met trillende lippen en een vertrokken gezicht, nat van de tranen. Gedurende mijn hele reis naar de nieuwe wereld is haar gezicht me bijgebleven. Ik beloofde plechtig dat ik over vijf jaar zou terugkomen om haar op te zoeken.

Meng, mijn schoonzus Eang en ik lieten Chou, mijn broers Kim en

Khouy achter en vertrokken naar Vietnam, waar we ons aansloten bij duizenden andere bootvluchtelingen die Thailand binnengesmokkeld werden. Na een half jaar in een vluchtelingenkamp gewoond te hebben, kregen we uiteindelijk door toedoen van het sponsorschap van de Holy Family Church in Essex Junction onze nieuwe woonplaats toegewezen, in Vermont.

Het zou nog vijftien jaar duren voor ik in 1995 met mijn zus herenigd werd. Vijftien jaar, waarin zij in een smerig dorp woonde, zonder elektriciteit of stromend water. Vijftien jaar, waarin ik in de VS de Amerikaanse droom beleefde. Doordat die vijftien jaar mij zo geobsedeerd hebben ben ik inmiddels meer dan twintig keer terug geweest naar Cambodja, waar ik maanden achtereen bij Chou in haar dorp heb gewoond. In de jaren na onze eerste hereniging hebben Chou en ik urenlang met elkaar gepraat en elkaar over ons leven verteld. In dit boek vertel ik onze verhalen: de mijne zoals ik me die herinner, die van Chou zoals ze die aan mij heeft verteld.

Ik mag dan alle verhalen geschreven hebben, zowel die van haar als die van mijzelf, maar dit boek is het resultaat van onze gezamenlijke obsessies.

Het kind dat ik was begint waar *Eerst doodden ze mijn vader* eindigt, en volgt zowel mijn leven in Amerika als dat van mijn zus Chou in Cambodja, en verhaalt over de liefdevolle mensen die hun uiterste best hebben gedaan om ons te vinden en om ons te helpen. Of het nu een vriendelijk woord is dat iemand tot mij als kind heeft gericht, of een beetje eten waardoor Chou weer een dag in leven bleef. Het is een waar genoegen voor me geweest om al die mensen in dit boek weer terug te vinden. Om hun privacy te beschermen ben ik echter zo vrij geweest om hun namen te veranderen, met uitzondering van de mensen die mij gevraagd hebben dat niet te doen. Ik ben iedereen dankbaar, want al hun inspanningen en aanmoediging hebben Chou en mij de kans gegeven om niet alleen de oorlog te overleven, maar ook om in vrede een gelukkig leven te leiden.

Familiestamboom

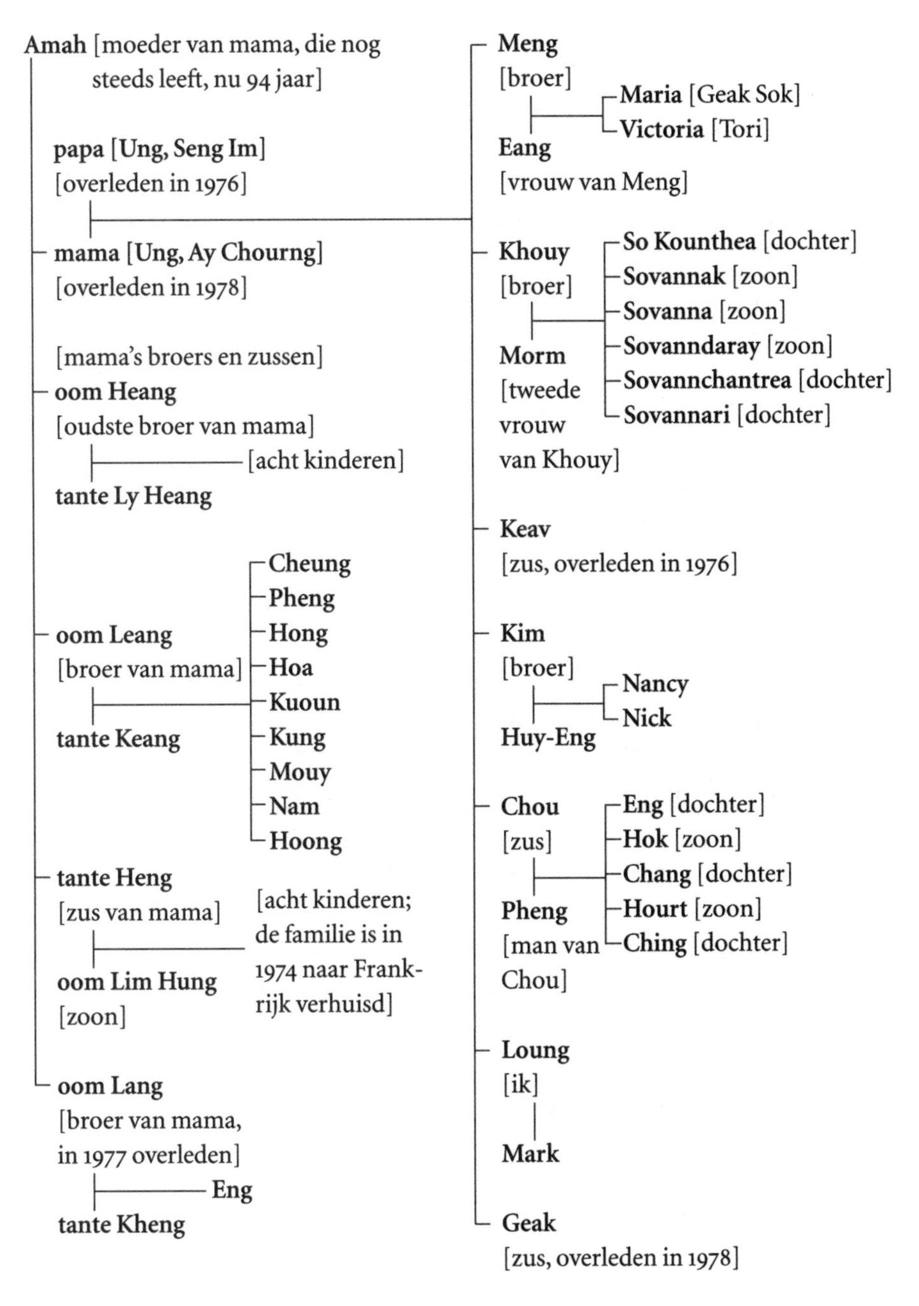

DEEL I

Verschillende werelden

1
Welkom in Amerika

10 juni 1980

Ik ben zo opgewonden dat ik het gevoel heb dat er beestjes in mijn broek rondkruipen, waardoor ik zit te wiebelen op mijn stoel. We vliegen over de oceaan, op weg naar ons nieuwe thuis in Amerika, nadat we twee maanden op een woonboot in Vietnam en vijf maanden in een vluchtelingenkamp in Thailand hebben gewoond.

'We moeten een goede indruk maken, Loung, dus kam je haar en maak je gezicht schoon,' draagt Eang me op. Ze wordt overstemd door de vliegtuigmotoren. 'We mogen er niet uitzien alsof we net van de boot komen.' Haar gezicht doemt voor me op en met haar nagels doet ze verwoede pogingen om de aangekoekte korstjes slaap uit mijn ooghoeken te pulken.

'Hou op, je trekt mijn wimpers eruit! Ik maak mijn gezicht zelf wel schoon. Je maakt me nog blind!' Ik pak de natte doek van Eang aan.

Ik veeg snel mijn gezicht schoon en maak de vuilkorstjes op mijn oogleden eerst nat en haal ze dan voorzichtig weg. Dan draai ik de doek om en veeg met de schone kant mijn haar glad. Eang kijkt afkeurend toe. Ik trek me er niks van aan, prop de doek op, ga ermee over mijn voortanden en boen hard. Als ik klaar ben wikkel ik de doek om mijn uitgestoken vinger, doe hem in mijn mond en schraap zo de restjes eten van mijn kiezen.

'Helemaal schoon en fris,' zeg ik onschuldig.

'Ik heb anders wel een tandenborstel voor je in mijn tas, hoor.' Aan haar stem hoor ik hoe boos ze is.

'Ik had geen tijd... en jij zei dat ik schoon moest zijn.'

'Hmm...'

Eang is nu een jaar mijn schoonzus, en meestal kan ik het wel met haar vinden, maar ik kan er niet tegen als ze zegt wat ik moet doen. Maar Eang zegt heel vaak wat ik moet doen – jammer genoeg voor mij – en dus hebben we de hele tijd ruzie. We ruziën als aapjes en maken daarbij zo veel lawaai dat mijn broer Meng tussenbeide moet komen en moet zeggen dat we onze mond moeten houden. Daarna loop ik meestal stampend weg en ga ik ergens zitten mokken over hoe oneerlijk het is dat hij partij voor haar kiest. Vanuit mijn schuilplaats luister ik dan hoe zij met hem blijft bekvechten over dat ze me streng moeten opvoeden en me moeten laten merken wie de baas is, want dat ik anders verkeerd opgroei. In het begin wist ik niet wat ze met 'verkeerd' bedoelde en stelde ik me voor dat ik scheef of krom zou groeien, als een oude boomstronk. Ik stelde me voor dat ik knoestige armen en benen zou krijgen, met reusachtige scherpe klauwen in plaats van vingers en tenen. Ik stelde me voor dat ik achter Eang en andere mensen die ik niet aardig vond aan zou rennen en met mijn klauwen naar hun billen zou graaien.

Maar nee, dat zou veel te leuk zijn, en bovendien heeft Eang zich vast voorgenomen om mij 'goed' te laten opgroeien. Om een 'goede' Loung te krijgen, zegt Eang tegen Meng, moeten ze de wildebras uit me slaan en me de manieren van een echte jongedame bijbrengen – en dat betekent niet brutaal zijn tegen volwassenen, niet vechten, schreeuwen, rondrennen, met mijn mond open eten, met een rokje aan spelen, tegen jongens praten, hard lachen, zomaar dansen, in kleermakerszit zitten, met mijn benen wijd slapen enzovoort – een hele waslijst. En dan is er nog een lijst met dingen die een keurig meisje moet doen, zoals stilzitten en je mond houden, koken, schoonmaken, naaien en op de kinderen passen – allemaal dingen waar ik helemaal geen zin in heb.

Ik geef toe dat ik niet zo hard tegen Eang in zou gaan als ze zich zelf aan haar lijst zou houden. Eang is vierentwintig, en daarmee één jaar ouder dan Meng. Toen ze een jaar geleden in ons dorp in Cambodja met elkaar trouwden, gaf dat een enorme opschudding. Dat Eang erg luidruchtig en uitgesproken is helpt ook niet echt mee. Zo jong als ik ben heb ik al gemerkt dat veel ongetrouwde vrouwen in het dorp zich als fladderende gele kuikentjes gedragen: stil, zacht, donzig en snoezig. Maar zodra ze getrouwd zijn worden het felle moederkippen, die met opgezette vleugels lopen te kakelen en te pikken, vooral als ze hun territorium afbakenen of hun kinderen beschermen. Met haar luidruchtigheid en uitgesproken meningen was Eang heel anders dan de andere ongetrouwde vrouwen die ik ooit had bespied. De andere dorpsbewoners roddelden en zeiden dat Meng met een jonge vrouw moest trouwen die hem veel zonen kon schenken. Eang werd op haar leeftijd al als een ouwe vrijster beschouwd, en te oud voor Meng, die een goed opgeleide knappe man uit een vooraanstaande familie was. Maar ze trokken zich geen van beiden veel aan van wat de dorpsbewoners zeiden en ze lieten de bruiloft door hun ooms en tantes regelen. Meng had een vrouw nodig die hem kon helpen om voor zijn broers en zusjes te zorgen, en Eang had behoefte aan een man om in de nasleep van de oorlog met de Rode Khmer, met alle armoede van Cambodja en toenemende roverij van dien, in leven te blijven. En ook al zijn ze om die redenen met elkaar getrouwd, toch denk ik dat ze van elkaar houden. Ze vormen een mooie cirkel, als de twee kanten van het yin-en-yangsymbool. Meng is normaal gesproken teruggetrokken en stil, maar Eang maakt hem aan het lachen en bij haar praat hij ook. Als Eang te emotioneel wordt of doordraait, kalmeert Meng haar weer.

'Bedankt voor de doek,' zeg ik met een lieve glimlach, en ik geef hem terug aan Eang.

'Heb je gezien wat ze deed, Meng?' Eang vertrekt haar gezicht van walging, rolt de natte doek op en stopt hem in haar tas. Meng zit aan mijn andere kant en haalt zwijgend een wit hemd uit een doorzichtige plastic tas. Hij geeft het aan zijn vrouw. Het hemd glanst in Eangs handen, fris en nieuw. Toen Meng hoorde dat we naar Amerika gingen, heeft hij al het geld dat we hadden aan nieuwe witte hemden besteed. Hij wilde dat we er fris en nieuw uit zouden zien als we Amerika binnenkwamen, ondanks ons onverzorgde haar en onze magere armen en benen. Eang bewaarde de hemden in een plastic tas, zodat ze voor deze heel bijzondere gelegenheid schoon en kreukvrij zouden blijven.

Meng is drieëntwintig en heeft een somber gezicht, waardoor hij er veel ouder uitziet. De Meng die ik me van vóór de oorlog herinner was zachtmoedig, glimlachte snel en was gemakkelijk in de omgang. Deze nieuwe Meng lijkt zijn gevoel voor humor toen we negen maanden geleden van Chou, Kim en Khouy afscheid namen, in Cambodja achtergelaten hebben. Nu ontsnappen er alleen nog maar diepe zuchten aan zijn mond. In het vluchtelingenkamp is het vaak voorgekomen dat ik in onze hut zat en helemaal opging in mijn wereld van lees- en plaatjesboeken en dan hoorde hoe hij plotseling heel diep ademhaalde, gevolgd door een ruisende uitademing. Dan wist ik dat Meng ergens in de buurt rondhing; ik draaide me om en zag dat hij met zijn lange gezicht en afhangende schouders naar me stond te kijken.

Als ik Meng vraag waarom we onze familie in de steek hebben moeten laten, zucht hij en zegt dat ik te jong ben om dat te begrijpen. Mijn gezicht wordt vuurrood als ik die smoesjes hoor. Ik mag dan jong zijn en veel dingen nog niet begrijpen, maar ik ben oud genoeg om Khouys stem te horen wanneer hij zegt dat iedereen die zijn familie lastigvalt een schop onder zijn kont van hem kan krijgen. Hoe ver we ook bij hen vandaan zijn, ik mis nog steeds Chous warme handje in het mijne, en Kim die over zijn ribben krabt terwijl hij een aap nadoet, in kungfustijl. Ik ben jong, maar soms, als ik alleen in de zee vlak bij het vluchtelingenkamp dobber, voel ik me oud en moe. Dan laat ik me naar de bodem zakken, kijk omhoog en zie de gezichten van mama, Geak en Keav op het wateroppervlak glinsteren. Ik heb me ook wel eens voorgesteld, wanneer ik op en neer lag te dobberen, dat mijn tranen door de golven tot heel diep in de zee worden gebracht. Midden op zee zouden mijn tranen dan veranderen in woede en haat, en dan zou de zee ze naar me terugsturen en ze uit wraak tegen de rotsige kustlijn te pletter laten slaan.

's Nachts keek ik in het vluchtelingenkamp altijd omhoog naar de volle maan en probeerde ik me het gezicht van papa voor de geest te halen. Dan fluisterde ik zijn naam in de wind en zag ik hem zoals hij vóór de oorlog was, toen zijn gezicht nog rond was en zijn ogen helder fonkelden als de sterren. Met mijn armen om mezelf heen droomde ik er dan van dat papa me vasthield, waarbij zijn lichaam vol, zacht en gezond aanvoelde. Dan stelde ik me voor dat zijn vingers over mijn haar en mijn wangen streelden, heel zachtjes, als de wind. Maar al snel verschrompelde het gezicht van papa dan, tot het niet meer was dan een skelet van zijn vroegere vollemaansgezicht.

Misschien ziet Meng papa's gezicht ook wel in de maan, maar hij zegt het niet. Ik weet niet hoe het begonnen is, of wanneer, maar Meng en ik praten op de een of andere manier niet meer over de oorlog. Niet dat we op een dag aan tafel zijn gaan zitten en hebben besloten om er niet meer over te praten – nee, het is zo geleidelijk gebeurd dat we het nauwelijks gemerkt hebben. In het begin stelde hij me vragen die ik nog niet kon beantwoorden, en dan vroeg ik hem naar antwoorden die hij niet kon uitleggen. Op een gegeven moment is dat vragen en praten gewoon opgehouden. Soms wil ik nog wel dat hij me meer over papa en mama vertelt en over wat voor mensen zij waren voordat ik geboren werd. Maar ik vraag er niet naar, want ik kan het niet aanzien dat zijn gezicht opklaart wanneer hij aan hen moet denken, om het vervolgens weer te zien betrekken wanneer hij zich herinnert dat ze er niet meer zijn.

Als Meng en ik wel met elkaar praten, hebben we het over ons heden en onze toekomst. Over mijn verleden zegt Meng alleen maar dat hij denkt dat ik tien jaar ben, maar dat hij het niet zeker weet. Hij vertelt dat papa en mama toen hij klein was zo arm waren dat ze hem bij onze ooms en tantes in het dorp hadden ondergebracht. Hij zegt dat er elke keer dat hij thuiskwam weer een broertje of zusje bij gekomen was, tot we uiteindelijk met z'n zevenen waren. Hij vertelt dat de Rode Khmer alle papieren of documenten over onze geboorte vernietigd hebben toen ze op 17 april 1975 de stad binnentrokken. Zonder die papieren waren papa en mama onze enige herinnering aan onze geboortedag, maar die zijn er nu ook niet meer. In Thailand moest Meng bij het invullen van de vluchtelingenpapieren een nieuwe verjaardag voor me kiezen en toen heeft hij 17 april gekozen: de dag dat de Rode Khmer het land veroverde. Met een paar pennenstreken zorgde hij ervoor dat ik Cambodja nooit zal vergeten.

In de tijd dat ik bij Meng en Eang heb gewoond is het me duidelijk geworden dat Meng voortdurend aan Cambodja en aan onze familie daar denkt. We zijn niet in staat om brieven te sturen of te ontvangen, dus we weten niet of Khouy, Kim en Chou nog in leven zijn. In de Ung-clan was papa de oudste zoon van zijn familie, en aangezien Meng de oudste zoon van papa is, is hij nu niet alleen hoofd van ons gezin, maar als oudste broer ook het hoofd van alle Ungs van onze generatie. Meng draagt deze titel trots en maakt zich voortdurend zorgen over het welzijn van de jongere Ungs en over hoe hij een goed rolmodel kan zijn. Voordat Meng uit Cambodja wegging, schetste hij voor onze ooms en tantes een heel zonnig toekomstbeeld van ons leven in Amerika, om ons vertrek te rechtvaardigen. Maar toen we eenmaal op weg waren en op de boot zaten, stonden hem de tranen in de ogen en betrok zijn gezicht.

In het vliegtuig ga ik op mijn stoel staan en draai me om om naar mijn vriendin Li Cho te zwaaien, die een paar rijen achter me zit. Li is maar een jaar jonger dan ik en maakt deel uit van de zeven personen tellende familie Cho, die zich ook in Vermont gaat vestigen. Aangezien Meng en Eang in het vluchtelingenkamp Lam Sing erg op zichzelf waren, kenden ze de Cho's nog niet. Ze hebben vandaag pas kennisgemaakt. Li en ik hebben elkaar echter al op de eerste avond dat ik daar aankwam leren kennen. Achter de muur van het vluchtelingenkamp, te midden van de hutjes met lekke rieten daken hebben Li en ik ons tijdelijk onderkomen samen verkend en zijn we vrienden geworden. Aan zee hebben we elkaar onze geheimpjes verteld, terwijl we naar volwassen vrouwen gluurden en grapjes maakten over hun grote borsten. Li vertelde me dat ze in Vietnam geboren is, uit een Cambodjaanse vader en een Vietnamese moeder. Haar vader en moeder zijn overleden toen Li nog klein was, en nu woont ze bij haar volwassen broers, zussen en neven. Met al onze kleren aan en terwijl we elkaars zweterige handje vasthielden renden we de zee in en praatten erover dat we zo graag een flesje cola en een kom noedels zouden willen kopen. Dan vertelde ik haar dat mijn vader in de bioscoop altijd mijn gefrituurde krekels voor me vasthield, en zij vertelde mij dat haar vader haar altijd voorlas.

Het vliegtuig schommelt en zwaait heen en weer, en Li ziet groen van luchtziekte. Haar kleine lichaam hangt voorover in haar stoel, en haar zus Tee klopt haar op haar dunne zwarte haar. Zelfs nu ze misselijk is ziet Li er mooi uit, met haar grote vochtige ogen en kleine kin. Terwijl ik naar haar kijk, denk ik aan de tijd dat ik mezelf ook nog mooi vond. Het lijkt onwerkelijk dat mama en haar vriendinnen – vijf jaar geleden in Phnom Penh nog maar – kirden en in mijn wangen knepen als ik de kamer binnenkwam met een nieuwe jurk aan of een strik in mijn haar. Dan zeiden ze dat ik zulke volle lippen had, zulke grote amandelvormige ogen en zulk mooi golvend haar. Dan moest ik glimlachen en stak ik mijn handen uit, totdat ze me snoep en geld uit hun tas hadden gegeven. Daarna joeg mama me weg.

Ik draai me om en kijk naar Li. Arme Li, denk ik. Ze is al de hele vlucht misselijk en moet steeds overgeven. Normaal is ze een lief en goedgemanierd meisje – precies zo'n meisje als ik van Eang moet zijn. Met die gedachte ga ik weer zitten en maak nog een zakje pinda's open. Li mag haar eten dan niet binnen kunnen houden, maar mijn maag heeft er geen problemen mee, en goede vriendin als ik ben, eet ik maar al te graag haar portie op.

Wanneer ons vliegtuig begint te dalen, gaan de zachte pluizige wolken uiteen en tonen de wereld onder mij. Ik buig me voor Meng langs om uit het raampje te kunnen kijken en vang dan de eerste glimp op van mijn nieuwe vaderland. Ik tuur het landschap af en zie tot mijn teleurstelling alleen bergen, bomen en water. Ik denk dat we nog te hoog zitten om de hoge glanzende gebouwen al te kunnen zien. Ik pak de armleuningen stevig beet, en ik mijmer over het Amerika waar ik naartoe hoop te gaan. In hun pogingen om ons op het leven in de VS voor te bereiden lieten de vluchtelingenwerkers ons Hollywoodfilms zien, waarin elke plot zich afspeelde in een grote lawaaierige stad met hoge glanzende gebouwen en grote lange auto's die door drukke straten scheurden. Op het witte doek waren de Amerikanen hard pratende, snel bewegende mensen met rood, blond of zwart haar, die zich op hakken of met rolschaatsen aan een weg door het verkeer baanden. Ik zit op mijn stoel en zie mezelf al helemaal tussen deze mensen lopen en een spannend nieuw leven leiden, ver weg van Cambodja. Deze beelden doen mijn hart verwachtingsvol sneller kloppen, totdat de zeurstem van Eang me uit mijn dagdromen haalt. Eang gaat met haar hand over de voorkant van mijn blouse en klaagt over de kruimels die erop gevallen zijn. Meng kamt zijn haar haastig omhoog met een zwart plastic kammetje, en dan meldt de gezagvoerder dat we gaan landen.

Eenmaal geland lopen we de hal van het vliegveld in, terwijl ik Meng en Eang stevig bij de hand houd. Ik zie licht flitsen en hoor hard gefluister. De felle lichten maken me bang en verblinden me, en ik raak Li kwijt, die samen met haar familie door de menigte wordt opgeslokt. Er zwemmen witte vlekken over mijn netvlies, ik scherm mijn ogen af met mijn onderarm en doe een stap naar achteren. De menigte bleke vreemdelingen schuifelt heen en weer en reikhalst om een glimp van ons op te vangen. Het wordt stil in de hal. Ik sta achter Meng en zie vandaar een vrouw die me met haar lange witte hals aan een kip doet denken, heel mager en tanig. Naast haar staat een andere vrouw ons aan te kijken, met een gezicht dat zo scherp en hoekig is dat ik haar 'Kippengezicht' noem. Achter Kippengezicht staat een man met ronde wangen en een grote neus, die ik 'Varkenswangen' noem. Om hen heen staan nog meer mensen die ik alleen maar uit elkaar kan houden door ze een bijnaam te geven: Hagedissenneus, Konijnenogen, Paardentanden, Koeienlippen en Krekelpoten.

'Welkom!' roept een man, en hij loopt op ons af. Zijn lichaam is robuust als een boomstam, en terwijl hij Meng de hand schudt zie ik dat hij een kop groter is.

Na hem komt de ene lange persoon na de andere om ons heen staan. Meng heeft vóór de oorlog Engelse les in Phnom Penh gehad, en dat komt hem nu goed van pas. Hij glimlacht breed en beantwoordt vragen, terwijl hij iedereen krachtig en energiek de hand schudt. Eang staat naast hem en pakt de handen slap aan en knikt wat. Ik wil niet onder de voet gelopen worden, dus maak ik me los van de menigte en ga apart staan, maar dan komt een vrouw met rood haar naar me toe gelopen. Ik bedenk dat ik haar respectvol moet begroeten, dus buig ik voor haar; op hetzelfde moment steekt ze haar hand uit en geeft me zo een klap op mijn voorhoofd. Terwijl ik over mijn voorhoofd sta te wrijven houden de camera's op met flitsen en verstommen de stemmen. Vanuit deze hoek hoor ik Meng lachen en iedereen op het hart drukken dat alles prima met me is. Een paar seconden later barst het gezelschap in lachen uit. Ik plaats van naar de grond te kijken, kijk ik de menigte woedend aan, maar dan zegt Eang dat ik moet glimlachen. Ik krul mijn lippen flauwtjes op voor de mensen. Plotseling loopt de roodharige vrouw weer naar voren en geeft me een bruine teddybeer. De camera's flitsen weer om het moment vast te leggen. Op dat moment dringt tot me door dat ik mijn blouse verkeerd dichtgeknoopt heb, waardoor hij er aan de onderkant scheef en gekreukeld bij hangt en ik eruitzie alsof ik zo van de boot kom.

In de auto praat Meng met onze sponsors, Michael en Cindy Vincenti. Terwijl Meng aan het woord is, knikt Michael en Cindy antwoordt steeds met 'mm-mm'. Ik zit achter haar en probeer niet te lachen om dat malle geluid. Ik doe alsof ik moet hoesten. Ik voel Eangs ogen in mijn achterhoofd branden, kijk naar buiten en zie de wereld aan me voorbijtrekken. Het landschap beweegt langzaam, want het korte gras heeft plaatsgemaakt voor dicht struikgewas en bomen. Zo nu en dan zie ik glooiende heuvels, bezaaid met huisjes en ik zie ook honden rennen. Er is geen enkel hoog glanzend gebouw te bekennen.

Na een minuut of twintig zetten de Vincenti's hun auto op de oprit van een klein appartementencomplex van twee verdiepingen. Het gebouw ziet er oud en aftands uit, en de witte verf bladdert als dode huid van de voorgevel. Daarnaast, aan de andere kant van de oprit, ligt een grote begraafplaats, waar de zomerwind zachtjes door de bomen waait, zodat de takken heen en weer wiegen en de bladeren dansen alsof ze bezeten zijn van geesten. Mijn huid wordt warm bij de aanblik van de koude grijze stenen die als afgebroken tanden uit de aarde omhoogsteken. Ik stel me voor dat daaronder vergane lichamen in de grond liggen, die wachten tot het avond wordt en ze kunnen ontsnappen.

'Hier wonen jullie,' zeggen de Vincenti's.

Terwijl ik een ijzige blik op Michaels achterhoofd werp, zegt Meng tegen Eang en mij dat we moeten uitstappen.

'Eang,' zeg ik, en ik pak haar hand, 'het brengt ongeluk om naast een begraafplaats te wonen. De geesten zullen ons geen moment met rust laten!'

'De geesten hier spreken geen Khmer,' zegt ze. 'Die vallen ons niet lastig.'

'Maar...' Ik wil het niet opgeven. 'Als er nu eens een taal is die alle doden spreken?' Voor ik verder nog iets kan zeggen, geeft Eang me te verstaan dat ik mijn mond moet houden en gebaart ze dat ik moet opschieten. Ik kijk nog even aarzelend om naar de begraafplaats en loop dan langzaam achter de volwassenen aan de flat in.

De Vincenti's lopen de trap op naar de tweede verdieping en wachten daar tot Meng, Eang en ik er ook zijn. Terwijl de volwassenen met elkaar praten neem ik de indeling van onze flat in me op.

De kamers liggen allemaal achter elkaar, en daardoor lijkt ons nieuwe huis wel een trein, en de smalle kamers gesloten goederenwagons. Links van de trap ligt de kamer van Meng en Eang, die net een vierkante bruine doos is, met een eenvoudige houten ladekast en een groot bed. Ik loop naar het enige raam en zie tot mijn vreugde dat dat op de parkeerplaats uitkijkt. Rechts van de trap ligt de keuken, voorzien van alle moderne apparatuur: een fornuis, een oven en een koelkast. Midden in het vertrek staat een rechthoekig metalen tafeltje met vier bijpassende stoelen. Naast de keuken bevindt zich de badkamer, die brandschoon is, van het plafond tot de wit-gele linoleumtegels op de vloer. Een paar stappen verder en ik sta in de eetkamer.

'Dit wordt jouw kamer,' zegt Cindy opgewekt.

Ik sla mijn handen voor me ineen en draai me helemaal rond om mijn kamer te inspecteren. Als ik zie dat de muren niet van hout zijn gemaakt, maar van erop geplakt bruin papier dat net hout moet voorstellen, verschijnt er een frons op mijn gezicht. Zulk behang heb ik nog nooit gezien, en ik ga met mijn hand over het gladde oppervlak. Plotseling moet ik aan Chou denken, die in Cambodja in een houten hutje woont. Ik voel me meteen heel zwaar en sleep me naar de hoek van de kamer, waar zich een kleine inloopkast bevindt. Ik zie wel scharnieren in de deurpost zitten, maar om de een of andere reden heeft de kast geen deur. Mijn kamer is leeg, op een klein bed tegen de wand na. Ik loop erheen, ga erop zitten en probeer of het goed veert. Ondertussen kijk ik niet-begrijpend naar de voorstellingen op mijn laken. Ik zie een meisjes- en een jongensmuis, eenden, honden, olifanten en andere dieren, die allemaal een muziekinstrument bespelen of vasthouden. Alle figuurtjes hebben rode, witte en blauwe pakjes aan en hebben een brede glimlach op hun gezicht. Ik sla mijn handen voor mijn mond en giechel om de dieren.

'Dat zijn stripfiguren,' legt Cindy uit. 'Kijk maar, ze zijn in het circus.'

'*Gao-ut taa ay?*' Ik vraag Meng wat ze zegt.

Met Meng als tolk vertelt Cindy me vervolgens hoe ze allemaal heten en dat ze van de Disney-familie zijn. Ik ga met mijn vinger over de grote ronde oren van de muis en de dikke uitstekende snavel van de eend, en ik moet glimlachen en bedenk hoe leuk het zou zijn om bij zo'n familie te horen. Als ik me voorstel dat ik met deze grappige wezentjes aan het dansen en spelen ben, krijg ik een draaierig gevoel in mijn buik en komen er onverwachte giechels uit mijn mond. Als er weer zo'n grinniklach naar boven borrelt, denk ik aan Chou, die het altijd maar mal vond dat ik mensen in mijn geheugen prentte door ze dierennamen en diereneigenschappen te geven. Ik wou dat Chou hier bij me was, zodat ik haar deze fantastische nieuwe wereld kon laten zien waarin dieren er als mensen uitzien.

Ik sta op van mijn bed, loop naar de andere kant van mijn kamer en ga door weer een grote deuropening de woonkamer in. Deze heeft drie erkerramen en is zonnig en mooi. De ruimte wordt in beslag genomen door een bankstel, bekleed met een dessin van tropische bloemen. Ik sta voor het middelste raam, druk mijn handen plat tegen de ruit en kijk naar het verkeer beneden op straat. Dan loop ik weer naar mijn kamer. Ik bedenk dat ik, doordat mijn kamer geen deuren heeft tussen de keuken en de woonkamer, dus niet meer kan uitslapen, want Eang is altijd vroeg op. Ik laat gelaten mijn schouders hangen en loop terug naar mijn raam. Ik krimp in elkaar: mijn kamer kijkt recht uit op de begraafplaats.

'Ik ben thuis,' fluister ik. Ik ben van heel ver gekomen en heb er heel lang over gedaan voor we eindelijk in Amerika waren, maar nu is de reis ten einde! Ik doe mijn ogen dicht en slaak een zucht van opluchting. Ik verwacht dat er nu gevoelens van rust en tevredenheid door mijn lichaam zullen stromen.

'Ik ben thuis!' hou ik mezelf nogmaals voor, maar de wereld is me nog steeds vreemd.

Ik lig in bed met mijn armen om mijn buik geslagen en kijk naar buiten, naar de donkere lucht. Buiten is de wind gaan liggen en de lucht beweegt stil, alsof ook die bang zijn de geesten te storen. Ik vind het een onnatuurlijke stilte; in Cambodja gaat de nacht altijd gepaard met het schrille paringslied van de krekels. Ik draai mijn gezicht naar de muur en trek de deken over mijn hoofd. Met mijn ogen dicht wacht ik tot de slaap komt en me bewusteloos maakt, tot het moment waarop de levenden de wereld weer voor zich kunnen opeisen. Maar de slaap komt niet, en in plaats daarvan dansen de muis en de eend op mijn lakens rond met hun circusuitrusting en met hun hoge hoed op. Naast hen laten hun vrouwelijke tegenspelers hun stokje ronddraaien en paraderen ze op wijsjes die ik niet kan horen. Al snel komen ook de andere leden van de Disney-familie tot leven, maar ik knipper met mijn ogen om ze weg te jagen, terug de stof in.

Op de klok aan de wand zie ik dat het elf uur is. Dat is niet zo best. De duistere uren zijn bijna aangebroken – de uren waarin de geesten en spoken ronddolen en zich onder de levenden begeven. Heel lang geleden heeft Kim eens tegen me gezegd dat ik nooit tussen twaalf en vijf uur wakker mocht zijn, maar ik kon er niks aan doen. Hij zei dat ik, als ik moest plassen, het snel moest doen en dan weer stilletjes naar bed moest gaan. Hij zei dat hoe meer geluid of bewegingen ik maakte, hoe meer ik de geesten en spoken zou aantrekken. En als dat eenmaal gebeurde, zouden ze me niet meer laten gaan. Kim zei er niet bij wat hij daarmee bedoelde: dat de geesten me niet meer zouden laten gaan. Hij heeft zijn verhaal nooit afgemaakt, maar liet het einde in mijn gedachten zijn eigen leven leiden. Daar werd ik zo kwaad om dat ik met maaiende karatebewegingen van mijn armen achter hem aan ging. Als ik aan Kim denk, krijg ik een strak gevoel in mijn hart, alsof er te veel dingen in geperst worden.

Ik ga in het donker rechtop in bed zitten en duw de deken van me af. Ik pak de zaklamp onder mijn kussen vandaan, richt het licht op mijn enkel en zie daar de zwarte x staan. Kim heeft tegen Chou en mij gezegd dat we een x op onze enkels en voetzolen moesten zetten, omdat de geesten dan zouden weten dat ons lichaam bezet was. Het is een teken van eigendom. Ik ben blij dat de x'en er nog op staan, stop het laken weer onder mijn voeten en bid dat de geesten ze niet los zullen maken. Geesten vinden het heel leuk om mensen lastig te vallen door hen onder hun voeten te kietelen en ze zo wakker te maken.

Als ik de slaap niet kan vatten, dwalen mijn gedachten af naar Chou. Het is anderhalf jaar geleden sinds de Vietnamezen de Rode Khmer hebben verslagen en hen het oerwoud in hebben gejaagd, en het is negen maanden geleden sinds ik mijn hand uit de hare heb losgemaakt. Chou is twee jaar ouder dan ik, maar toch heeft zij de luxe gekend om bij onze scheiding te huilen, zoals te verwachten viel, aangezien zij het kwetsbare zusje is. Maar ik moest mijn tranen verbergen en omwille van haar sterk blijven en glimlachen.

In Vermont, alleen in mijn bedje, zet ik mijn kiezen op elkaar en weet ik dat ik nu omwille van mezelf sterk moet blijven.

2
Chou

Juni 1980

Aan de andere kant van de oceaan, in het tropische land Cambodja, beweegt Chou zich even in de hut waarin ze sinds het einde van de Rode Khmer met oom Leang, de broer van mama, zijn vrouw tante Keang en hun vijf kinderen heeft gewoond. Plotseling zwaait er een zware arm tegen haar borst, en Chou kreunt en duwt hem weg. Naast haar, onder de vrouwenklamboe, liggen haar nichtjes Cheung en Hoa diep te slapen, met hun gezicht naar elkaar toe, waarbij ze synchroon in- en uitademen. Onder dezelfde klamboe, aan de andere kant van hun bed van houten planken, ligt de peuter Kung met haar rug naar hen toe opgekruld, met haar kleine armpjes en beentjes om een langwerpig rond kussen geslagen. Naast haar, onder een andere grijsroze klamboe, ligt tante Keang met haar arm boven haar baby, het meisje Mouy. Aan de andere kant van het vertrek liggen Kim, Khouy, oom Leang en de twee neven in hun klamboe op hun eigen plank hard te snurken, met hun armen en benen wijd, als gevallen houtblokken.

Bzzz, fluistert de mug aan de andere kant van Chous klamboe, maar ze hoort hem niet.

Onder haar gesloten oogleden volgt Chou met haar ogen het gezicht van mama, papa en Geak. In haar droom zitten ze bij elkaar aan een teakhouten tafel in hun huis in Phnom Penh, en mama zet verse gestoomde noedels met varkensvlees op tafel. Mama glimlacht en haar volle lippen gaan uiteen, zodat haar tanden en tandvlees te zien zijn. Mama's ietwat vooruitstekende tanden zijn net grote witte, vierkante parels, in een gelijkmatige rij, als soldaten in het gelid. Chous maag rommelt van de honger, maar in plaats van naar het eten te kijken, kijkt ze gebiologeerd naar mama's mond.

Plotseling voelt ze een gemene kriebel aan haar enkel en wordt ze wakker uit haar droom. In het donker vervagen mama's gezicht en tanden langzaam, en Chou wordt overvallen door een golf van verdriet. Ze is nog niet helemaal wakker, en ze doet haar best om mama's mond vast te houden – het enige kenmerk dat Chou van haar geërfd denkt te hebben. Sinds de soldaten van de Rode Khmer mama twee jaar geleden hebben meegenomen, heeft Chou haar best gedaan om mama's gezicht in haar hart te bewaren. Maar hoe hard ze het ook probeert, bij elke nieuwe maan wordt mama's gezicht langzaam donkerder, tot alleen haar heldere tanden nog over zijn.

'Chou, niet zo verdrietig zijn,' zei tante Keang tegen haar toen ze vertelde dat ze zich hier zorgen over maakte. 'Loung mag dan het gezicht van mama hebben, jij zult altijd haar mond hebben.'

'Ja,' viel het zeventienjarige nichtje Cheung haar bij, 'jouw bovenlip wijst omhoog als twee bergen, net als die van je moeder.'

'Als je lacht kun je al je tanden en tandvlees zien!' beaamde Hoa van acht.

'Je moeder was me toch een kwebbelkous!' voegde tante Keang eraan toe. 'Die kon overal over praten. Haar lippen waren zo dik dat ze ze nooit echt goed dicht kon houden.'

'Niet je lippen zo op elkaar persen,' zeiden de nichtjes, en ze barstten in lachen uit. Chou had niet eens gemerkt dat ze haar lippen helemaal over haar tanden probeerde te doen.

Chou ligt in haar bed en valt bijna in slaap als haar enkel begint te branden en te jeuken. Aanvankelijk voelt ze dat onzichtbare geesten aan haar voeten krabben. Kim heeft tegen haar gezegd dat geesten heel ondeugend zijn en mensen graag voor de lol aan het schrikken maken. Chou wil ze niet zien en slaat haar handen voor haar ogen. Ze durft zelfs niet tussen haar vingers door te gluren. Maar naarmate Chou weer meer bij bewustzijn raakt, realiseert ze zich dat haar voet uit de klamboe is geglipt en dat de muggen zich er nu te goed aan doen. Ze trekt hem er snel weer onder, buiten bereik van de horde hongerige muggen. Ze is nu klaarwakker en merkt dat ze een volle blaas heeft. Ze wil een van de nichtjes wakker maken om met haar mee te gaan naar de buiten-wc, maar dat doet ze niet. De vorige keer dat ze dat gedaan heeft, hebben ze haar bijna uit bed geduwd.

Chou komt met tegenzin overeind, gooit snel de klamboe over zich heen om te voorkomen dat er muggen in komen en zet haar blote voeten op de aarden vloer. Bij het licht van de maan dat door de kieren in de houten wanden schijnt loopt Chou naar de achterdeur. Steentjes prikken in haar voetzolen, maar die zijn zo eeltig dat ze het niet voelt. De laatste keer dat ze schoenen had was vóór de oorlog.

Bij de deur tilt ze de dikke houten plaat uit zijn scharnieren, doet hem van het slot en duwt één paneel net zo ver open dat ze haar lichaam erdoor kan persen. De deur piept en kraakt, maar ze is erdoor. Buiten is het koel en fris, maar ze weet dat halverwege de ochtend de junizon gloeiend heet zal schijnen en dat het vochtig zal zijn. Op tien meter afstand staat de buiten-wc – vochtig, donker en deels verscholen achter dicht struikgewas. Zo ver durft Chou niet te gaan, dus ze loopt een paar meter bij de deur vandaan naar een paar lage struiken. Daar haakt ze haar duimen achter de band van haar broek en trekt die snel omlaag. Ze hurkt neer om haar blaas te legen, en haar urine spettert op het gras, tegen haar been, en het gras onder haar voeten wordt er warm van. Met haar ogen half dicht wappert ze met haar handen automatisch langs haar billen om de muggen te verjagen. Als ze klaar is loopt ze naar de grote ronde waterkan en pakt het plastic bakje dat erop drijft. Ze schept wat water op, giet het over haar handen en voeten, en loopt dan pas weer naar binnen.

Als Chou weer in bed ligt kan ze de slaap niet vatten en ligt ze maar naar de klamboe omhoog te staren. Haar blik gaat door het net heen naar het houten huisje en dan door de lagen palmbladeren naar de grote wereld daarbuiten. Voorbij het dorp en voorbij Cambodja ziet ze Amerika liggen, een land vol rijke blanke mensen en grote gebouwen. Ze heeft er nog nooit foto's van gezien, maar Kim heeft haar een keer verteld dat er gebouwen zijn die wel vijftig, zestig en zelfs zeventig verdiepingen hoog zijn!

'Zeventig verdiepingen!' had ze toen vol ongeloof uitgeroepen. 'Vanaf die hoogte zullen mensen nog wel kleiner dan mieren lijken!' Daar had Kim niet van terug.

Ze probeert zich nu voor te stellen hoe het moet zijn om zo hoog boven de aarde te wonen, om een raam open te kunnen doen en dan zo de wolken te kunnen aanraken. Heel even gaan haar gedachten naar Loung en knijpt haar hart zich samen in haar borst.

Chou doet haar ogen dicht, vouwt haar handen en legt die op haar buik. Ze vraagt zich af of Oudste Broer en Loung in een van die huizen in de lucht wonen. Ze hoopt dat Oudste Broer Loung niet over de balustrade laat leunen, zoals papa haar in hun huis in Phnom Penh liet doen. Chou weet dat haar zus soms stout en roekeloos kan zijn, maar ze houdt toch van haar. Loung weet niet hoeveel zorgen Chou zich om haar en al haar capriolen heeft gemaakt. Zoals toen die keer dat ze naar de openbare terechtstelling van de Rode Khmer-soldaat in Pursat ging kijken. Chou huilde en schreeuwde dat ze niet moest gaan, en heeft zelfs gedreigd het aan hun broers te vertellen, maar Loung wilde niet luisteren. Chou maakt zich nu ook zorgen over haar en hoopt maar dat ze het Oudste Broer en Oudste Schoonzus niet moeilijk maakt, waar ze ook mogen zijn.

Sinds hun vertrek heeft Chou al heel veel verhalen gehoord over andere vluchtelingen die door strijders van de Rode Khmer zijn ontvoerd, gevangen zijn genomen door Thaise piraten en die gewond zijn geraakt door landmijnen terwijl ze probeerden Cambodja uit te vluchten. Chous duistere gedachten tollen als een tornado rond en zuigen al het licht uit haar ogen. In stilte zegt ze haar niet-aflatende gebeden aan de goden op en smeekt hun haar familie te beschermen.

Een paar dagen voor hun vertrek had Oudste Broer, omringd door de ooms, tantes en andere familie, uitgelegd dat ze alleen genoeg goud hadden voor twee plaatsen op een boot die hen naar Thailand zou brengen. De familie reageerde hoofdknikkend op dit bericht. Verscholen achter haar nichtjes hield Chou haar adem in. Ze wist dat ze van een van haar broers of zussen gescheiden zou worden. Ze draaide zich om en keek naar Tweede Broer Khouy, Kim en Loung. Toen Oudste Broer de familie vertelde dat hij Loung zou meenemen, werd Chous adem ijskoud en ging er een huivering door haar aderen. Oudste Broer vertelde vervolgens hoe gevaarlijk de reis zou zijn en dat hij het gevoel had dat Loung door haar onbevreesde karakter beter in staat zou zijn zich in een vreemd land aan te passen en dat ze – wat nog belangrijker was – doordat ze zo jong was een betere opleiding zou kunnen krijgen. Wat hij verder zei hoorde Chou niet meer. Ze was niet boos dat zij niet uitgekozen was. Ze aanvaardde zijn besluit, ook al was het haar nog zo zwaar te moede. Ze zette nooit vraagtekens bij wat Oudste Broer deed, en volgens haar dachten Khouy en Kim er net zo over. Maar op de dag van hun vertrek was ze de woorden van Oudste Broer vergeten. Ze wilde achter hen aan rennen en Oudste Broer smeken haar ook mee te nemen. Terwijl ze met de rest van de familie Oudste Broer en Loung zag weggaan, voelde haar lichaam aan als een oude dode boom, leken haar ingewanden hol en staken haar tenen als wortels in de grond. Terwijl zij stille tranen huilde, stond Kim naast haar met zijn schouders naar voren en zijn buik ingetrokken. Maar toen ze tegen hem aan leunde, was zijn slanke lichaam stevig en sterk.

Dat was negen maanden geleden, en ze hadden taal noch teken van hen vernomen. Haar keel doet pijn bij de gedachte dat er misschien iets ergs met hen is gebeurd. Er is in negen maanden tijd veel veranderd. Ze is nu dertien jaar. Ze is klein van stuk, haar buik is gezwollen door gebrek aan voedsel, haar armen en benen zijn kort en dun. Ze draait zich op haar zij en kijkt naar de plank van de mannen, waar Kim in diepe slaap ligt.

Kim is vijftien – een vriendelijke oude man in het lichaam van een kind. Hij is een kop groter dan Chou, en zijn magere lichaam is gespierd en sterk van het harde werken. Voor de tantes is Kim net een wilg die in smerig water kan staan en die toch mooi kan groeien en de familie schaduw biedt. Maar voor Chou is en blijft hij mama's aapje, dat voedsel stal en afranselingen doorstond om hen allemaal te eten te kunnen geven. Aan de andere kant zal Tweede Broer Khouy altijd de tijger van de familie zijn. Khouy is eenentwintig jaar en loopt met de sierlijke tred van een kat, maar valt zijn prooi razendsnel aan als hij zijn territorium en familie moet beschermen. Zelfs wanneer hij ontspannen is, is hij een en al onweer, vooral als hij te veel gedronken heeft. Als hij dronken is, is hij zo temperamentvol als vuur, en verbrandt hij alles wat hem voor de voeten komt. De volgende ochtend, als de alcohol uit hem geweken is, beweert hij dat daarmee ook alle herinneringen aan de avond ervoor verdwenen zijn. Niemand durft hem aan de tand te voelen; de oorlog en het gebrek aan voedsel hebben Khouys intimiderende zwarteband-karatelichaam intact gelaten. Als Khouy niet boos is, vertelt hij grappige verhalen waar iedereen urenlang om moet lachen. Waar hij ook gaat of staat drommen familie, vrienden en meisjes om hem heen.

Maar in het regenseizoen heeft Chou Khouy een keer in de regen zien staan – een eenzame gestalte tussen de heen en weer zwiepende palmbomen. Door de warme regen plakten zijn kleren aan zijn lichaam, en zijn pony hing in zijn gezicht. Om hem heen speelden kleine kinderen. Zo nu en dan pakten een paar kinderen zijn handen beet en schopten in de modder rondom hem. Hij leek het niet erg te vinden en bleef roerloos staan. Chou vroeg zich af of hij aan Geak dacht. Maar ze praten niet over haar. Ze praten ook niet over papa, mama en Keav. Ze praten ook niet over Phnom Penh, de markten, de bioscoop voor hun huis in de stad, de noedelwinkels waar ze altijd met papa en mama heen gingen, de rode wangen van Geak, hun huis in de stad, en al die andere dingen die Chou zich nog zo goed kan herinneren.

Ze koestert die herinneringen, zelfs de herinneringen waarin Kim en Khouy haar plaagden met verhalen dat papa haar in een vuilnisemmer had gevonden. Ze zeiden dat ze zo donker en lelijk was dat papa medelijden met haar had gekregen en haar had geadopteerd. Ze zeiden dat dat de reden was waarom zij de donkerste huid van hen allemaal had. Terwijl de anderen lachten, stroomden de tranen haar over de wangen. Sindsdien huilt ze heel snel wanneer ze verdrietig, boos, moe of bang is, of wanneer ze honger heeft. De tranen komen vooral vlug wanneer ze haar familie mist. En na de oorlog miste ze zo veel mensen dat haar gezicht zelden droog was. In het begin was de familie op haar hoede, want je wist nooit wanneer de tranen kwamen of ophielden. Ze keken steels naar haar wanneer ze haar ogen met de punt van haar sarong afveegde. Ze veegde zo hard en zo vaak dat haar ogen gingen jeuken, ontstoken raakten en er in plaats van tranen geel slijm uit haar traanbuisjes kwam. Maar na verloop van tijd had ze het zo druk met overleven dat haar ogen droogden en ze langzaam maar zeker begon te genezen.

Terwijl de gedachten door Chous hoofd dwarrelen, verdwijnt de maan en klimt de zon boven de horizon uit en kleurt de lucht roze, rood en oranje. Alsof ze een teken gekregen hebben beginnen de hanen van de buren luidkeels te kraaien en blaffen de honden iedereen wakker. De varkens, die aan een boom naast de hut vastgebonden zitten, snuiven geïrriteerd omdat ze zo vroeg wakker moeten worden. In de hut beantwoordt de familie de roep van de dieren met gapen, hoesten en schreeuwen. Onder hun klamboe komt iedereen langzaam tot leven. De neven worden een voor een wakker en drentelen naar de waterkan. Terwijl de jongens om de beurt hun gezicht wassen, halen Chou en de meisjes de klamboes omlaag, rollen ze tot een bal op en stoppen ze in houten kratten onder het bed. Dan loopt Chou naar de voordeur, haalt de houten grendel eraf en duwt de deur open.

Voor de hut van de familie loopt een klein rood, stoffig wagenpad dat als de enige weg dienstdoet, het dorp in en uit. Meer dan veertig gezinnen hebben in het dichte woud van dit afgelegen dorp hun huis gebouwd. Op een halve dag lopen naar het oosten ligt Ou-Dong, een welvarend dorp met meer dan driehonderd gezinnen. In Ou-Dong wonen meer mensen en het dorp heeft een grote markt, maar toch vinden de ooms het er niet veilig, voor het geval de Rode Khmer weer aan de macht komt. De ooms denken nog steeds dat de Rode Khmer het op stadsmensen gemunt heeft en die zal doden en de boeren met rust zal laten. Toen Meng en Loung vertrokken waren, lieten de ooms iedereen zijn boeltje pakken en trokken ze het bos in, in de hoop aan de voortdurende burgeroorlog te ontkomen.

Chou loopt de hut uit om de zon te voelen. Aan de andere kant van het pad zijn haar buren al op en leggen twee ossen een zwaar houten juk om. De ossen loeien als ze de last voelen, maar blijven wel vrij goed stilstaan. Ze zwaaien alleen met hun staart naar de zoemende insecten. Een paar meter verderop, in een andere hut, houdt een jonge vrouw haar blote baby op haar onderarm vast en met haar andere hand giet ze water over de billetjes. Het kind gilt het uit, terwijl de moeder voorzichtig haar wangen en beentjes wast. Als de baby schoon is, neemt de vrouw een zwart-wit geruite sjaal van haar hals en slaat die om de natte baby heen. Naast hen zit een jong kind op het trapje de slaap uit haar ogen te wrijven. De moeder legt de baby in haar armen. In dit dorpje kent iedereen elkaar.

Als ze overdag samen water halen en aan het werk zijn, zijn de gesprekken van de buren ontspannen en vriendelijk, en wemelen ze van de bijgelovige verhalen en van de vergezochte roddels. 's Avonds zijn de stemmen zacht en sluiten de dorpelingen zich op in hun huis, bang om naar buiten te gaan, waar ze misschien door Rode Khmer ontvoerd zouden kunnen worden. Hoewel de Rode Khmer niet meer aan de macht is, komen er zo nu en dan toch nog soldaten uit hun schuilplaats tevoorschijn om een dorp te plunderen en vrouwen, mannen, fietsen, koeien, varkens, pony's en rijst te stelen.

Het mag dan al bijna twee jaar geleden zijn dat de Angkar-regering van de Rode Khmer door de Vietnamese soldaten verslagen is, maar Chou weet niet wie er nu de baas is in Cambodja. Buiten hun dorpje wordt er veel gesproken over de bedoelingen van de Vietnamezen en of ze Cambodja nu binnengevallen zijn of bevrijd hebben en nu weigeren te vertrekken. Maar hier in het dorp draait het leven van Chou om de familie, om het land bebouwen, vissen, water en hout halen, en tijdens een aanval voor de kogels vluchten, of die nu afkomstig zijn van soldaten van de regering of van de Rode Khmer. Als Chou de mannen hun eten brengt, luistert ze wel eens naar wat ze over de voortdurend veranderende regering van Cambodja zeggen. Als de Rode Khmer ter sprake komt, waarvan de soldaten het nog steeds wagen om uit hun schuilplaatsen in de bergen tevoorschijn te komen en de omringende dorpen en stadjes aan te vallen, snauwen ze als hondsdolle honden.

Als ze weer in de hut is, zijn de andere familieleden bezig hun eten klaar te maken voor hun werkdag op het veld. Chou pakt twee grote metalen emmers en een dunne houten plank van de andere kant van haar bed. Ze legt de plank over haar schouders, neemt de emmers in haar handen en gaat weg om water te halen uit de plas. Het is maar een klein stukje lopen, maar ze tuurt het dichte struikgewas af op zoek naar een plekje waar ze kan schuilen mocht er een aanval komen. Ze vraagt zich af waarom mama haar in 's hemelsnaam Chou heeft genoemd. In het Chinees betekent *Chou* 'mooie edelsteen'. Chou voelt zich niet mooi en ook niet edel. Ze wordt elke dag met bonkend hart wakker en vraagt zich af of het vandaag de dag is dat er een geweer van de Rode Khmer op haar gericht zal worden.

3
Minnie Mouse en een vuurgevecht

Juli 1980

Vannacht droomde ik dat ik midden in een schietpartij zat. Er kwamen mensen achter me aan die me probeerden te doden. Ik rende de benen uit mijn lijf, maar ze zaten me voortdurend op de hielen. Ik werd doodsbang en drijfnat van het zweet wakker. Maar in mijn kast ben ik niet bang. De dag nadat we in dit huis zijn getrokken heeft Meng een gordijn opgehangen, me een stoel gegeven en de ruimte van een bij anderhalve meter in mijn eigen wereldje veranderd. Hier ben ik de schepper, gever en nemer van het leven. Mijn zon, het enige peertje boven mijn hoofd, schijnt fel zodra ik even mijn pols beweeg. Als ik het wil verlicht dat mijn kast en wekt de schimmen op mijn vloer tot leven. Als ondeugende spoken smeken ze me met hen te spelen. Maar ik sla geen acht op hen en buig mijn hoofd nog dieper over mijn tekenblok, waar mijn hand druk bezig is.

Buiten mijn heiligdom klettert Eang met potten en pannen die ze in de gootsteen smetteloos schoon aan het boenen is. Ik hoor vast te gaan vragen of ik kan helpen, maar het stoute kind wint het van het brave, en ik blijf zitten waar ik zit. Ik trek mijn gordijn nog beter dicht en concentreer me op mijn papier. In mijn kast weet ik waar ik aan toe ben. Daarbuiten is de wereld groot en kleurig, en zo vol met dingen die ik moet leren dat mijn hersens soms net de met room gevulde donuts lijken die Meng wel eens meeneemt: boordevol en papperig. Ik stel me voor dat die vulling, als ik met mijn handen tegen de zijkant van mijn hoofd druk, zo via mijn neus naar buiten spuit. Maar in mijn kast is mijn wereld overzichtelijk en liggen mijn hersens stevig en zacht onder mijn schedelkap.

Ik leun achterover en kijk naar wat ik gemaakt heb. Ik frons geërgerd mijn wenkbrauwen en bijt op een duimnagel. Mijn billen voelen koel aan op de grijsmetalen stoel onder mijn blauwe pyjamabroek, waardoor de rillingen over mijn rug lopen. Ik schud onwillekeurig mijn schouders los om de energie vrij te maken en dan weer verder te tekenen. Terwijl ik met mijn linkerarm mijn tekenblokje vasthoud, maak ik de muis af door er de ronde oren bij te tekenen. Als ik klaar ben steek ik het potlood achter mijn oor en houd mijn tekening op een armlengte afstand.

Mijn voeten tikken ritmisch op de hardhouten vloer. Als Eang zich in mijn blikveld bevindt, houd ik mijn voeten normaal gesproken tegen door mijn handen op mijn knieën te leggen. Als mijn benen stil zijn, tintelen mijn dijen en kuiten alsof er honderden duizendpoten over mijn huid krioelen. Door die wrijving ontstaat er statische elektriciteit en gaan de haartjes op mijn lichaam rechtop staan. Vanaf mijn knieën trekken de microscopisch kleine pootjes van de duizendpoten over mijn voeten naar omlaag, totdat hun elektrische stroom in mijn tenen kriebelt. Als het eenmaal zover is denk ik altijd dat, als ik niet wiebel om de energie vrij te maken, het voltage als tien minuscule raketjes uit mijn tenen zal exploderen.

Maar Eang kan niet in mijn kast kijken, dus laat ik mijn knieën wiebelen en mijn voeten op de grond tikken. Ik pak mijn potlood nr. 2 en kleur de broek, het hemd, de oren en de neus in. Met mijn potlood maak ik de ronde oren donker, terwijl ik mijn best doe binnen de lijntjes te blijven. Dan stop ik de punt van het potlood in mijn mond en maak het lood nat met spuug. Met de natte punt kleur ik de ogen van mijn muis donker, totdat ze me als twee zwarte kooltjes aankijken. Ik ga weer achteruitzitten en kijk met een tevreden glimlach naar mijn tekening.

'Minnie Mouse.' Ik laat de naam van mijn tong rollen. Hij zweeft als een pakkend liedje door de lucht.

'Minnie Mouse,' zeg ik nog een keer. Minnie geeft geen antwoord. Ik kijk naar haar en mijmer over hoe leuk het moet zijn om er als een stripfiguur uit te zien en mensen aan het lachen te maken. Ik zou willen dat mensen mij net zo leuk vonden als Minnie. Als mensen naar Minnie kijken zijn ze gelukkig. Ik vraag me af wat de mensen zien als ze naar mij kijken. Eang zegt dat ik eruitzie als een straatkind, donker en mager, met mijn spichtige armen en benen en met mijn opgezwollen buik. Meng is bang dat ik door de jaren van honger en ondervoeding in mijn groei ben achtergebleven. Als ik in de spiegel kijk, zie ik een ander meisje dan zij zien. Met mijn handen knijp ik in mijn gezicht, en ik trek eraan om de neus van mama, de ogen van papa, de glimlach van Keav en de lippen van Chou te voorschijn te toveren. Ik wil niets liever dan hun beeltenis in mijn hand vasthouden en ernaar kijken tot hun gezicht voorgoed in mijn geheugen gegrift staat. Maar we hebben niet één foto van hen, en nu is mijn eigen gezicht de enige beeltenis aan de hand waarvan ik me hen kan herinneren.

Minnie kijkt me van het witte papier aan met haar vochtige ogen en smeekt om vriendjes. Als ik een paar vriendjes voor haar begin te tekenen, buldert Eangs stem ergens boven me. Ik doe mijn hoofd omhoog en zie haar in de deuropening van mijn kast staan, met mijn geelbruine katoenen gordijn helemaal in haar hand opgepropt.

'Wat doe je daar?' vraagt ze, en ze klinkt geïrriteerd.

'Tekenen,' antwoord ik nonchalant.

'Ik roep je al een kwartier. Heb je me niet gehoord?'

Natuurlijk heb ik je gehoord, wil ik schreeuwen. Hoe hard je ook met de potten en pannen rammelt, niks kan die schelle stem van jou overstemmen! Maar in plaats daarvan sla ik mijn ogen neer en zeg: 'Het spijt me.'

'Oké,' verzucht ze. 'Kom me helpen schoonmaken. De McNulty's komen ons zo ophalen voor een barbecue bij hen thuis. Ze mogen niet denken dat het een bende bij ons is.'

'Mag het over een kwartiertje? Ik wil eerst mijn kast opruimen.'

'Goed dan.' Met nog een gelaten zucht loopt ze mijn kamertje uit.

Ik trek het gordijn over de koperen roe dicht en sluit me weer af. Ik doe mijn tekenblok dicht en leg het op de grond; dan klap ik de metalen stoel in en zet hem tegen de muur. Ik pak een kleerhanger van de grond en hang hem aan een houten roe die langs de achterwand van de kast loopt. Naast de andere iele hangertjes ziet mijn enige witte blouse, nu gekreukt en met wat vlekken erop, er eenzaam en verdrietig uit. Ik trek een la open, waarin ik de paar kleren die ik heb bewaar, en leg mijn tekening er voorzichtig tussen. Boven de laden, op een plank, zet ik mijn rechthoekige staande spiegeltje recht, leg mijn kam, borstel en potlodendoos precies gelijk naast elkaar, en pas tegelijkertijd goed op dat ik het glas water niet omstoot. Van een andere plank pak ik haarspeldjes, elastiekjes en veiligheidsspelden en die doe ik in een houten kom waar al allemaal kleurige linten in zitten, voor mijn haar.

Ik kies een rood lint en dat strijk ik tussen mijn duim en wijsvinger glad. Als het zijdezachte satijn over mijn huid glijdt, keer ik in gedachten terug naar Cambodja, waar we vier jaar lang geen kleur hebben gezien en we alleen de officiële zwarte broek en het zwarte hemd van de Rode Khmer mochten dragen. De soldaten zeiden dat mensen zich door kleurige kleren te dragen van elkaar onderscheidden, waardoor er minachting en wantrouwen onder de burgers zouden ontstaan. Ze waarschuwden dat kinderen die een rode rok, een roze blouse of een blauwe broek wilden, ijdel waren en dat hun ijdelheid derhalve uit hen geslagen moest worden. Ik vraag me af wat de soldaten zouden zeggen als ze mijn kom met kleurige linten zagen. Ik hoop dat ze, wat ze ook zouden zeggen, de woorden van hun dode lippen en rotte vlees zouden spugen. Ik bind een lint in mijn haar en bedenk hoe blij ik ben dat ik in Amerika ben.

Ik vind het soms heel vreemd dat ik nu al twee weken in Amerika woon. Ik heb geleerd om met de geesten en spoken te leven, maar elke avond pak ik als het donker word nog steeds mijn pen en zet voor de zon helemaal achter de bergen verdwijnt een x op mijn enkels en hielen. Onder de deken, met Micky, Minnie en de hele bende boven op me, ontsnap ik in een nare, rusteloze slaap. 's Ochtends ga ik, voor Meng en Eang me zien, snel de badkamer in en boen ik de x'en eraf, zodat ze niet boos op me zullen worden. Maar soms krijgen we onverwacht vroeg bezoek van een van onze sponsors en moet ik een andere manier vinden om de x'en eraf te krijgen.

Op onze tweede dag in Vermont deed zich zo'n onverwacht bezoek voor. We werden wakker doordat er hard op de deur werd geklopt. Terwijl Meng open ging doen, rende ik slaperig mijn kast in, trok mijn pyjama uit en mijn bruine blouse en broek aan. Ik schraapte mijn keel en probeerde te spugen, maar mijn mond was droog en er kwam geen speeksel, maar een dot slijm op mijn hand. Dat smeerde ik op mijn enkels en boende de x'en weg. Ik zocht mijn kam, fatsoeneerde mijn piekerige haar en zette het vast met haarspeldjes. Toen ik klaar was met me opdoffen, ging ik snel mijn kast uit om mijn bed op te maken.

De opgewekte dame liep ondertussen puffend de trap op en legde Meng uit dat ze lid was van de parochie van de Holy Family Church die onze familie financieel gesteund had om naar Amerika te komen. Meng glimlachte en bedankte haar. Toen liep ze onze keuken in en liet ons zien hoe het fornuis, de oven en de koelkast werkten. Ze liep naar de gootsteen, deed onze kastjes open en pakte een beker. Ze legde uit dat je die gebruikte om koffie of thee uit te drinken. Toen wees ze naar de kopjes, schalen en borden, en bij elk voorwerp vertelde ze waar het toe diende. Toen ze bij het nieuwe servies aanbeland was, zei ze dat we voor dagelijks gebruik het oude moesten nemen en dat we het nieuwe servies moesten bewaren voor als we gasten hadden. Toen ze klaar was met haar verhaal, stonden de gezichten van Meng en Eang strak en glimlachten ze geforceerd.

Toen de sponsormevrouw weg was, vroeg ik aan Meng waarom al die mensen denken dat wij niks weten van dingen als mooi porselein en kopjes. Ja, tijdens het regime van de Rode Khmer bestond ons servies en bestek inderdaad voornamelijk uit kokosnoten, bananenbladeren en onze vingers, en was het rijstveld onze tafel. Maar vóór de oorlog at ons gezin altijd aan de grote mahoniehouten tafel met de teakhouten stoelen met hoge rug, terwijl onze bediende ons van mooi porselein bediende. Zo jong als ik was, voelde ik elke keer dat de mevrouw weer iets oppakte mijn zelf buigen als een bamboeboom, totdat het riet te zwaar was en knapte en mijn gezicht betrok en mijn ogen een harde uitdrukking kregen.

'Die mensen weten niets! Ze denken dat wij achterlijke dorpsbewoners en boeren zijn!' riep ik uit.

Meng ging op zijn hurken voor me zitten. Zijn ogen puilden uit en zijn hoofd zoog zich vol warme lucht, zodat hij net een bidsprinkhaan leek. Hij zei dat ik stil moest zijn.

'Die mensen hebben het heel druk. Ze hoeven ons helemaal niet te helpen, maar dat doen ze wel, dus je moet dankbaar zijn.' Op zachte toon ging hij verder: 'Ze weten misschien alleen maar iets over de oorlog en armoede in Cambodja. Ze kunnen niet weten dat wij uit een gegoede familie komen. Zonder hen zouden wij hier niet zijn, dus je kunt maar beter laten merken dat je dankbaar bent – tenzij je graag terug wilt naar Cambodja.' Toen hij dat gezegd had, draaide hij zich om en liep weg. Ik schaamde me en beloofde mezelf plechtig dat ik aardiger en dankbaarder zou zijn en dat ik niet meer zou klagen.

De volgende dag kwam Michael Vincenti terug met een kleine televisie. Ik liep achter hem aan en keek hoe hij het toestel op de salontafel in de woonkamer neerzette. Terwijl hij de stekker in de muur stak, sprong ik op de bank op en neer en wachtte tot de magische beelden zouden verschijnen. Een paar seconden later zoemde de televisie als duizend bijen en trokken er zwarte en witte lijnen over het scherm. Ik keek gefascineerd naar Michaels vingers, terwijl die aan de knoppen en wijzers morrelden totdat er eindelijk een verstaanbare stem te horen was en er een tekenfilm verscheen van een kat die achter een muisje aan zat. Ik sloeg mijn handen in bidhouding tegen elkaar en kon mijn ogen niet meer van de toverdoos afhouden.

Gedurende de twee weken hierna kwamen er steeds sponsors op bezoek, die ons elke keer nieuwe levenslessen gaven, van hoe je met de bus naar de supermarkt moest gaan tot hoe de machines in de wasserette werkten waarin we onze kleren konden wassen. Tussen deze bezoekjes in kwam Sarah, onze lerares Engels, bij ons thuis om ons de Engelse taal te leren. Sarah was halverwege de twintig, een en al glimlach en met grote ogen, die een beetje leken uit te puilen achter haar dikke brillenglazen. Elke dag ging ze tegenover Meng, Eang en mij aan onze keukentafel zitten en deed ze een spelletje kaart met ons. Uit haar oude stoffen tas haalde ze dan haar kaartjes en leerde ons kwartetten en memory. Elke keer dat we een kaartje omdraaiden, zeiden we haar het woord na. Als we klaar waren, haalde Sarah allemaal boeken uit haar tas met kleurige foto's erin van de kamers in het huis, cijfers en letters. Dan wees ze naar de plaatjes of getallen en moesten wij herhalen wat ze zei.

Sarah is heel aardig, hoor, maar ik ben toch altijd blij als het voor haar tijd is om weg te gaan, want dat betekent dat ik de televisie kan aanzetten. Ik begrijp niet goed waarom, maar Meng en Eang willen absoluut niet dat ik de televisie aanzet als er gasten zijn. Dat leidt tot heel wat ongemakkelijke en zwijgzame bezoekjes, waarbij onze gast Meng met vragen bestookt en Eang en ik er zwijgend bij zitten. Soms kijkt een bezoeker wel eens mijn kant op en dan glimlach ik en doe ik alsof ik luister naar woorden die ik niet begrijp. Terwijl de volwassenen praten trek ik in gedachten hun gezicht plat, rek het uit en vorm er dan het gezicht van een stripfiguur van. Een man met een grote neus wordt een varken, een rond gezicht verandert in dat van een aapje en iemand met dunne lippen wordt een kip. Soms heb ik een hele boerderij vol dierenmensen die allemaal pikken of sissen of geluiden op me afvuren, terwijl ik antwoord geef door te knikken.

Als we geen bezoek hebben, blijf ik in mijn kast, terwijl buiten de zon witte mensen bruin maakt, de vogels hun ochtendlied tsjilpen en de wolken zacht als wattenbollen door de blauwe lucht voorbijdrijven. Om drie uur kom ik uit mijn kast en zet de televisie aan, net op tijd voor de herkenningsmelodie van *Loonytunes*. Een uur lang kijk ik naar Bugs Bunny, Daffy Duck en Tweety Bird, die elkaar achternazitten, doodmaken en in elkaar slaan zonder dat er bloed wordt vergoten of er iemand gewond raakt. Als er in zo'n tekenfilm een figuur doodgaat, komt hij in de volgende aflevering meestal weer tot leven of vliegt met piepkleine witte vleugeltjes, onderwijl harp spelend, naar de hemel.

Elke keer dat de Road Runner op de televisie is hoop ik dat de coyote de vogel vangt en zijn tanden in de lange nek van het beest zet. De coyote is namelijk niet gemeen, redeneer ik – nee, hij heeft alleen honger en wil iets eten. Als ik een tekenfilm zou maken, zou ik de Road Runner tekenen, zonder veren, hangend aan een haak, helemaal naakt en mager. Ik zou de vogel langzaam in heet vet frituren tot hij goudkleurig en knapperig is. Dan zouden de coyote en ik hem opeten, met botten en al, alsof hij een fazant was.

Op de dagen dat ik niet aan het frituren van de vogel denk, mijmer ik erover het varken te roosteren, de eend te barbecuen en de vis te stomen. Dit betekent meestal dat ik mijn buik met chips en koekjes moet vullen tot het tijd is om aan tafel te gaan. Ik zit met volle buik voor de televisie en ga helemaal op in een wereld waarin alles licht, dom en weer jong is. 's Avonds zijn er geen tekenfilms om mij gezelschap te houden en dan zet ik *The Brady Bunch* op en lach om hun streken. Ik begrijp niet wat ze zeggen, maar doordat hun gezin zo groot is en hun huis zo vol voel ik me minder alleen in ons huis. Elke avond maak ik een half uur lang hun leven mee en geniet ik van het contact onderling en van de rivaliteiten tussen zussen en broers. Terwijl ik naar hen kijk word ik teruggevoerd naar de tijd waarin ik ook deel uitmaakte van een groot gezin. Nu ben ik het enige kind van Meng en Eang.

Ik vind het een heel leuk programma, maar toch fantaseer ik er wel eens over dat ik de dochters van de familie Brady in elkaar sla. In gedachten til ik hun stakerige lichaampjes hoog op, waarbij hun goudblonde haar als zijden draden over mijn schouders valt. Dan sla ik ze hard tegen mijn knie en breken ze als oude droge takjes in tweeën. Dat doe ik niet om hun pijn te doen, maar om hen te redden. In gedachten maak ik me er zorgen over dat er misschien plotseling gevechten in Amerika zullen uitbreken en dat heel veel kwetsbare burgers het met al hun zwakheden dan niet zullen overleven. En ik wil dat ze blijven leven, omdat het nog veel moeilijker is om hen te zien sterven. Ik weet dat er in mijn nieuwe vaderland geen oorlog is, geen honger en geen soldaten om bang voor te zijn. Maar in de stille hoekjes van mijn gedachten loert de Rode Khmer. Ze houden zich op in donkere steegjes, wachten me op elke hoek op, en hoe hard ik ook wegren, ik kan niet ontsnappen aan de angst dat zij me naar Amerika zijn gevolgd.

Om aan de soldaten te ontkomen raak ik soms verzeild op een veld niet ver van onze flat. Met loshangend haar ren ik door olifantsgras dat tot aan mijn bovenbenen komt, tot ik bij een beekje kom. Door het geluid van kabbelend water ontspan ik en kan ik de gedachten aan de oorlog van me af zetten. Aan de rand van het ruisende stroompje staat een heel hoge boom met takken die ver naar beneden hangen. Ik ren ernaartoe, sla mijn armen om de stam en druk mijn lichaam tegen de harde bast. Met mijn ogen dicht stel ik me voor dat Chou aan de andere kant staat, met haar wang platgedrukt tegen de boom, terwijl ze met haar vingers de mijne aanraakt, zoals we vroeger altijd deden. Als ik mijn ogen opendoe, is Chou er niet en denk ik koortsachtig na waar ze zou kunnen zijn.

Terwijl ik helemaal op Chou geconcentreerd ben, maakt Eang nog meer kabaal in de keuken dan anders.

'Loung! Kom helpen de keuken schoonmaken!' Eang doet me uit mijn dagdroom opschrikken. Ik reageer niet.

'Loung, kom me nú helpen!' roept ze.

De afgelopen paar maanden heb ik gemerkt dat Eang ongeduldiger is geworden en heel vaak in de badkamer moet overgeven. Vorige week heeft Eang me verteld, terwijl Meng rustig buiten de flat stond te wachten, dat ze in verwachting is en dat de baby in december geboren wordt. Ik barstte in lachen uit, want nu weet ik waarom haar gezicht zo opgezet is en ze zo chagrijnig is.

'Ik kom al!'

Ik draai me om en kijk of mijn kast wel opgeruimd en netjes is. In mijn heiligdom wordt mijn wereld maar door één afbeelding opgesierd: een tekening van Mickey die Minnies hand vasthoudt, die ik zelf heb gemaakt. Ik schuif het gordijn open en betreed de grote wereld.

Even later komt Joe McNulty om ons op te halen voor de barbecue bij hem thuis. Joe is veertig, en een grote Iers-Italiaanse man van weinig woorden. Hij is een kop groter dan Meng, een boom van een kerel met een hart dat zo schoon is als de aarde. Achter zijn dikke bril informeren zijn vriendelijke ogen naar hoe het met ons gaat, en zijn handen zijn altijd bereid kapotte dingen te repareren.

Bij hem thuis aangekomen doet Lisa McNulty de deur open om ons te begroeten. Naast haar staan twee dikke grijze bollen wol met kraalogen vorstelijk opgesteld, die ons argwanend opnemen, dan maar besluiten dat wij niet interessant genoeg zijn en weer naar binnen kuieren.

'Welkom! Welkom in ons huis!' Lisa loopt op ons af.

Haar man Joe is rustig en gereserveerd, maar Lisa is een snel pratende, geanimeerde Italiaanse vrouw, gemakkelijk in de omgang en met een aanstekelijke lach. Ze is bijna net zo lang als Joe, en Lisa draagt op alles wat ze aanraakt een moederlijke energie over. Dus haar tuin staat in bloei, haar man dijt uit, haar dochter ontluikt en haar katten vermenigvuldigen zich. Naast haar staat Ahn, haar dochter, die zelfverzekerd op ons af loopt. Ahn is nu dertien, maar was pas acht jaar toen ze het weeshuis in Zuid-Korea verliet en helemaal in haar eentje naar Amerika reisde om bij haar nieuwe vader en moeder te gaan wonen. Het is nu vijf jaar later en Ahn heeft de vrolijke glimlach en vriendelijke ogen van een kind van wie veel gehouden wordt.

Lisa wenkt ons binnen te komen en Ahn rent naar me toe en pakt mijn handen beet. Ze trekt me haar tuin in, praat opgewonden en wijst op de zes katten die daar zitten. Met haar handen vertelt ze me dat die allemaal van haar zijn. Voor we ertussenuit kunnen knijpen houdt Lisa ons tegen en haalt haar camera tevoorschijn. Ze neemt de ene na de andere foto van ons gezin en vraagt Joe dan om er een van ons tweeën alleen te maken.

Met haar arm om mijn schouders vertelt Lisa dat ik er zo mooi uitzie. Eang lacht en legt uit dat ik zelf mijn kleren heb uitgekozen. Terwijl

Joe zijn camera op ons richt, ga ik met mijn vinger door mijn haar en strijk een pluk achter mijn oor. Ik straal om het complimentje. Na vier jaar onder het bewind van de Rode Khmer geleefd te hebben draag ik nu alleen maar heel kleurige kleren.

Van een paar meter afstand gebaart Joe ons dat we in de zoeker moeten kijken en moeten glimlachen. De camera flitst en legt ons beeld vast, zodat iedereen het kan zien. Lisa ziet er op de foto opgewekt en blij uit. Vergeleken met haar staat mijn gezicht betrokken, met een frons en halfdichtgeknepen ogen, maar ik ben helemaal opgedoft in mijn gebloemde roze strakke jurk met spaghettibandjes, mijn blauw-met-wit gestreepte sokken en groene gymschoenen.

Na een heerlijke barbecue met hamburgers, hotdogs en speciale Cambodjaanse kip van Eang, lopen we allemaal het kleine stukje van het huis van de McNulty's naar de kermis. De lucht is roze en oranje geworden en er staat een koel windje dat de insecten verjaagt. Overal om ons heen wandelen mensen, en hun zachte geroezemoes wordt zo nu en dan onderbroken wanneer iemand de kinderen schel tot de orde roept. We lopen in de stroom mee en mijn huid neemt de opwinding over, als een elektrische lading.

Overal om ons heen kraaien kinderen van blijdschap, hun armen geven vonken af en wapperen als libellen in het rond. Ergens in de verte speelt een band liedjes die ik nog nooit gehoord heb. De drums en de cimbalen roffelen en tillen me de lucht in, maar de tuba zet me weer met beide benen op de grond. In de lucht twinkelen de sterren als de ogen van de goden, uit en aan, alsof ze ons bij onze feestelijkheden bespieden.

'Het is bijna zover,' fluistert het publiek.

De mensen groepen in het donker samen en vormen hobbels in het veld die net op grafheuvels lijken.

'Het is bijna zover,' ademt de menigte uit.

Als ik in de verte het geluid van knetterende geweerschoten hoor, wordt mijn huid klam.

'Het kan elk moment beginnen,' mompelt de mensenmassa, en de opwinding zwelt aan. Er staat zweet op mijn bovenlip. Ik sla mijn armen om mezelf heen en wrijf met mijn handen over mijn huid om mijn armen warm te maken.

Plotseling schiet er een kanonskogel de lucht in; het gesuis schiet langs me en de explosie zweeft boven me. Mijn handen grijpen naar mijn oren, ik doe mijn ogen dicht en mijn kaken klemmen zich zo stevig op elkaar dat ik de spieren in mijn wangen voel verkrampen. In de lucht explodeert de bom en het oorverdovende geluid trilt na in mijn hart. Dan schiet een ander kanon een ander wapen boven het publiek af, gevolgd door nog veel meer. Ik zet me schrap voor de oorlog die komen gaat. De geur van verbrand kruit, het felle licht van de bommen en de damp van de rook zijn zo verschrikkelijk dat zelfs de sterren ons in de steek laten en in hun zwarte gaten verdwijnen. Ergens in het publiek huilt een baby; het gehuil springt in mijn hoofd en zit opgesloten in mijn hersenpan, waar het mijn zintuigen overstemt. Er volgt weer een explosie, waarna ik probeer onder het bankje weg te kruipen, maar Meng pakt mijn armen vast en zorgt dat ik op mijn plaats blijf zitten. Ik wil een braaf, sterk meisje zijn, dus druk ik mijn lichaam tegen de achterwand, terwijl er nog meer lichtflitsen de nacht in vliegen en in een regen van vuur uitbarsten. Ik druk mijn lichaam plat tegen de bank en probeer in het hout te verdwijnen.

Ik zit op mijn plek en mijn keel knijpt samen; ik hap naar lucht. Plotseling treed ik buiten de tijd en ruimte en ben ik in een wereld waarin Cambodja en Amerika tegen elkaar botsen en ik ergens ertussenin vastzit. Soldaten halen een vrouw uit een schuilkelder, en een baby huilt. Haar kleren zijn zwart en vies en haar gezicht zit onder de modder. Ze drukt de baby tegen haar borst en smeekt om genade, wat mij de dood van mama en Geak in herinnering brengt. Plotseling wordt alles rood en ben ik weer in Amerika, gedesoriënteerd en doodsbang. Terwijl de lucht blijft exploderen, tel ik zachtjes en adem ik de neerdalende as en de vochtige lucht van de aarde door mijn neus en mond in.

'Een... twee... drie,' fluister ik, terwijl beelden van Cambodja en Amerika over elkaar heen tuimelen. Met mijn ogen dicht bid ik dat de bommen mijn schuilplaats niet zullen raken en mij niet levend zullen begraven.

Aan de nachtelijke hemel vechten de goden hun grote finale uit. In de schuilkelder gaan de Cambodjanen op hun knieën zitten met hun handpalmen tegen elkaar en tegen hun borst gedrukt, terwijl ze psalmodiëren en bidden dat de oorlog mag ophouden. De goden trekken zich er niets van aan en gooien vuurstorm en bliksem naar beneden, waardoor de lucht uiteenrijt en de ziel van het volk zich diep onder de grond verstopt.

In gedachten zie ik dat mijn vriendin Pithy op haar hurken naast me zit, met haar moeder en broertje in elkaar gedoken naast zich. Er volgt weer een explosie, die zo veel lawaai maakt dat zelfs de goden ons verlaten en ons overlaten aan de vijanden. In mijn hoofd krijst een moeder, en ik draai me om en zie Pithy: haar hoofd is als een kokosnoot opengebarsten en het bloed sijpelt uit haar wond.

'O, arme Pithy,' fluister ik. Pithy's lichaam, negen jaar oud, ligt doodstil en zakt langzaam weg in de aarde.

'Pithy!' wil ik schreeuwen, maar mijn mond is droog en mijn speeksel is opgedroogd rond mijn lippen aangekoekt. Ik druk mijn handen nog steviger tegen mijn oren en knijp mijn ogen nog harder dicht in een poging om Pithy weg te krijgen.

Dan is het stil. De bommenregen is opgehouden, de soldaten trekken zich terug en de baby slaapt in de armen van zijn moeder, in de wetenschap dat de oorlog zijn geest nooit zal beschadigen en ook nooit in zijn ziel zal blijven bestaan. De wereld herstelt zich weer en Cambodja verdwijnt langzaam uit mijn blikveld. Ik ben weer in Amerika. In het donker hoor ik Meng roepen; hij steekt zijn arm in mijn schuilplaats om me tevoorschijn te trekken. De mensenmassa vertrekt; iedereen glimlacht en is blij.

'Geweldig was dat! Wat een fantastische show!'

4
Oorlog in vrede

Augustus 1980

Krak, krak, krak. Als Chou dat geluid hoort, schiet ze uit haar door de hitte veroorzaakte verdoving. Haar handen trillen zo erg dat ze haar bijl laat vallen. Naast haar staat haar nichtje Cheung, dat niet eens merkt dat Chou zo gespannen reageert en gewoon nog een handvol dode takjes bijeenraapt. Met haar vlugge handen schaaft Cheung de takken met een scherp mes kaal. Dan breekt ze ze doormidden, wat een geluid maakt dat Chou aan knetterende geweerschoten doet denken. Chou zegt tegen zichzelf dat ze niet zo schrikachtig moet zijn en gaat snel verder met haar werk.

'Keav.' Haar naam schiet als een krab uit een moddergat naar buiten. Nu haar veertiende verjaardag nadert moet Chou zo vaak aan Keav denken dat het net is of ze Chou waar ze ook maar gaat of staat volgt. Chou schudt haar hoofd om haar zus en dwingt zichzelf de schaduwplek onder de boom te verlaten en in de zon te gaan lopen. Zodra ze uit de schaduw is, brandt de zon op haar huid en oogleden, en in het felle licht glinsteren de velden als een luchtspiegeling. Chou verwacht bijna dat Keav uit de nevelige wereld haar wereld binnen zal wandelen. Soms hoort Chou Keav in de lach van een onbekende en draait ze bijna haar hoofd om om te kijken. De geur van modder en rottende compost doet haar ook wel eens aan Keav denken. Maar Chou denkt niet graag aan vroeger. Ze denkt er niet graag aan dat Keav ziek was en in haar eigen vuil lag dood te gaan, stinkend naar ontlasting en schimmel. Haar ogen beginnen weer te prikken, maar ze wrijft er niet in. In plaats daarvan gaat ze met haar hand over haar armen om de kilte uit haar huid te verdrijven.

'Chou! Ben je aan het werk of sta je te dromen?' roept Cheung.

Chou draait zich om en ziet dat Cheung haar met donkere blik aankijkt. Cheung en Keav waren dikke vriendinnen, maar de zus van Chou stond bekend om haar schoonheid en haar nichtje staat bekend om haar harde werken. Cheung is zeventien, slank en knap, maar door de oorlog, hun armoede en hun drukke leven heeft ze niet de tijd gehad om aan liefde te denken. Chou vraagt zich af hoe Keav zich aan dit leven zou hebben aangepast. In Phnom Penh droomde Keav er voortdurend van dat ze op een knappe jongen verliefd zou worden die haar als een prinses zou behandelen. Kim en Khouy vonden dat ze hopeloos verpest was door romantische gedachten.

'Keav,' riep Khouy dan als ze voor de spiegel zat en weer een nieuw kleurig haarklemmetje in haar haar vastzette. 'Dirk je toch niet zo op. Je weet dat je toch maar met een fietstaxichauffeur trouwt.'

'Denk je echt?' Keavs gezicht betrok van bezorgdheid. Khouy en Kim lachten haar dan uit omdat ze hen meteen geloofde.

Chou vraagt zich vaak af of Khouy wel eens aan Keav en aan hun verdrietige tijd onder de Rode Khmer denkt. Elke keer dat Chou hem over de oorlog hoort praten vermaakt hij zijn gehoor met smerige details en grappen. Terwijl hij zijn verhalen ten beste geeft, galmt zijn stem van de dramatiek en bravoure, maar nooit van verdriet. Wanneer ze naar hem luistert, vergeet ze soms haar eigen verdriet en lacht mee. Maar als zijn verhalen ten einde zijn, zit zij opgescheept met haar herinneringen aan de honger van Geak en de dood van Keav.

Als ze nog in leven zou zijn, was Keav nu zeventien jaar, bedenkt Chou. En dan was ze ongetwijfeld het mooiste meisje van het dorp. Chou weet niet waar ze nu meer tranen om plengt: om de droom van Keavs leven of om de nachtmerrie van haar dood. Chou schudt haar hoofd, loopt naar de rand van het bos en pakt een dode tak uit het dichte struikgewas. De struik houdt de tak stevig vast met zijn web van ranken en scheuten, maar tegen de roestige bijl van Chou zijn ze niet bestand. Ze laat hem op de struik neerkomen en hakt ze los. Chou is een paar uur aan het trekken, hakken en schaven, en haar houtstapel wordt hoger. Haar armen, die 's ochtends nog buigzame, sterke bamboestengels waren, zijn nu stijf en zwak als dood hout. Onder haar donkerblauwe kleren doet haar lichaam pijn en brandt het, maar Chou houdt alleen even op om het zweet van haar gezicht te vegen, waarbij haar eeltige hand vuil van haar voorhoofd naar haar wangen verplaatst. Haar oude hemd plakt tegen haar huid en ruikt naar zweet.

Boven haar trekt de zon langs de hemel, waardoor haar schaduw van kort en gedrongen in lang en slank verandert. De zon wordt zwakker, maar de vochtigheid boet niet aan hevigheid in. Als ze genoeg hout verzameld hebben is Chous haar vochtig en vettig en zit dat van Cheung tegen haar hoofdhuid geplakt. Samen binden de nichtjes touwen om hun takkenbossen heen. Dan gaan ze tegenover elkaar op de grond zitten, met een bundel tussen hen in. Ze duwen met hun blote voeten tegen het hout en trekken tegelijkertijd aan het touw. Ze wiegen de bundel heen en weer totdat het touw strak staat. Dan legt Chou er een dubbele knoop in. Ze staan op, steken hun bijl en nog meer takken in hun bundel hout en zijn klaar om weg te gaan. Dan haalt Chou haar gehavende zwart met wit geruite kroma-sjaal van haar schouders, trekt beide uiteinden strak en rolt hem tot een cirkel op. Ze legt de sjaal boven op haar hoofd en gaat door haar knieën, zodat Cheung de houtbundel voorzichtig op haar kroma kan leggen. Nadat Cheung Chou heeft geholpen, hijst ze haar eigen bundel op haar schouder en met nog een duw tilt ze hem van haar schouder op haar hoofd. Met de zware bundel hout stabiel op hun hoofd kijken de nichtjes voor zich uit en lopen achter elkaar aan terug naar het dorp.

Wanneer ze het dorp en daarna hun huis naderen klopt Chous nek en doet pijn, brandt haar onderrug en zijn haar kuiten gespannen van de lange tocht. Maar ze klaagt niet. Ze weet dat het leven van een arme dorpeling altijd vol pijnen en pijntjes van het harde werken is. Er zijn geen artsen of medicijnen, dus een dorpsbewoner gaat pas wanneer de pijn ondraaglijk wordt naar de kruidendokter voor een speciaal drankje of smeerseltje. De kruidendokter weet vaak niet of het drankje tegen de pijn helpt, maar ze moeten hem dan toch betalen. En nu er maar heel weinig rijst is – het betaalmiddel van het land – besluit Chou maar geen acht op haar pijn te slaan.

Als ze eindelijk bij de hut aankomen, staat de zon laag boven de einder. In hun huis tussen de bomen is het koel, want de bomen nemen veel van de vochtigheid van de lucht op. Chou spant haar nekspieren en laat haar kin voorzichtig naar haar borst zakken, waardoor de bundel hout van haar hoofd valt. Wanneer het hout op de grond stort, maakt Chou snel dat ze met haar lichaam, voeten en tenen wegkomt.

Ze pakt de kroma van de grond, schudt de houtsplinters en het vuil eraf en veegt haar gezicht en nek ermee af. Dan maakt ze haar dikke krullen los, gaat er met haar vingers doorheen en krabt dan eens flink over haar hoofdhuid. Zonder shampoo of zeep horen vies haar, luizen en roos er nu eenmaal bij. Chou draait haar lange haar weer in een wrong, zet het met een elastiek vast en zucht. Omdat ze vandaag geen tijd hadden om water uit de plas te halen, zal ze tot morgen moeten wachten voor ze zich behoorlijk kan douchen.

Cheung komt achter haar aan, laat haar hout vallen en loopt naar de waterkan. Ze spettert snel een handvol water in haar gezicht en gaat dan weg om met haar vriendinnen vis te gaan vangen voor het avondeten. Chou heeft even een moment rust, iets wat zelden voorkomt, en kijkt Cheung na, die kwiek wegloopt. Het beeld van haar verschoten zwarte broek en hemd rijt de littekens in Chous hart weer open. Maar voor haar gedachten kunnen afdwalen, op zoek naar de reden voor haar verdriet, slaat de driejarige Kung haar vieze handjes om Chous benen.

Che Chou, noemt Kung haar, de Chinese term voor 'grote zus Chou'.

'Laat mijn benen los, ik loop heus niet weg,' lacht Chou, en haar stem klinkt hoog en hees.

'Che Chou, ik wil spelen,' smeekt Kung met ronde lachende ogen, terwijl ze met haar handjes Chous benen nog steeds stevig beethoudt.

'Ik heb geen tijd om te spelen; ga maar met je zusje spelen.'

'Spelen, spelen, spelen!' smeekt Kung, en ze springt met uitgestoken handjes op en neer.

'Als je niet ophoudt, word ik boos.' Chou doet net alsof ze boos naar Kung kijkt en loopt naar Mouy toe, die op de rode aarden grond tevreden zit te brabbelen. Chou tilt de eenjarige Mouy op en drukt haar tegen haar borst. Dan brengt ze haar gezicht naar voren en drukt met haar neus tegen het wangetje van het kind, waarbij ze snel lucht door haar neusgaten naar binnen zuigt om Mouy een Cambodjaanse kus te geven.

'Ik wil haar een kus geven!' Kung steekt haar armpjes naar Mouy uit.

'Je hebt een snotneus; je mag haar geen kus geven,' zegt Chou tegen Kung, terwijl ze Mouy voorzichtig neerzet. Kung ziet haar kans schoon, vliegt op Mouy af, slaat haar armpjes om haar heen en duwt haar neus tegen Mouys wangetje. Als ze klaar is, kijkt Chou haar met een vies gezicht aan en richt haar aandacht dan op het groene slijm dat in een veeg over Mouys wangetje zit.

'Chou,' roept tante Keang, 'let op de kinderen en ga koken. Ik ga helpen planten.'

'Ja, tante.' Chou weet dat er op het land altijd veel werk te doen is en dat de familie iedere beschikbare hand hard kan gebruiken. Voor tante Keang de hut verlaat is Chou dus al druk bezig met het hout netjes opstapelen. Onder het werk voelt Chou zich dankbaar dat ze deel uitmaakt van hun grote gezin en doet ze haar best om geen ruzie te krijgen en ervoor te zorgen dat oom Leang en tante Keang niet boos op haar worden. Als ze iets tegen haar zeggen, luistert ze eerbiedig alsof papa en mama het zijn. Tijdens het eten schept ze eerst voor hen en voor hun kinderen op, en dan pas voor zichzelf. Oom Leang en tante Keang behandelen haar op hun beurt vriendelijk en zeggen vaak dat ze van haar houden alsof ze hun eigen kind is. Maar ondanks al hun vriendelijkheid en liefde kan Chou niet vergeten dat ze alleen maar hun nichtje is en niet hun dochter.

'Che Chou, spelen!' Kung houdt de hand van haar zusje vast en kijkt omhoog naar Chou.

'Nee, ik moet nog een heleboel doen. Pas jij op Mouy, dan ga ik eten koken.' Kung pakt Mouy bij de hand en samen drentelen ze weg om op de stromat onder de boom te gaan zitten.

Chou laat ze met de gevallen bladeren en oude sarongs spelen en loopt naar drie grote stenen, een stukje bij de hut vandaan, die rond een klein gat in de grond liggen. Ze breekt een paar takjes kapot, verkruimelt wat bladeren en legt die in het gat. Ze strijkt een lucifer af en houdt die bij de droge bladeren en takken. Als ze eenmaal goed branden doet ze er grotere stukken hout bij. Dan zet ze een pan water boven op de stenen. Terwijl het water warm wordt loopt Chou de hut in en pakt onder de plank van hun bed de gerst, waarvan ze drie blikken van een halve liter in een plastic bak afmeet. Ze vult de bak met water en roert er met haar handen door, zodat alle mieren en beestjes naar de oppervlakte drijven. Ze giet het water en de beestjes eraf en loopt dan met de gerst terug naar het vuur, waar ze hem in de pan gooit. Omdat het een tijd duurt voordat gerst gaar is, wacht Chou een half uur en doet dan hetzelfde met de rijst.

Als de rijst en de gerst in een dikke pap zijn veranderd, haalt Chou de pan van het vuur om af te koelen. Ze zet er een andere grote pan water op en hakt ondertussen paksoi, raap, paddenstoelen en andere groenten fijn, en gooit die in de pan. Ze doet er wat zout, suiker en een snufje smaakversterker bij. Alles bij elkaar zes blikken granen, wat groenten en hopelijk een paar vissen, waar Cheung straks mee thuiskomt – dat is alles wat Chou haar familie van dertien man kan voorzetten. Het wordt steeds moeilijker om groenten te verbouwen en rijst te oogsten, dus ze moet de porties zorgvuldig afmeten. Terwijl ze nog wat hout op het vuur legt gaan haar ogen voortdurend heen en weer tussen de pan en de kinderen. Chou kijkt naar Kung en moet aan Geak denken, wier lach en gegiechel uit de mond van deze nieuwe kleintjes lijkt te echoën.

'Goden, ik smeek u,' bidt Chou zachtjes, 'waar Geak ook is, laat haar niet lijden.' Chou gelooft nog steeds dat de goden en geesten mensen kunnen helpen en beschermen. Ze bidt ook omdat iedereen die zij kent bidt. En hoewel papa als jonge jongen een monnik was en de familie boeddhistisch is, weet Chou niet in welke tak van het boeddhisme zij geboren is en heeft ze nog nooit een boeddhistische tekst gelezen. Maar toch bidt ze het hele jaar door tot de god van de oogst, van de volle maan, van de rivier, van de zon, van de velden, van het land en van de bescherming. Ze weet het verschil tussen al die goden niet en hoopt maar dat ze haar voor haar volgende reïncarnatie een goed karma zullen geven. Ze voelt zich als ze bidt ook dichter bij papa.

'Ze was een goed zusje en een goede dochter, dus alstublieft, goden, laat haar als een mooi, rijk meisje in een ander land gereïncarneerd worden,' smeekt Chou de goden. 'En alstublieft, goden, bescherm mijn Oudste Broer Meng en Loung, waar ze ook mogen zijn, en zorg dat Khouy en Kim niets overkomt.'

Nu Loung er niet meer is, zit Chou in leeftijd het dichtst bij Kim. Loung mag er dan niet meer zijn, maar als Chou over de oorlog praat zijn het altijd verhalen waarin zij alle drie voorkomen. Tijdens het bewind van de Rode Khmer waren ze samen toen de soldaten Meng, Khouy en Keav naar een werkkamp stuurden en ook toen de soldaten papa kwamen halen. Toen de Vietnamezen het land binnenvielen, waren ze samen en ze hebben elkaar geholpen in leven te blijven. Nu ze nog maar met z'n tweeën zijn letten Chou en Kim goed op elkaar.

Als de soep klaar is, port Chou in de rode sintels en hoopt dat nicht

Cheung met de vis thuis zal komen voor ze helemaal gedoofd zijn. Chou stapelt het hout netjes naast het huis op, wast de potten en pannen af die de anderen hebben laten staan, haalt de was van de lijn en veegt de vloer. Terwijl de tijd langzaam verstrijkt en haar schaduw steeds langer wordt, begint Chou zich zorgen te maken over Cheung. Binnen zijn de peuters samen in een hangmat in slaap gevallen, lekker warm in de holte genesteld. Chou loopt naar de hangmat en geeft hem een duwtje, waardoor haar nichtjes nog dieper in slaap wegzakken.

Als ze voeten hoort schuifelen gaat ze naar buiten en ziet tante Keang aan komen lopen. 'Waar is Cheung?' vraagt tante Keang, terwijl ze haar handen naast de waterton wast. De rest van de familie komt langzaam achter haar aan gesloft.

'Ze is gaan vissen, maar ze is nog niet terug,' antwoordt Chou zachtjes met bevende stem. Dan staat Kim plotseling naast haar, en haar stem wordt krachtiger. 'Ze is vanmiddag weggegaan, maar ze is niet teruggekomen.'

'Het is al heel laat. Waar kan ze zijn?' Het ronde gezicht van tante Keang vertoont rimpels van angst.

'Tweede Tante, het is nog niet donker. We gaan haar wel zoeken,' zegt Kim sussend, terwijl Chou tante Keang bij de arm vastpakt. 'Chou, ga met tante Keang naar binnen. Ik ga het wel aan oom Leang vertellen.' Chou kijkt hem dankbaar aan.

Buiten praat Kim rad met oom Leang en Khouy. Oom blaft bevelen, Khouy hangt een bijl aan zijn riem en gaat voorop. De mannen gaan Cheung zoeken. De meisjes zitten om tante Keang heen. De hitte wordt nog drukkender, waardoor ze moeilijk kunnen ademhalen. In het vallende duister komen de muggen en insecten tevoorschijn en zoemen rond de kring vrouwen heen. Chou steekt snel een groene muggenspiraal aan en zet die op de grond onder de plank van de vrouwen. Dan pakt ze een rond palmblad en wappert tante Keang koelte toe. Tante Keang zegt nog steeds niets, maar slaat geagiteerd haar armen en benen over elkaar en weer van elkaar af.

'Het is bijna donker,' jammert tante Keang, en ze zucht.

In de hangmat wordt Mouy jammerend wakker. Chou loopt bij tante Keang weg om Mouy op te pakken en houdt haar stevig tegen haar borst. Chou wiegt de baby zachtjes weer in slaap, en terwijl haar lichaam van links naar rechts beweegt gaat ze in gedachten terug naar de tijd van de Rode Khmer, en zit ze op het trapje voor hun hut in het dorp Ro Leap, wachtend tot Kim terugkomt. Toen papa door de soldaten was weggevoerd en Khouy en Meng in een werkkamp zaten, was Kim de enige man in huis. En toen hij zag dat het gezin langzaam uithongerde, ging Kim naar de maïsvelden om eten voor hen te stelen, maar werd hij gesnapt door de bewakers, die hem met de kolf van hun geweer in elkaar sloegen. Ze knippert met haar ogen als ze denkt aan het bloed dat uit Kims hoofd stroomde. Haar lippen beginnen te trillen, maar ze dwingt zichzelf te glimlachen en met Mouy te spelen om de tranen terug te dringen. Ze blijft onafgebroken naar de deur kijken.

Voor de lucht buiten helemaal zwart is, horen de vrouwen Cheungs stem.

'Mama,' roept ze met een kinderstemmetje.

'Dochter, dochter!' Tante Keang springt van de plank, rent naar buiten en slaat haar armen om haar dochter heen. 'Dochter, we zijn heel bang geweest. Wat is er gebeurd?' Tante Keang legt haar arm beschermend om Cheungs schouder en loopt met haar het huis in. Eenmaal binnen strijkt tante Keang met haar handen over Cheungs armen en omhelst haar nogmaals.

'Mama, er was weer een aanval van de Rode Khmer!' Zodra Cheung de gevreesde naam heeft uitgesproken, begint ze te huilen en kan ze niet meer ophouden.

Cheung zit midden in de kring vrouwen, die allemaal over haar haar strijken, haar rug aanraken, over haar armen wrijven en haar handen vasthouden. Nu ze zich veilig voelt, vertelt ze het hele verhaal.

'Ik was samen met mijn vriendinnen in de modderige beek aan het vissen,' begint ze.

Toen ze bij de grote waterpoel aankwam, zag ze dat het water grotendeels in de zon was opgedroogd, maar langs de modderige rand zag ze een paar verse krabbengaten. Voordat ze er met haar hand in ging, prikte ze met een lange stok in het gat om zich ervan te vergewissen dat er geen slang in zat. Ze wist nog goed hoe blauw die arme dorpsjongen was geworden toen hij was gebeten door een slang. Toen de krab naar buiten kroop, pakte Cheung hem bij zijn schaal en gooide hem in haar mand.

Toen keek ze om zich heen en zag allemaal belletjes uit de modder opstijgen. Ze wist dat de vissen het zo warm moesten hebben dat ze in de modder probeerden af te koelen. Ze voelde met haar voeten en vond zo veel vis dat ze er gewoon lopend op trapte! Sommige konden wegglibberen, maar andere kreeg ze te pakken door er met haar volle gewicht op te gaan staan. Ze trok haar rieten mand snel over de plek waarop ze stond en werd beloond met twee spartelende vissen. Die gooide ze in het gras op de oever.

Cheung en haar vriendinnen waren zo druk aan het praten en zo opgetogen over iedere vangst dat ze niet hoorden dat er een groep soldaten naar hen toe gerend kwam.

'Stil blijven staan!' bevalen de soldaten. Cheung en haar vriendinnen lieten hun mand vallen en bleven stokstijf staan. Plotseling gingen haar vriendinnen ervandoor en schoten als bange dieren het bos in en waren verdwenen. Er gingen een paar soldaten achter hen aan, met hun AK-47-geweren op de vluchtende tienermeisjes gericht. Cheung probeerde ook weg te rennen, maar haar voeten waren diep in de modder gezakt, waardoor ze niet snel weg kon.

'Jullie zijn Rode Khmer, blijf staan!' De woorden van de soldaten klonken Cheung als een doodvonnis in de oren. 'Wij zijn soldaten van de regering.'

Na al die jaren van oorlog vertrouwde Cheung geen enkele soldaat meer, of hij nu van de Rode Khmer of van de regering was. Ze zag alleen maar dat de soldaten een donker uniform droegen. Toen de soldaten dichterbij kwamen, wist ze eindelijk haar voeten los te trekken en rende ze door het water.

'Blijf staan!' riepen de soldaten. Cheung bleef rennen en toen de kogels langs haar heen floten, dook ze in het modderige water, dat tot aan haar knieën kwam. Cheung hield haar adem in en probeerde te zwemmen, maar het water was te ondiep. Ondanks het feit dat het water warm was, werd haar huid koud. Toen haar longen op springen stonden, stak ze haar hoofd boven het water uit en verroerde geen vin meer toen er weer een kogel rakelings overheen ging.

'Schiet me alstublieft niet dood,' smeekte Cheung hees. Er kwamen twaalf soldaten om haar heen staan, die hun geweer op haar borst richtten.

'Handen achter je hoofd!'

'Schiet me alstublieft niet dood.' Nu stroomden er tranen uit haar ogen en neus.

'Je bent van de Rode Khmer!'

'Alstublieft, goede heren, ik hoor niet bij Pol Pot. Ik ben maar een landarbeider.' De soldaten geloofden haar niet en bevalen haar op haar knieën te gaan zitten. Ze pakten haar armen beet en bonden die op haar rug. Toen trokken ze haar omhoog.

'Ik smeek u, goede heren,' zei Cheung.

'Mond houden!' Een soldaat duwde met de loop van zijn geweer in haar rug. 'Lopen!' Cheung liep snikkend zonder nog een woord te zeggen mee, weg van het dorp. Ze zag al voor zich hoe ze haar dood zouden schieten en haar lichaam in een rijstveld zouden gooien. Met elke stap die ze zette werden haar handen dikker en haar voeten zwaarder. Cheung bedankte de goden heel zachtjes dat ze ervoor hadden gezorgd dat de kogel haar niet had geraakt en bad dat ze zouden zorgen dat ze weer thuiskwam. Plotseling zag de groep een oude man aan komen lopen.

'Help me alstublieft!' riep Cheung toen ze de dorpeling herkende. 'Ze denken dat ik van de Rode Khmer ben. Zeg alstublieft dat dat niet zo is!'

'Goede soldaten,' smeekte de man, 'Cheung is geen lid van de Rode Khmer. Ze komt uit mijn dorp.'

'Niet waar!' riep de hoofdsoldaat uit. 'We zaten achter een groep Rode Khmer-leden aan die vanmiddag een dorp hebben geplunderd. Ze zijn haar kant op gerend. We hebben tegen degenen met wie zij was gezegd dat ze moesten blijven staan, maar haar vriendinnen zijn weggerend. Waarom zouden ze dat doen als ze toch niet van de Rode Khmer zijn?'

'Goede soldaten, ik zweer dat dit meisje niet van de Rode Khmer is. Ze heet Cheung en ze is de dochter van de oude man Leang en zijn vrouw Keang. Ik ken hen goed. Ze zijn brave landarbeiders en vriendelijke mensen. Zij is hun dochter. Ik smeek u haar te laten gaan. Ik smeek u haar terug te laten gaan naar haar familie.' De man bracht zijn handen omhoog naar zijn borst ten teken van respect. De hoofdsoldaat aarzelde, keek naar de man en toen weer naar Cheung.

'Zweert u dat? Want als ze toch van de Rode Khmer is en u verstopt haar, dan weten we u te vinden.'

'Ja, dat zweer ik.'

Terwijl Cheung dit allemaal aanhoorde, klopte haar hart zo snel dat ze dacht dat het uit haar ribbenkast zou barsten. Toen de soldaten haar handen losmaakten en zeiden dat ze kon gaan, rende ze heel hard weg, zonder de vriendelijke man zelfs maar voor zijn hulp te bedanken.

Wanneer Cheung klaar is met haar verhaal zijn alle vrouwen in tranen. Als de mannen later terugkomen treffen ze hen lachend aan, met hun armen nog steeds om Cheung heen. Chou glimlacht opgelucht als ze het silhouet van Kim door de deur naar binnen ziet komen.

5
Hungry, hungry hippo

September 1980

Op de televisie zitten de meisjes in een kring rond een tafel en lachen luid. Het gelach komt als luchtbellen uit hun mond en hun stralend witte tanden glanzen als parels. Op de achtergrond zingt een vrolijk koortje alsmaar achter elkaar de tekst 'Hungry, hungry hippo's'. Op de tafel zitten vier dikke plastic nijlpaarden op een rood bord, die elkaar met hun grappige oogjes dom aankijken. Elk nijlpaard heeft een andere kleur – roze, geel, groen of oranje – en wacht geduldig tot de meisjes hun de witte knikkers voeren. Terwijl de muziek luider wordt en de zangers met klem 'Hungry, hungry hippo's' herhalen, laten de meisjes de knikkers los. Dan slaat elk meisje verwoed op de staart van haar nijlpaard, zodat hij zijn grote bek opendoet en de knikkers inslikt, wat een kabaal van jewelste geeft.

De nijlpaarden zijn veel te tam, denk ik zelfingenomen, en ik stel me voor dat ze groter worden en uit hun kleurige plastic omhulsel scheuren, zodat hun leerachtige zwarte huid te zien is. Hun bloeddoorlopen ogen puilen uit en hun tanden zijn scherp en puntig als hoektanden. De nijlpaarden vertrappen het rode bord met hun dikke poten en maaien alles neer wat op hun pad komt. Hun neusgaten staan wijd open en ze vallen de meisjes aan.

Als de reclame afgelopen is, blijf ik roerloos op de bank zitten. Het liedje van 'Hungry, hungry hippo's' tolt nog door mijn hoofd, stuitert als een pingpongbal in mijn schedelpan heen en weer en meerdert elke keer dat die ergens tegenaan komt vaart. Even later klinkt het wijsje mee met het gerommel van mijn buik.

'Hungry, hungry hippo's,' echoot mijn hoofd.

'Grom, grom,' zingt mijn buik terug.

'Hungry, hungry Luanne,' fluister ik tegen mezelf – want zo noemen een heleboel sponsors me.

De naam smaakt als een lepel azijn, en mijn mond trekt ervan samen. Ik steek mijn tong uit, blaas de lucht uit mijn wangen en spuug 'Luanne' meteen mee naar buiten. Dan spring ik van de bank en kom met beide benen met een harde bonk op de grond neer.

'Hou op met dat gespring en die herrie,' roept Eang uit de keuken. 'Je weet dat de tandartsenpraktijk beneden nog open is. We willen niet dat er klachten komen.'

Ik loop stilletjes op mijn tenen naar de keuken, en let goed op dat ik nergens tegenaan stoot of iets omvergooi. Beneden zijn de tandarts en mondhygiënisten in hun witte jas en met hun maskertje voor met de mond van een patiënt in de weer, en het geroezemoes van hun stemmen en boren dringt tot onze flat door. Daarboven wonen wij in ons nieuwe huis, stilletjes en zachtjes; we praten zacht en bewegen ons geruisloos als een kat van de ene kamer naar de andere.

Om half zes gaat de tandartsenpraktijk dicht, en als de laatste witte jas het pand heeft verlaten, komt ons huis tot leven. Boven verander ik van een pluizige kat in een lompe olifant en loop ik stampend de keuken in. Als Meng naar de radio luistert klaart Eangs humeur op. Wanneer hij zijn favoriete zender gevonden heeft, zet hij de radio hard en samen knippen we met onze vingers op de klanken van gouwe ouwe. Terwijl ik met mijn voeten de maat van The Beatles en Santana meetik, gooi ik een eetlepel vol fijngehakte knoflook in een hete braadpan. De knoflook springt op in de sissende en spattende olie, en verspreidt zijn geur door al onze kamers. Eang zit op haar hurken op de grond, heft een hakmes en laat dat hard neerkomen op de dode witte kip. De vogel splijt zonder ook maar een druppel bloed in tweeën, de botten kraken onder het scherpe lemmet van het hakmes. Eang brengt het nog een keer omhoog en snijdt de kip in vieren. Dan hakt ze de vier delen in nog kleinere stukken. Daarna gooit ze het vlees in de braadpan en geeft mij de snijplank, die ik moet afwassen. Vanaf de gootsteen zie ik hoe Eang er een lepel zout, een snufje smaakversterker, een paar scheutjes vissaus en een klodder oestersaus bij doet, en de kip dan braadt tot hij goudkleurig en knapperig is. Terwijl zij met de groenten bezig is, loopt mij onder het boenen van de potten en pannen het water in de mond.

Als we eenmaal zitten geeft Eang ons ieder een bord met dampende witte rijst. De rijst smaakt zacht en zoet, en de korrels plakken als miereneitjes aan elkaar, precies zoals dat bij rijst hoort. Een paar weken geleden heeft een van onze sponsors ons een pak Uncle Ben's-rijst gebracht, waarbij ze Meng enthousiast vertelde dat dat de lekkerste was die ze ooit had geproefd. Ze legde opgewekt uit dat we hem alleen maar in kokend water hoefden te doen, dan tien minuten moesten wachten en dan konden we de rijst al eten. Meng vertaalde wat ze zei, maar ik geloofde haar niet. Meng, Eang en ik hebben ons hele leven lang drie keer per dag rijst gegeten en samen meer pannen rijst gekookt dan we kunnen tellen. We weten hoe we rijst moeten koken en we weten dat het twintig tot dertig minuten duurt voordat rijst gaar is.

We weten hoe we ervoor moeten zorgen dat de rijst stevig, zacht of plakkerig wordt. We weten hoe we er soep, pap, congee en zelfs zoete gefermenteerde nagerechten of cakes van moeten maken, maar in geen van deze recepten hoeft de rijst maar tien minuten te koken! Als deskundige rijsteters dachten we dat deze Amerikaanse uitvinding voor snelle rijst gewoonweg te mooi was om waar te zijn. En dat was het ook. De rijst van Uncle Ben smaakte als karton, heel zetmeelrijk en sponzig. Ik kijk naar ons aanrecht en glimlach naar de doos die daar nog steeds staat.

Ik popel om zo'n lekkere hap in mijn mond te steken, maar ik hou me in en blijf rustig zitten. In onze Khmer-Chinese traditie mag niemand zijn of haar eten aanraken totdat de heer des huizes zijn eerste hap genomen heeft. Dat kan soms wel een tijdje duren als de heer des huizes graag babbelt. Als Meng zijn eerste hap genomen heeft, schep ik mezelf ook een volle lepel kip op.

'Morgen gaan we boodschappen doen,' zegt Meng, waarmee hij ons geslurp en gekauw onderbreekt. Ik kijk hem aan en frons mijn wenkbrauwen. Als ik eraan denk hoe vreselijk ik het vind om naar de supermarkt te gaan, smaakt het eten me opeens niet meer.

Als ik die avond in bed kruip, wrijf ik tevreden over mijn ronde buik. Net als bij de Boeddha steekt die als een harde bal onder mijn hemd uit, maar nu is hij niet meer gevuld met lucht, maar met kip en rijst. Buiten ligt de begraafplaats er nog steeds; niemand heeft mijn gebeden verhoord en is hem komen platwalsen. Als ik midden in de nacht wakker word om naar de wc te gaan, zorg ik dat ik heel stil ben en loop ik zijwaarts door het donker, om toch maar vooral niet onverhoeds naar buiten te gluren. Ik weet niet wat ik dan verwacht te zien, maar ik ben bang dat er een geest tegen het raam gedrukt zit, die met zijn lange tong over de ruit likt en naar binnen probeert te komen. Dankzij de standjes van Eang zet ik geen x'en meer op mijn enkels, maar ik moet wel nog met mijn rug naar het raam slapen.

Terwijl ik in slaap val tikt de klok aan de muur de uren weg. Plotseling word ik wakker van gerommel en gegrom. Het geluid zwelt aan als een wild dier dat in een kooi gevangenzit en wacht tot het vrijgelaten wordt. Ik pak het laken stevig beet en probeer met grote ogen van angst om mijn hart, dat in mijn oren bonst, weer rustig te krijgen. Buiten duwt de wind de wolken voor de maan, waardoor mijn kamer zwart wordt. Ik huiver, trek het laken over mijn hoofd en bid dat ik de aandacht van de geesten niet getrokken heb. Maar op dat moment is alles stil en glijdt mijn hart weer terug door mijn keel zijn kooi in.

Dan klinkt er plotseling een grom, en ik ruk snel het laken omlaag naar mijn kin, zodat ik de kamer door kan turen. Maar dan besef ik dat het geluid uit mijn buik komt. Ik leg mijn handen plat op mijn buik, alsof ik het hongerbeest wil sussen en weer in slaap wil laten vallen. Maar het is wakker. Onder mijn ribbenkast volgen mijn organen het bevel van het beest: ze bewegen en glijden, wat mij veel pijn bezorgt. Ik wil het me niet herinneren, maar mijn buik doet me denken aan wat ik van de Rode Khmer heb geleerd. Honger betekent maar één ding: de dood.

Naarmate mijn honger erger wordt, worden de donkere schaduwen in mijn kamer ook groter, en ze breiden zich uit naar mijn plafond en zweven boven mijn bed. Onder de lakens zie ik beelden van een werkkamp van de Rode Khmer. In een bungalow met rieten dak ligt mijn zus Keav van veertien op een stromat te sterven; haar lichaam is nog maar een schim van wat het geweest is. Maar ik ben nu ver weg van Cambodja en denk niet meer zo vaak aan Keavs dood als vroeger – haar lichaam onder de vliegen, de smerige kots en de stank. In Amerika ben ik in staat, naarmate mijn leven steeds meer vorm krijgt, om het verhaal van Keav te herschrijven en laat ik haar pijnloos in haar slaap sterven. Maar soms merk ik toch nog dat ik terugga naar haar werkkamp, waar ik haar oppervlakkige ademhaling weer door haar paarse lippen hoor piepen. Als ik de geluiden van haar strijd in mijn hoofd heb, voel ik zo'n pijn en woede dat ik alleen maar aan wraak en haat kan denken.

Ik haal snel een opgepropt servet onder mijn kussen vandaan. Ik vouw het voorzichtig open: er liggen twee kapotte suikerkoekjes in. Met hebberige vingers pak ik een groot stuk koek en stop het in mijn mond; de kruimels komen op mijn hemd en vallen in bed. De suiker en boter lossen op mijn tong op en stillen de pijn. Mijn tanden vermalen de gebakken bloem. De rest van de koekjes eet ik nog sneller op; mijn honger is in slaap gesust.

's Ochtends lopen Eang, Meng en ik de anderhalve kilometer naar de A&P-supermarkt. Meng en Eang praten met elkaar en ik raak steeds verder achterop. Omdat we geen auto hebben en Meng de drie dollar wil besparen die het voor ons drieën kost om met de bus naar de supermarkt te gaan, en weer terug, moeten we elke week dat stuk lopen om eten te kopen. Als ik over al dat lopen klaag antwoordt Meng met een Cambodjaans rijmpje over sparen.

'Weet je nog: *dthoh, dthoh, pbing moi poing,*' zegt hij. Dat betekent: *drup, drup,* volle bak. Het is een verwijzing naar hoe de dorpelingen in Cambodja palmsap opvangen om suiker te maken. Ze klimmen in heel hoge, heen en weer zwiepende palmbomen, boren er een gat in en hangen er een bakje van bamboe of metaal aan om het sap op te vangen. Het sap blijft de hele nacht doordruppelen, en de volgende ochtend is het bakje vol. Meng zegt dat ze hier in Vermont hetzelfde doen met ahornsiroop.

Meng gebruikt Cambodjaanse gezegden, maar Eang gebruikt Chinese om mij tot een net meisje op te voeden. Elke keer dat ze een vraag stelt en ik haar met het niet erg damesachtig 'watte?' antwoord, kijkt ze me boos aan en zegt: '*Huh, mung ka, cachung sai leap pa.*' Dat betekent letterlijk: 'Huh, muggenbeten, je krijgt een bult op je bil.' Dus leer ik aan de hand van de druppels van Meng en de bult van Eang dat ik spaarzaam moet zijn en moet zorgen dat ik geen muggenbeten in mijn bil krijg. Dat betekent echter niet dat ik vrolijk of zonder tegenstribbelingen achter hen aan loop, dus blijf ik achter en moeten ze wachten tot ik ze heb ingehaald.

Als we voor de winkel staan gaan de automatische deuren open. Binnen pakt Meng een wagentje, en ik loop achter Eang aan, die ons eten voor die week loopt uit te kiezen. Ik pak op de groenteafdeling een tros reusachtige bananen. Het is een rijpe gele tros en ik vraag me af of de Amerikanen zo groot zijn doordat ze van die gigantische vruchten eten. In Cambodja zijn de bananen zo groot als een flinke duim, en onze appels zijn niet veel groter dan een kindervuist. In ons dorp ben je al blij als je een watermeloen hebt die zo rond en groot is als een mensenhoofd. Maar het grootste deel van de tijd moet je genoegen nemen met een meloen die zo klein is dat je hem in tien happen op hebt. Ik pak een sinaasappel, breng hem naar mijn neus en snuif. Net als de andere vruchten in ons wagentje ruikt de sinaasappel vaag naar citroenzuur en naar een soort schoonmaakmiddel.

Terwijl ik door de stille gangpaden loop, mis ik het lawaai en de geur van onze Cambodjaanse markten. In gedachten ben ik weer op een Cambodjaanse markt, waar op de aarden grond een stapel flapperende vis naast een berg runderingewanden, pens en kippenpoten ligt. Een verkoopster zit op haar hurken naast haar waar, terwijl ze onophoudelijk de kwaliteit van haar producten aanprijst of een lekker recept vertelt om ze te bereiden. Als er een koop gesloten is, wikkelt ze de spullen in een lotus- of bananenblad en geeft ze aan haar klant. Dan zwaait ze met haar hand en vliegt er een hele wolk vliegjes op, die zich verspreiden en wachten tot haar hand weer stilligt, waarna ze kunnen terugkeren. De geur van haar vis, pens en kippenpoten hangt in de vochtige lucht en drijft naar een plek vijftien meter verderop, waar mensen op krukjes gefrituurde bieslooktaartjes, varkensnoedels en garnalenkoekjes zitten te eten. Op een provisorisch fornuis staan pannen vol noedelsoep, gele curry, congee van varkensbloed met rijst en pannen met hete olie met daarin knapperige loempiaatjes. Op een ander fornuis liggen pennen met kikkerkebab te roosteren tot ze knapperig en bruin zijn. De geur van de soepen en kikkers slaat over op een andere klant, die staat te voelen of een roze pitaya wel stevig is. Daarna inspecteert ze de rode harige ramboetans, nangka's en doerians, en steekt dan een paarse druif in haar mond. Aangetrokken door de liedjes van de toetjesverkopers doet ze de rest van haar boodschappen en gaat dan zitten om een koel glas mangoshake te drinken. Terwijl ze een slokje neemt, dringt de scherpe geur van gedroogde vis, inktvis, soep, kikkers, fruit en vlees in haar kleren, haar huid en haar haar.

Ik ben weer terug in de A&P en leg de bijna geurloze sinaasappel terug op de stapel. Dan loop ik langs de berg druiven, zonder er een in mijn mond te steken. Bij de rij voor de kassa leggen Meng en Eang het eten op de lopende band. Er klinkt zachte achtergrondmuziek of klassieke liefdesliedjes. Als ze klaar zijn haalt Meng een paar briefjes geld uit zijn zak die er anders uitzien dan de Amerikaanse biljetten. Plotseling wordt de koele lucht ijskoud en zwijgen de zoemende apparaten vol schaamte.

'Voedselbonnen?' informeert de jongen achter de kassa.

'Ja,' antwoordt Meng.

Meng vertelt me dat 'voedselbonnen' het geld zijn dat de Amerikaanse overheid aan arme mensen geeft, zodat ze het eten dat ze nodig hebben kunnen kopen. Hij vertelt me ook dat wij door deze voedselhulp te accepteren de gêne, het gezichtsverlies en de schaamte die met de bonnen gepaard gaan moeten accepteren. Elke keer dat we als gezin gaan winkelen staan de bonnen en de schaamte op ons gezicht gedrukt als een teken dat er niet gemakkelijk af gaat, hoe vaak we ons ook wassen.

Als Meng de jongen de voedselbonnen overhandigt, wend ik mijn gezicht af en kijk naar de ananas die voor me ligt. Ik stel me voor dat de honderden oogjes lichtstralen zijn, als van de discobal die ik in het televisieprogramma *Solid Gold* heb gezien. Terwijl ik dieper in mijn dagdroom wegzak, roept Meng me terug naar het nu.

'Opletten. Zie je hoe hij ons aanstaart vanwege de voedselbonnen?' zegt Meng in het Khmer. 'Geneer je en schaam je, en vergeet dit nooit.'

Ik wend mijn blik af van de ananas, kijk naar de jongen achter de kassa en zie dat zijn zonet nog opgewekte gezicht nu een roerloos verstard masker is, en zijn mond een rechte lijn. Terwijl hij de voedselbonnen van Meng aanneemt, blijft hij naar de rode cijfers op zijn machine kijken. Daarna overhandigt hij Meng en Eang onze boodschappen met een 'dank u wel' dat mij meer in de oren klinkt als 'ik ben boos dat jullie hierheen komen en gratis te eten krijgen terwijl ik hard moet werken voor de kost'.

6
Hereniging met Amah

September 1980

Ondanks de aanval en haar wonderbaarlijke ontsnapping blijft Cheung in het bos en in de rivieren naar eten zoeken. Elke dag werkt de rest van het gezin hard om rijst en groenten te verbouwen, maar het duurt maanden voordat die geoogst kunnen worden. Cheung is heel goed in vissen vangen en dat is nodig om de voedselvoorraad van de familie aan te vullen. En dus gaat ze elke dag met haar vriendinnen op pad, met een rieten mand en een bijl in haar handen. Als Cheung al bang is, zegt ze het niet tegen Chou. Chou is hun kok, en ze maakt zich voortdurend zorgen over hun voedselvoorraad en bidt dat iedereen die dag succes heeft gehad. Zelfs in perioden waarin de familie genoeg rijst heeft en er voorraden zijn waar ze een paar maanden mee vooruit kunnen, heeft Chou nog nachtmerries waarin alles 's nachts verdwenen is en ze weer honger zullen lijden.

Als Chou 's nachts huilend wakker wordt probeert Kim haar angsten te sussen door haar te vertellen over de enorme overwinningen die de regeringssoldaten op de troepen van de Rode Khmer behalen. Kim vertelt zo vaak over deze overwinningen waar verhalen over de ronde doen dat Chou wel eens denkt dat Kim zichzelf ervan probeert te overtuigen dat de Rode Khmer geen bedreiging meer vormt. Maar ze weten allebei dat dat niet waar is.

Haar niet-aflatende bezorgdheid heeft ertoe geleid dat Chou een lichte slaper is geworden. 's Nachts weten Khouy, Kim en de rest van de familie aan de oorlog te ontsnappen, maar Chou schrikt bij het minste geluid wakker. En als de moessonbuien van september met hun onweer de lucht 's nachts in lichterlaaie zetten en de aarde doordrenkt raakt van de regen, wordt Chou de volgende ochtend gespannen wakker en schrikt ze snel van luide stemmen en lawaai. Normaal gesproken zijn alleen de vrouwen en zij na een nacht vol onweer en storm bijna in paniek, maar vandaag merkt ze dat de mannen ook gespannen zijn. Chou dekt de tafel voor het eten en luistert aandachtig.

'Yee Ko,' zegt Khouy – hij spreekt Tweede Oom Leang bij zijn Chinese titel aan. 'De Rode Khmer zal de storm gebruiken als dekmantel om de dorpen aan te vallen!' Terwijl Khouy praat, rolt oom Leang met zijn handen losse stukjes tabak op een vel papier.

'Yee Haer,' zegt Kim – de Chinese titel van zijn Tweede Broer. 'Waarom helpt de regering ons niet?'

'De regering van Heng Samrin is heel zwak en heeft veel te weinig soldaten.'

De mannen zetten hun gesprek voort en zwijgen ook niet wanneer Chou de kommen met dampende rijst en zure vissoep op tafel zet. Zodra ze die heeft neergezet, vallen de mannen op hun eten aan.

'Khouy,' zegt oom Leang, en hij legt zijn half opgerookte sigaret neer en neemt eindelijk het woord. 'Of ze zichzelf nu de Volksrepubliek van Kampuchea of de regering van Heng Samrin noemen, dat maakt voor ons in het dorp geen enkel verschil.'

'Yee Ko, het maakt wel verschil,' houdt Khouy tussen twee slurpen soep door vol. 'We hebben een regering nodig om scholen en ziekenhuizen te bouwen, om wegen aan te leggen en al die andere dingen die de Rode Khmer heeft verwoest. Als die er niet komen zullen we voor altijd in dit dorpje opgesloten zitten.'

Terwijl de mannen luidruchtig dooreten, dekt Chou de tafel voor de vrouwen. De vrouwen gaan zitten en beginnen de kleintjes te voeren.

'Khouy, in dit dorpje zijn we veilig,' zegt oom Leang. 'Ai, je praat net als je vader. Bedenk wel dat je vader toen de Rode Khmer de macht kreeg niet uit Cambodja is weggegaan, maar hier is gebleven om te helpen het land weer op te bouwen. Omdat hij een leider was heeft de Rode Khmer hem weggevoerd.' Hij zwijgt even en kauwt op nog een hap. 'Het is veel te gevaarlijk om je met die regeringen in te laten, want je weet nooit wanneer ze zich tegen je zullen keren. Het enige wat mensen nodig hebben is een goede familie. De regering geeft onze familie niet te eten. De regering beschermt de kleintjes niet tegen ziekte.'

'Maar Yee Ko,' zegt Khouy, en hij laat zijn kom zakken en haalt diep adem, 'alleen het leger van de regering kan voorkomen dat de Rode Khmer weer de macht grijpt.'

Chou ziet dat Khouys bord leeg is en staat op om te kijken of ze genoeg hebben gehad en om glazen thee te serveren. De mannen klokken hun thee snel naar binnen, zonder zelfs maar te kijken naar degene die hem op tafel heeft gezet. Als de glazen leeg zijn, vult Chou ze zonder dat daarom is gevraagd weer bij.

'Ja, maar dat doen ze door onze jongens tegen de wil van hun ouders weg te halen. Je kunt die praatjes over de regering beter voor je houden, Khouy. Je vader sprak ook veel over de regering, en om die reden hebben ze hem vermoord.'

'Yee Ko,' zegt Khouy, en hij steekt een sigaret op tot besluit van de maaltijd. Tussen de trekjes door spuugt hij de losse tabak uit en gaat verder. 'Mijn vader had gelijk dat hij wilde helpen...'

Als Chou hoort dat ze het over papa hebben, gaat ze terug naar haar tafel. De vrouwen babbelen en de kinderen jengelen, maar Chou eet in stilte.

Als ze klaar is loopt ze naar buiten om naar de pan met kokende yams en aardappelen te kijken. Tijdens de moessonregens kookt Chou, wanneer het maar kan, het eten 's avonds, zodat ze overdag, als het modderig is, meer tijd heeft voor haar andere karweitjes. Chou loopt naar de vuurkuil en gaat op haar knieën zitten. Ze drukt haar handen op de grond, brengt haar gezicht omlaag en blaast in het vuur. Bij elke ademtocht flakkert het vuur op en haar haar ligt als een waaier over de grond, als een fijne bezem van palmbladeren. De stenen en het vuil prikken in haar handpalmen en haar knieën, wat diepe moeten achterlaat. Ze vindt het vuur wel goed zo, schudt de restjes stro en stukjes hout uit haar haar en boent haar handen aan haar sarong af. Ze gaat op haar hurken bij het vuur zitten en de rook verandert van richting, drijft recht in haar gezicht en doet haar ogen prikken. Ze veegt de rook uit haar ogen en staart in het vuur. Ze moet aan Loung denken. Weer bidt ze tot de goden om Oudste Broer en Loung te beschermen op hun reis naar een nieuw thuis. Dan blaast ze weer in het vuur.

Plotseling roept een oude vrouw vanaf de weg de naam van oom Leang. Chou hoort wagenwielen, wordt plotseling bang en rent naar binnen naar haar oom. Oom Leang staat als aan de grond genageld en zijn sigaret hangt tussen zijn vingers in de lucht. Uit zijn neusgaten kringelt halfgeïnhaleerde rook. Ze horen de wagenwielen knarsend tot stilstand komen op de landweg. Oom Leang staat plotseling op en stormt de hut uit. Zijn lange armen en benen zwaaien als houten ledematen heen en weer. De familie rent met snelle kleine pasjes achter hem aan. Chou houdt Mouy op haar heup en trekt Kung hard achter zich aan, die op wiebelige beentjes loopt.

Net als de man met een brede glimlach van de wagen springt, is oom Leang er. Hij pakt het juk van de wagen beet om te zorgen dat zijn ossen bij alle opwinding van de aanstormende mensen rustig blijven. In de wagen glijdt een klein oud vrouwtje op haar billen naar de rand; haar sarong veegt het stof onder haar mee. Naast haar zit een jonge vrouw van begin dertig, die de oude vrouw bij de hand neemt en haar helpt voorzichtig van de wagen te stappen. Aan de andere kant van de wagen zwaaien twee jonge meisjes hun benen over de rand en springen op de grond.

'A-ai!' roept oom Leang in het Chinees tegen zijn moeder, en hij knippert snel met zijn ogen. 'Kinderen, dit is jullie Amah.' Chou herinnert zich Amah, het Chinese woord voor 'oma', vaag.

'A-Leang,' zegt Amah, en ze steekt haar gerimpelde armen naar hem uit. De jonge vrouw strijkt de kreukels uit de sarong van de oude vrouw.

'A-ai! Bent u het echt?' Oom Leang knippert voortdurend met zijn ogen, snel en ongecontroleerd.

Terwijl de oude vrouw dichterbij komt, speurt Chou haar geheugen af naar sporen van Amah, de moeder van mama, haar oma van moederskant. Maar het enige wat ze zich herinnert zijn luide stemmen, lycheevruchten en een jankende hond. Ze herinnert zich heel vaag dat ze bij Amah op bezoek is geweest in het dorp Battambang en dat haar toen geleerd is om een klein licht rieten mandje om een tros lychees aan Amahs boom te vlechten. Amah vertelde haar op luide toon dat die mandjes dienden om te voorkomen dat de vruchten op de grond vielen, waar haar schurftige hond ze zou opslokken, met pit en al.

Maar de oude vrouw die voor haar staat lijkt in niets op mama. Deze oude vrouw heeft zulke zwarte ogen dat het net kooltjes lijken, verstopt achter bruine huidplooien. Haar oogleden zitten aan zulke uitstekende wenkbrauwen vast dat het net lijkt alsof ze uit klei geboetseerd zijn; haar lippen zijn gedroogde vruchten die slechts een paar gele stompjes tand bedekken. Haar gezicht is zo klein dat het wel een verschrompeld miniatuurhoofdje lijkt.

'A-ai!' Oom Leang pakt haar handen vast, en zijn grote handpalmen sluiten zich om haar vingertjes heen en omvatten ze alsof het kostbare geschenken zijn. 'We hebben mensen naar Battambang gestuurd om u te zoeken, maar niemand kon u vinden. We dachten dat u dood was.'

'Nou, ik ben niet dood,' zegt Amah met een glimlach, waardoor haar gezicht weer de schoonheid krijgt die ze vijftig jaar geleden gehad moet hebben. 'En ik heb Kheng, haar dochter Eng en je dochter Hong mee teruggenomen.'

Als Chou hun namen hoort herinnert ze zich weer wie zij waren. Voor de machtsovername van de Rode Khmer is Chou bij Amah in Battambang op bezoek geweest, waar ze woonde met de jongste broer van Ma, oom Lang, zijn vrouw Kheng en hun dochter Eng. Bij hen woonde ook de zes jaar oude Hong, de dochter van oom Leang en tante Keang. Toen Chou aan haar moeder vroeg waarom Hong bij oom Lang woonde en niet bij haar eigen ouders, zei ze dat Hong een keer bij Amah op bezoek was en haar toen zo lief vond dat ze Amah voortdurend achternaliep. 's Avonds weigerde Hong bij haar eigen moeder te slapen en kroop in Amahs bed. Toen het tijd was om weer naar huis te gaan, vroeg Amah aan oom Leang of Hong bij haar mocht blijven en haar gezelschap mocht houden op haar oude dag, totdat Hong oud genoeg was om naar school te gaan. Oom Leang vond het goed, niet wetend dat de Rode Khmer het land zou binnenvallen en hij vele jaren van zijn dochter gescheiden zou zijn.

'Hong,' zegt oom Leang, en hij legt zijn hand op het hoofd van zijn dochter.

Hong glimlacht en tante Keang aait haar over haar armen en gezicht.

'Kind, wat ben je groot geworden!'

De familie is dolblij met de hereniging, maar niemand durft de naam van hun vermiste oom, de broer van oom Leang en echtgenoot van tante Kheng, te laten vallen. Nog niet.

'Kom, laat me jullie allemaal eens goed bekijken,' zegt Amah, en ze gebaart de familieleden om haar heen te komen staan. Oom Leang wijst de leden van zijn clan een voor een aan en stelt hen aan hun Amah voor.

'Dit zijn de kinderen van Seng Im en Ay Chourng,' zegt oom Leang op sombere toon. 'Khouy, Kim en Chou.'

'Amah,' zeggen ze allemaal ter begroeting.

'Khouy, Kim en Chou,' herhaalt Amah. Haar gelooide gezicht betrekt, maar ze heeft niet de kracht om naar het lot van de andere gezinsleden te vragen.

'Kom, Amah, we hebben veel bij te praten,' zegt oom Leang, en hij neemt haar mee naar binnen en geeft haar een stoel.

Nu Amah weer het hoofd van de familie is, zit ze kaarsrecht, met haar handen op haar knieën en haar voeten recht naar voren. Als Amah glimlacht kan Chou de mooie kin, de wipneus en de hoge jukbeenderen zien, zoals mama die vroeger ook had. Terwijl de schoondochters en kleindochters theezetten en zoet lotuszaad voor haar halen, vertelt oom Leang wat er met de familie is gebeurd – wie er is gestorven, wie er is vertrokken, wie er nog over zijn. Als hij klaar is, vegen veel mensen in het vertrek stil hun tranen weg.

Dan vertelt Amah haar verhaal.

Toen de Rode Khmer in Battambang aan de macht kwam, mochten Eerste Oom en zijn gezin van de soldaten aanvankelijk op het land van oom blijven wonen, maar na verloop van tijd vermoedde Amah dat het dorpshoofd het land voor zichzelf wilde.

Halverwege haar zin betrekt het gezicht van Amah.

'Het is zo'n verdrietig verhaal. Ik kan het niet vertellen. Hong, vertel jij maar verder.' En met die woorden lopen Amah en oom Leang de kamer uit en neemt Hong het van haar over.

Hong is elf jaar, heeft het lichaam van een jong meisje, maar haar stem heeft de wijsheid en het verdriet van haar oma.

'Het is een verdrietig verhaal, maar Amah is heel sterk,' begint Hong. 'Ze moet wel een heel goed karma hebben, want de goden hebben haar beschermd. In ons dorp hebben de soldaten verder niemand die zo oud was als Amah in leven gelaten. Veel vriendinnen van haar zijn gestorven, maar Amah is taai.'

Hong herinnert zich nog goed de dag dat ze oom Lang hebben meegenomen. Hij was net terug van het vissen en iedereen was blij, want hij had heel veel gevangen! In tegenstelling tot in andere gebieden en provincies van de Rode Khmer hadden de mensen in Battambang in 1976 nog enige onafhankelijkheid. Maar net als in de rest van het land was er heel weinig te eten, leed iedereen honger en droeg iedereen zwarte, gehavende kleren.

Oom Lang was zo blij met zijn vangst dat hij, terwijl tante Kheng de vis schoonmaakte, zelf een vuur aanlegde. Hong kwam hem helpen. Terwijl hij in het vuur blies droogde de modder op zijn huid op, waardoor die er grijzig uit ging zien. Hong en oom Lang waren zo geconcentreerd met hun vuur bezig dat ze de vijf Rode Khmer-soldaten niet hoorden aankomen. Voor ze het wisten grepen twee soldaten de armen van oom Lang beet en draaiden die op zijn rug. Hong was acht jaar en stond als aan de grond genageld van angst. Het leek wel alsof haar armen en benen in steen waren veranderd.

'Verzet je niet!' riep een soldaat tegen oom Lang, die zich los probeerde te worstelen. Een andere soldaat loste een geweerschot in de lucht. Hong sloeg haar handen tegen haar oren en schreeuwde het uit.

'We brengen je naar een heropvoedingskamp. Over drie dagen ben je terug.'

Amah, tante Kheng en Eng waren inmiddels naar buiten gerend. Tante huilde en smeekte de soldaten om oom Lang los te laten, maar ze sloegen geen acht op haar. Terwijl de tranen uit haar ogen en neus stroomden, stond Amah met haar handen tegen haar borst gedrukt toe te kijken. In gebroken Khmer smeekte Amah de soldaten medelijden te hebben, en ze bracht haar handen naar haar voorhoofd. De soldaten trokken zich niets van haar aan en sleurden oom Lang aan zijn ellebogen mee. Met AK-47-geweren in zijn rug draaide oom Lang zich om; met strakke kaak, stramme schouders en zonder met zijn ogen te knipperen keek hij naar zijn familie.

'Papa!' riep Eng, en ze stak haar armen naar hem uit. 'Papa!' Ze wilde naar hem toe rennen, maar tante ging op haar hurken zitten en hield haar tegen. De soldaten porden met hun geweer in oom Langs ribben en toen draaide hij zich abrupt om en liep met hen mee. Ze hebben hem daarna nooit meer gezien.

Terwijl Hong verder vertelt over hun leven onder de Rode Khmer, komen de vrouwen een voor een naar haar toe om haar koelte toe te wapperen, haar haar te strelen of een hand op haar rug te leggen. Terwijl Hong vertelt over hun honger en over dat Amahs buik zo opgezet raakte dat ze haar broek niet meer dicht kreeg, zit Chou in een hoek van het vertrek te snikken. Hong vertelt dat ze gezien heeft hoe een jongetje met stokken doodgeslagen werd omdat de soldaten zeiden dat hij lui was. Als Hong vertelt dat de jongen zo langzaam was doordat hij ziek was en honger leed, spuugt ze de woorden er als het ware woedend uit. Ze wringt haar handen op haar schoot en vertelt dat de jongen niet eens schreeuwde toen hij geslagen werd, maar alleen zachtjes jankte als een gewonde kat. Toen hij niet meer bewoog, duwde de soldaat zijn lichaam het rijstveld op, zodat iedereen het kon zien. Daarna werd Hong de beste arbeider van haar groep, ook al was ze veel jonger dan de anderen.

Terwijl tante Keang de vliegen van haar armen verjaagt, vertelt Hong dat de familie nadat de Vietnamezen de Rode Khmer hadden verslagen uit Battambang was vertrokken om naar het dorp van Leang te gaan. Nadat ze een week hadden gereisd, werd Amah ziek en kon ze niet meer lopen. De andere vluchtelingen liepen door, en hun familie bleef als enige groep achter in het bos. Zonder de bescherming van de grote groep waren ze bang door de Rode Khmer ontvoerd, door tijgers opgevreten of door slangen gebeten te worden. Ze wachtten dagenlang in het bos, totdat er een Vietnamese vrachtwagen langsreed, die hun een lift gaf naar de dichtstbijzijnde stad. Daar bleven ze, en ze probeerden groenten te verbouwen, zochten in het bos naar bessen en stalen, wanneer ze niets te eten hadden, voedsel van andere mensen. Ze slaagden erin wat gouden sieraden van Amah te verkopen, zodat ze kruidenmiddeltjes konden kopen om haar te genezen. Toen Amah hersteld was, verkochten ze de rest van de sieraden en gingen op weg naar Phnom Penh. Vandaar slaagden ze erin een ossenwagen te huren, waarmee ze naar het dorp reisden.

Als Hong uitgepraat is, schenkt tante Keang thee in en drukt haar die in haar trillende handen. Nicht Cheung pelt kleine zoete banaantjes voor haar, maar Hong snikt zo hard dat de tranen uit haar ogen en neus druppen. Het lijkt wel of er nooit een einde aan Hongs verdriet zal komen, maar dan kijkt ze plotseling op en lacht. De andere vrouwen lachen door hun tranen heen met haar mee; ze slaan hun hand voor hun mond om rondvliegend speeksel tegen te houden of ze trekken hun kroma omhoog om hun gezicht af te vegen. Chou kijkt hoe tante Keang Hong blij omhelst. Ze droomt van de dag waarop zijzelf zich kan verheugen over de hereniging met Oudste Broer en Loung.

7
Vierkant vanillekleurig schrift

September 1980

Als ik in bed lig en mijn kussen stevig tegen me aan druk, sturen mijn hersenen me ergens naartoe waarheen zelfs mijn schaduw me niet kan volgen. In dit droomland staat de zon als een 24-karaats gouden schijf tegen een blauwe hemel met wolkjes als wattenbolletjes. Mijn hele wezen voelt licht aan – als een briesje dat de wereld wel doet afkoelen, maar dat zich in het voorbijgaan nergens aan hecht. Met mijn armen wijd huppel ik vrolijk over een pad, en ondertussen stijgt er een liedje op uit mijn keel en drijft de zachte lucht in.

Plotseling ben ik ver van huis en begin ik te rennen in de hoop de paniek kwijt te raken. Ik blijf voor een begraafplaats staan, want dat is de kortste weg. Ik loop naar het zwarte ijzeren hek en tuur naar binnen, op zoek naar verdachte dingen die op problemen zouden kunnen wijzen. Mijn blik volgt het bruine stenen pad, blijft even bij de heen en weer wiegende bomen, de grijze grafstenen en de dichte struiken hangen. Zo te zien is er niks aan de hand; alles is rustig. Maar dan steekt de wind plotseling op, en mijn haar waait in mijn gezicht. Door de windstoten zwaait het ijzeren hek een beetje heen en weer, alsof het me wenkt om binnen te komen. Ik loop langzaam de begraafplaats op. In de lucht worden de witte wolken donker en drijven achter me aan.

Zodra ik binnen ben, doe ik mijn mond open om te zingen, maar in plaats van een liedje komt er alleen een zenuwachtig gebrom uit. Mijn ogen schieten alle kanten op. In de verte zie ik vlak bij het pad het donkere silhouet van een man staan. Mijn hart bonkt tegen mijn blouse, en ik loop langzaam dichter naar hem toe. De donkere wolken worden groter en blokkeren de zon. De wind waait woest tegen de man aan, maar hij staat doodstil, net zo stil als de grafstenen om hem heen. Als ik dichterbij kom, zie ik dat het een oude man is, ongeschoren en met een grijs, wijd hemd en een broek aan. Naast hem staat een shovel met de grijper diep in de aarde gestoken. Ik zeg tegen mezelf dat ik zo snel mogelijk langs hem heen moet lopen, maar mijn voeten bewegen als twee scheve, met ijzer beslagen hoeven.

Ik wil hem net passeren, maar dan verspert hij me de doorgang.

'Kom hier,' fluistert hij tussen zijn onzichtbare tanden door. 'Ik stond op je te wachten.'

'Ga weg!' bijt ik hem dreigend toe. 'Laat me met rust!'

'Wees maar niet bang. Ik doe je niks. Ik heb iets wat je wilt zien. Ik heb datgene waar jij naar op zoek bent.' Hij steekt zijn hand naar me uit en het licht valt op het wit van zijn geopende handpalm.

'Ik wil het niet zien!' Ik loop langs hem heen.

Tot mijn verbazing houdt hij me niet tegen. Er stroomt nieuwe energie door mijn benen, zodat ik snel bij de man kan weglopen, maar vreemd genoeg blijf ik na een paar meter staan en draai me naar hem om. Tot mijn grote verbazing loop ik naar hem terug. Hij knikt me ter begroeting toe. Tegen de donkere schaduwen van bomen en stenen wijst hij met zijn vingers naar een open graf. Mijn hoofdhuid wordt vochtig van de koude zweetdruppels, die over mijn voorhoofd en in mijn nek lopen. Stap voor stap brengen mijn voeten me naar het graf, tot ik helemaal aan de rand sta.

In het graf ligt een klein meisje in haar kistje te slapen. Zo te zien is ze een jaar of negen, tien. Haar haar is zwart en ligt als een sluier in een glanzende waaier over haar gezicht. Haar gladde bruine huid lijkt door haar witte jurk donkerder. Uit haar pofmouwtjes steken twee armen die over haar borst liggen, met in haar handen een boeketje witte madeliefjes. Onder haar wijde rok steken kleine voetjes, met witte sokken en zwarte schoentjes met een riempje over de wreef. Ze heeft knobbelige voetjes, net als ik. Ze ziet eruit alsof ze een dutje doet, en ik wil haar niet storen.

Ik ga op mijn knieën zitten en kijk naar haar gezicht, maar dan breekt er een luide gil los uit mijn keel. Het meisje lijkt precies op mij! Als een geest doet ze haar ogen open en pakt mij bij mijn blouse beet.

'Niet weggaan, laat me hier niet alleen achter,' smeekt ze met haar dode mond. Maar haar ogen! Als glanzende zwarte schijven kijken ze me aan, verdrietig en boos.

'Neeee!' Haar witte jurk zit nu onder het bloed. Er zit bloed op haar borst, en de madeliefjes raken ervan doordrenkt.

'Neeee!' Ik raak in paniek en sla naar haar, maar zie dan het gat in haar borst. Het ziet eruit alsof iemand haar heeft opengesneden en haar hart eruit heeft gehaald. Ik druk mijn handen tegen haar schouders en duw haar het graf weer in.

'Laat me los! Laat me los!' smeek ik.

Ik begin te hyperventileren, stijg op uit mijn lichaam en zweef boven de twee meisjes. Als in een stomme film kijk ik vanaf de wolken toe hoe het ene meisje zich wanhopig vastklampt om bij het andere te blijven, en hoe het andere worstelt om los te komen en te ontsnappen.

Als ik wakker schrik, ben ik dit laatste beeld nog niet helemaal kwijt. Ik zie de meisjes nog steeds worstelen. Het restje wanhoop van het spookmeisje, de greep waarmee ze het andere meisje stevig vasthoudt, haar tastbare angst als ze zich aan mij probeert vast te klampen, hangen als een mist in de stille lucht. Terwijl de meisjes langzaam maar zeker vervagen en dan helemaal in het witte plafond verdwijnen, lig ik als verlamd in bed. Als ik mijn ogen dichtdoe en weer in slaap val, geeft de klok aan de muur aan dat het al over twaalven is.

De volgende ochtend word ik alleen wakker in een koude flat. Meng en Eang zijn allang naar hun werk. Omdat Meng Khmer, Engels, Mandarijns en Chiu-Chow-Chinees spreekt, werkt hij nu als tolk en hulpverlener voor nieuwe vluchtelingen die net in Vermont zijn aangekomen. Eang werkt zolang in een fabriekje in de buurt. Doordat ze allebei werken heeft Meng de uitkering van ons gezin kunnen stopzetten, dus nu kunnen we zonder ons te hoeven schamen eten kopen. Daar ben ik blij om, maar soms zou ik wel weer eens van het gerammel van Eangs potten en pannen in de keuken wakker willen worden.

Vandaag drukt de stilte in huis mijn stemming niet, want het is mijn eerste schooldag! Ik heb de hele zomer naar de tv gekeken en ken nu een paar woorden en genoeg zinnetjes om vrienden te kunnen maken, hoop ik. Ik heb veel met Li en Ahn gespeeld, maar op school wil ik nieuwe vriendinnen die niet uit Azië komen, die niet 'anders' zijn. Ik doe net alsof het me niks kan schelen, maar toch vind ik het vervelend als we ergens met z'n drieën zijn en de mensen ons aanstaren alsof we net zoiets zeldzaams zijn als een slang met drie koppen. Mijn normale vriendinnen op school zullen blond of bruin haar en blauwe ogen hebben, net als de meisjes die ik op de televisie heb gezien. Op het kleine scherm zien die blanke meisjes er altijd zo licht en gelukkig uit. Ik weet gewoon dat ik, als ik met hen bevriend ben, zelf ook normaal en gelukkig zal worden!

Nog voor de wekker gaat kom ik uit bed en loop de woonkamer in; daar heeft Eang de kleren klaargelegd die we samen voor mijn eerste schooldag hebben uitgekozen. De nieuwe roze jurk ligt op de bank uitgespreid en mijn schoenen met zwarte gesp staan eronder. Om vijf voor zeven komt mevrouw McNulty om met me mee naar school te lopen. Mevrouw McNulty geeft les in de tweede klas, en aangezien ik naar de derde ga, heeft ze aangeboden me bij mijn lokaal af te leveren. Het is maar een klein stukje lopen, en ik dwing mijn benen rustig te blijven en niet te springen en te huppelen. Mijn potloden en krijtjes rollen als miniatuurboomstammen in mijn roze Barbie-rugzak. Ik vul mijn longen met de koele frisse lucht van Vermont en stap over de opgedroogde wormen op het trottoir. Als we bij het schoolgebouw van bruin baksteen aankomen zijn mijn benen helemaal wiebelig van de opwinding. In gedachten zie ik mezelf al met mijn nieuwe vriendinnetjes hand in hand van het ene lokaal naar het andere lopen.

Mevrouw McNulty gaat door de brede dubbele deuren van glas naar binnen en zegt iedereen, jong en oud, gedag. Ik loop vlak achter haar aan, met een brede glimlach op mijn gezicht. Binnen is het gebouw koel en heeft het een lange gang met aan weerskanten een heleboel deuren. Overal rennen horden jongens en meisjes die open deuren in, waarbij hun nieuwe schoenen op de harde glanzende vloer klakken. De meisjes zoeven langs me heen in hun nieuwe jurk en de jongens kuieren voorbij in een kraakhelder nieuw overhemd en een nieuwe broek, en ik stel me voor dat ze allemaal naar een feest gaan. In gedachten zie ik hun hoofd in een ballon veranderen: geel, bruin, rood en zwart, en de ballonnen drijven vertrekken in waar ze op feestjes verwelkomd worden!

Dan neemt mevrouw McNulty me mee door zo'n deur en ogenblikkelijk knappen mijn ballonnen als zeepbellen, waarna er alleen maar met steelse blikken en gefronste nieuwsgierige gezichten mijn kant op gekeken wordt. Ik richt mijn ogen op de regenboog van vlinders die aan het plafond hangen en op de uitgeknipte letters van het alfabet aan de muren. Terwijl mevrouw McNulty met de lerares praat, sla ik mijn handen voor mijn buik in elkaar. Ook al is dit voor ons allemaal de eerste schooldag, toch staan de leerlingen in groepjes bij elkaar te praten en te lachen alsof ze al hun hele leven op school zitten. Het is onbeleefd om te staren, dus kijk ik alleen uit mijn ooghoeken naar ze. Iedereen, behalve ik, ziet eruit als de kinderen die ik op de televisie gezien heb!

'Loung,' zegt mevrouw McNulty, en ze bukt zich naar me en kijkt me glimlachend aan. 'Dit is mevrouw Donaldson. Zij is je nieuwe juf.'

'Hallo,' zegt mevrouw Donaldson. Ze lijkt heel erg op mevrouw Brady van *The Brady Bunch*, met haar lichtgele haar en haar vriendelijke brede glimlach.

'Mevrouw Donaldson zal goed voor je zorgen. Ik geef in een andere klas les, maar we zien elkaar vast nog vaak.' Ik knik. Dan loopt ze het lokaal uit.

'Jongens, we hebben er dit jaar een nieuwe leerling bij,' zegt mevrouw Donaldson, terwijl ze met mij voor de klas gaat staan en me voorstelt. De andere leerlingen kijken naar me, maar niemand komt naar me toe om mijn hand te pakken. Ik weet niet goed wat ik moet doen, dus sla ik mijn armen maar weer voor mijn borst over elkaar en wacht op de volgende instructie. Ik voel dat ik rood word, dat mijn handen warm worden en dan beginnen te zweten. Mevrouw Donaldson zegt dat ik aan een tafeltje voor in de klas moet gaan zitten. Als ze weer voor het bord staat, spreid ik mijn handen op het tafelblad uit, zodat ze door het koele hout weer rustig kunnen worden.

Zodra ik zit, loopt mevrouw Donaldson naar het bord en schrijft haar naam op.

'Ik heet mevrouw Donaldson,' zegt ze.

Dat herhaal ik een paar keer in gedachten. Dan pakt ze een velletje papier van haar bureau en noemt ze van alle leerlingen de naam op. Mevrouw McNulty had al gezegd dat dat zou gebeuren, dus ik ben erop voorbereid. De leerlingen steken een voor een hun hand op en antwoorden met: 'Present!', of: 'Hier!'

'Lu... onng Unng?' Mevrouw Donaldson klinkt verward en spreekt mijn naam uit als iemand die *ott kroup tik* is – iemand die met te weinig water geboren is. Zo noemen we in Cambodja mensen die bij hun geboorte niet helemaal goed in hun hoofd waren, zodat ze soms een beetje vreemd praten.

'Hier!' Ik spreek het woord duidelijk en trots uit, want ik heb het geoefend. Terwijl het mijn mond uit vliegt, schiet mijn arm omhoog, recht als een palmboom, en maak ik mijn rug lang en stijf.

'Mooi. Je mag je hand weer naar beneden doen,' zegt mevrouw Donaldson.

'Dank u wel, mevrouw Donaldson,' zeg ik met een glimlach, en ik buig respectvol mijn hoofd. Ze glimlacht terug en deelt dan aan alle leerlingen een dun vierkant vanillekleurig schrift uit.

'Jongens, pak je potlood en schrijf in je schrift wat je deze zomer gedaan hebt. Ik zeg wel wanneer jullie mogen ophouden met schrijven. Begin maar.' Haar woorden stromen als kolkend water over me heen; het gaat veel te snel, dus ik begrijp niet wat ze zegt. Om me heen doen de andere leerlingen hun schrift open, dus dat doe ik dan ook maar. Ik heb de hele zomer met Sarah en onze sponsors Engels geoefend, maar ik heb het alleen leren spreken. Ik kan het niet schrijven. Dat durf ik niet tegen mevrouw Donaldson te zeggen. Naast me schrijft het meisje dat zei dat ze 'Barp-raa' heette, grote vierkante letters in haar schrift. Ik schuif mijn tafeltje stilletjes dichter naar haar toe en begin haar letters over te schrijven. Aan de muur tikt de klok heel langzaam de minuten weg.

'Goed, jullie mogen stoppen,' zegt mevrouw Donaldson na een tijdje. 'Geef jullie schriften maar.' Ik doe net als de andere leerlingen en geef haar met een grote glimlach mijn schrift.

Als mevrouw Donaldson de schriften in een keurige stapel op haar bureau heeft gelegd, spreekt ze de klas rad toe over iets wat een 'medische keuring' wordt genoemd.

'Loo-unng, kom maar even naar voren,' zegt ze plotseling tegen me. Ik loop naar haar toe; alle ogen volgen me.

'Jongens, doe je leesboek open en ga rustig voor jezelf lezen. Ik ben zo terug.'

Mevrouw Donaldson gaat voorop en ik loop een paar passen achter haar. We lopen door de lange, stille gang en onze voetstappen klakken tegen de harde tegelvloer. Dit keer klinkt de echo eenzaam en griezelig.

'Wacht maar even,' zegt mevrouw Donaldson met een glimlach, en ze loopt een kamertje in. Ik gluur naar binnen en zie haar met een vrouw met een witte blouse en een witte rok aan praten. 'Loounng, kom maar binnen,' roept ze. Ik loop voorzichtig het steriele, naar alcohol ruikende kamertje in.

'Deze aardige mevrouw is de schoolverpleegkundige.' Terwijl mevrouw Donaldson ons voorstelt moet ik aan Sarahs kaartje met een foto van een vrouwelijke arts denken. 'De verpleegkundige kijkt je even na.' En na die woorden loopt mevrouw Donaldson weg.

'Hallo, Loung,' zegt de verpleegkundige, en als haar mond opengaat zie ik haar mooie witte tanden. 'Ga maar zitten,' zegt ze, en ze wijst naar een stoel die voor haar staat. Ik ga zitten en kijk omhoog naar haar gezicht, dat zacht en mooi is. Terwijl ik mijn benen heen en weer laat zwaaien, haalt zij een houten tang te voorschijn en tilt mijn haar ermee op. De stokjes gaan als een stijve vinger over mijn hoofd heen en weer; ze halen mijn haar uit elkaar, krassen over mijn hoofdhuid en kietelen in mijn nek. Als ze klaar is, stuurt de verpleegkundige me eerder naar huis, met een briefje en een flesje speciale shampoo.

'Luizen!' roept Eang uit, terwijl ze met haar nagels over mijn hoofdhuid gaat.

Ik zit in een bad met warm sop, bloot, op mijn ondergoed na. Meng zit in de woonkamer en leest het enige Chinese boek dat hij uit Thailand heeft meegenomen.

'Luizen!' roept Eang weer uit, en met haar ziedende ogen en neerhangende mondhoeken ziet ze er net uit als een stenen garoeda. 'Je hebt geen luizen. We hebben je haar heel vaak met luizenshampoo gewassen vóór je naar school ging!'

'Au!' klaag ik, terwijl mijn hoofd warm begint aan te voelen. Eang gaat woedend op mijn hoofdhuid tekeer en met haar nagels trekt ze, alsof het een pincet is, de dode neten van mijn haren.

'Het zijn opgedroogde neten! Kijk maar, ze zijn allemaal leeg.' Eang laat me zo'n loze neet zien op een haar die ze net heeft uitgetrokken. 'Als de neten nog zouden leven zouden ze dik en glanzend zijn. Deze zijn plat en dof. Als ze zouden leven, zou je ze tussen de nagels van je duimen kunnen platdrukken en dan zouden ze openspringen.' Ze probeert de neet tussen haar nagels fijn te drukken. Hij springt niet open. 'Deze zijn dood, dus die springen niet open!'

'Au!' gil ik. Ik weet dat Eang gelijk heeft, maar ik ken niet genoeg Engels om het aan de verpleegkundige uit te leggen.

'Die verpleegkundige weet het verschil niet tussen een levende en een dode neet.'

Terwijl Eang bezig is, praat ze in zichzelf: dat we uit een nette familie komen en dat we heus wel weten dat we onze kinderen niet met luizen naar school moeten sturen. Dan begint ze aan haar bekende tirade over dat we ons netjes moeten gedragen en geen dingen moeten doen die onze familienaam te schande maken. Een uur lang wordt mijn haar gewassen, gespoeld en worden er neten af getrokken, en dan de hele riedel opnieuw, totdat Eang tevreden is.

Als Eang klaar is met mijn haar, slaat ze een grote witte handdoek om me heen en moet ik aan de keukentafel gaan zitten. Als ze ziet hoeveel pijn het me doet als ik de kam door mijn geklitte haar trek, verzacht haar gezicht enigszins. Ze doet de deur van de koelkast open, haalt er een bak ijs uit, schept drie bolletjes in een kom en geeft me die.

'Dank je wel,' zeg ik.

Zonder nog een woord te zeggen pakt ze de kam uit mijn hand en haalt terwijl ik ijs eet mijn haar uit de klit.

De volgende ochtend ga ik alleen op weg naar school. Dit keer loop ik minder verend en met een veel zwaardere tred. Zodra ik in mijn lokaal ben, ga ik met neergeslagen ogen aan mijn tafeltje zitten. Mevrouw Donaldson geeft de leerlingen hun vanillekleurige schrift terug. De leerlingen doen het meteen open om te kijken wat mevrouw Donaldson erbij geschreven heeft. Ik krijg mijn schrift niet terug, maar ik weet dat ik haar opmerkingen toch niet zou kunnen lezen.

'Jongens, doe je boek open en lees het eerste verhaal.' Mijn klasgenoten bergen hun schrift op en slaan hun leesboek open.

'Loo-ung,' roept mevrouw Donaldson. Dit keer steek ik mijn arm als een rank omhoog, en niet als een palmboom. 'Kom eens bij me.' Ik loop naar haar bureau, met mijn armen dicht tegen mijn lichaam. Ze houdt het gele schrift omhoog waarin ik gisteren geschreven heb. 'Heb je dit afgelopen zomer gedaan?'

'Ja, mevrouw Donaldson.' Ik glimlach mijn tanden vlug even bloot en knik, zodat ze weet dat ik begrepen heb wat ze zegt.

'Hmm. Laten we het samen even lezen. "Wat ik in de zomer heb gedaan,"' begint ze. Ik kijk naar de woorden en doe de geluiden na die ze maakt.

'"Ik ben bij mijn opa en oma geweest. Dat was heel leuk. Ik vind het leuk om bij ze te zijn. We hebben een hond gekregen. Daar heb ik veel mee gespeeld."' Ze kijkt naar me op. 'Is dat zo?' 'Ja, mevrouw Donaldson.' Mijn glimlach voelt nu een stuk minder stralend, maar ik wil niet tegen de juffrouw ingaan. En ik wil ook niet ten overstaan van de andere leerlingen mijn gezicht verliezen.

'Had je de opdracht begrepen?'

'Ja, mevrouw Donaldson.' Mijn wangen zijn roze.

'Kun je schrijven?'

'Ja, juffrouw.' Mijn gezicht is nu rood.

'Wil je dan iets voor me opschrijven?'

'Ja, mevrouw Donaldson.'

In het schrift schrijf ik: A, B, C, D, E, F...

'Mooi zo, dank je wel.' Eindelijk begrijpt ze het en zegt ze dat ik mijn potlood en schrift moet pakken. 'Jongens, blijven jullie rustig lezen. Ik ben zo terug.' De andere leerlingen kijken op uit hun boek en zien hoe ik mijn spulletjes pak. Dan loop ik achter mevrouw Donaldson aan de klas uit; mijn benen voelen zwaarder dan ooit tevoren.

Voor ik het weet zit ik in een apart vertrek Engelse woordjes te leren, samen met een andere leerkracht, met behulp van kaartjes en spelletjes, precies zoals Sarah afgelopen zomer met ons in onze flat heeft gedaan. Als ik niet deze speciale les heb, zit ik bij mevrouw McNulty in de klas. Ik vind het leuk bij mevrouw McNulty, omdat ik haar al ken en ze heel aardig is. Maar soms schaam ik me dat ik daar zit, want ik ben al tien jaar – twee jaar ouder dan alle andere kinderen.

Ik ga nu twee weken naar school, maar ik heb nog geen Amerikaanse vriendinnetjes gemaakt. Voor de machtsovername van de Rode Khmer had ik in Cambodja veel vriendinnen en de kinderen vonden dat ik veel praatte en dat ik heel grappig was. Maar ik weet niet hoe ik in Amerika of in het Engels grappig moet zijn. Dus als de andere leerlingen voor de les bij elkaars tafeltje gaan staan, blijf ik alleen en lees ik in mijn schoolboeken. Als de bel gaat voor de pauze, loop ik in mijn eentje tussen de klimrekken door. Om me heen spelen en gillen, rennen en schommelen de andere kinderen. Ik zoek een bankje en ga daar mijn Cheeto's zitten eten – mijn favoriete snack, die net zo knapperig zijn als gefrituurde krekels. De oranje kaas die aan mijn vingers blijft zitten doet me denken aan de oranje pels van de apen in Cambodja. Als ik van mijn zak opkijk zie ik dat een jongen, ene Tommy, naar me kijkt. De andere kinderen vinden dat we op elkaar lijken, doordat we allebei uit Azië komen. Eén keer heeft een leerling gevraagd of Tommy en ik broer en zus zijn. Ze fronste haar wenkbrauwen toen ik zei dat Tommy Vietnamees is en ik Cambodjaanse. Terwijl ik mijn Cheeto's krakend opeet kijkt Tommy me hongerig aan; zijn tong schiet telkens zijn mond uit.

Heel even heb ik medelijden met hem, maar dan draai ik mijn hoofd om en loop ik weg. Als ik omkijk zie ik dat Tommy een Cheeto opraapt die ik op de grond heb laten vallen. Tommy tuit zijn lippen, blaast een paar keer op de chip en stopt hem dan in zijn mond. Mijn maag rommelt bij de herinnering dat ik zo'n honger had dat ik stukjes houtskool at, enkel en alleen om maar iets in mijn maag te hebben. Terwijl ik naar Tommy kijk spoelt er een golf van verdriet over me heen, maar in plaats van de rest van mijn zak met hem te delen, hou ik hem nog meer voor mezelf. Een paar minuten later liggen alle Cheeto's zwaar in mijn maag, als een bal heloranje schaamte.

Als de school een maand bezig is, valt Tommy en komt op zijn hoofd terecht wanneer hij over de leuning van de trap in school naar beneden glijdt.

'Hij heeft zijn hersens zo erg pijn gedaan dat hij nooit meer normaal wordt!' fluisteren de leerlingen bedrukt in de gang.

'Ik heb gehoord dat zijn hoofd is opengebarsten en dat er overal bloed zat,' vertelt een meisje met angstige stem aan een vriendinnetje.

'Ik heb gehoord dat een paar kinderen hem hebben zien vallen,' fluistert een ander vol afgrijzen.

'Ik heb gehoord dat hij nu verstandelijk gehandicapt is. Arme Tommy!'

Na verloop van dagen doen er steeds meer geruchten de ronde dat Tommy nooit meer zal kunnen lopen, ballen, in het klimrek klauteren, boeken lezen of vriendinnetjes krijgen. Als pikkende kippen laten de kinderen de geruchten over Tommy geen moment met rust, en hij is er ook niet om te bewijzen dat ze ongelijk hebben. Aan het eind van de week komt het bericht dat de ouders van Tommy hem op een speciale school hebben gedaan.

De verhalen over Tommy komen hard bij me aan. Ook al hebben Tommy en ik zelden een woord met elkaar gewisseld, toch voelde ik me door onze Aziatische afkomst met hem verbonden. Als iedereen in de pauze met elkaar speelde, kon ik er altijd op rekenen dat hij bij me in de buurt bleef. In het begin werd ik boos op Tommy en zijn stomme leuning. Het verdriet daalde als een laag grijze verf neer op mijn huid. Al snel zag ik Tommy's lieve grappige gezicht. Wanneer ik aan zijn glimlach dacht, ging mijn woede over in schuldgevoel, dat mijn huid met zijn pijl doorboorde en diep doordrong tot in mijn ziel. Ik moest denken aan de keren dat ik rijst gestolen had die eigenlijk voor mijn familieleden was, en één keer zelfs van een stervende oude vrouw. Kon ik maar teruggaan in de tijd en mijn Cheeto's met Tommy delen.

Nu Tommy er niet meer is, voel ik me verloren en alleen op het plein vol bleke huiden en witte gezichten. Maar na school vlucht ik naar een omgeving en mensen die vertrouwder voor me zijn – dan spreek ik af met Li en Ahn. Li zit wel op een andere school, maar ze woont toch in de buurt. En Ahn zit op een school voor oudere kinderen, maar haar huis is maar een half uur lopen van het mijne.

Het is vrijdag en ik ga snel naar huis, leg mijn boeken daar neer en loop dan de ongeveer twee kilometer naar Li's huis. Li en haar familie wonen in een groot huis, waar ik vaak het hele weekend logeer. Als Meng en Eang thuiskomen uit hun werk, gaan ze vaak ook naar het huis van de familie Cho en dan koken we samen een uitgebreide Cambodjaans-Chinese maaltijd en luisteren we naar Cambodjaanse muziek die de familie Cho uit Thailand heeft meegebracht. De grote mensen spreken ontspannen met elkaar in het Khmer, leggen de verlegenheid en onzekerheid van de vluchteling af en veranderen in grappige, zelfverzekerde en bruisende mensen. De volwassenen blijven binnen, maar Li en ik gaan naar buiten om in hun grote voortuin met haar neefjes Di en Seng kickball te spelen. Als we de jongens willen ontvluchten, ga ik bij Li achterop op haar skelter zitten en sjezen we samen de heuvels af. Vandaag zit ik daar en terwijl we de heuvel af sjezen en de wind door mijn haar waait, hoop ik Tommy's gebarsten hoofd te kunnen vervangen.

'Kom op, Li, ik wil trappen.' Onder aan de heuvel klop ik haar op de rug.

'Nee, jij doet veel te gevaarlijk; jou laat ik niet trappen.' Zo jong als ze is beschikt Li over een ijzeren wilskracht als haar eigen veiligheid in het geding is.

Tot vorige maand mocht ik nog van Li trappen, terwijl zij achterop zat. Maar op een dag ontdekte ik wat snelheid was. Li zat met haar armen om mijn middel geslagen en riep dat ik langzamer moest gaan, maar ik trapte juist steeds harder. Toen de weg abrupt ophield, moest ik heel hard in de rem knijpen, waardoor de skelter, Li en ik tegen de vlakte gingen. Dus nu trapt Li elke keer dat we gaan rijden. Meestal vind ik dat prima, maar vandaag gaan Li's magere beentjes me veel te langzaam. Ik zit achter haar en ik verveel me zo dat alles bij me begint te kriebelen.

'Ik beloof je dat ik de skelter niet nog een keer zal laten omvallen. Ik zweer het, op mijn erewoord.'

'Je knie zit nog onder de korsten van de vorige val. Dat wordt een lelijk litteken.'

'Nou en?' zeg ik uitdagend, want ik ben best trots op al mijn littekens. Li schudt zachtjes haar hoofd.

Als Ahn McNulty mijn grote zus is, is Li mijn brave tweelingzus. In Ahn zie ik mijn kracht en hardheid. In Li zie ik Chou in al haar liefheid, vriendelijkheid en vrijgevigheid. Li is, net als Chou, rank en klein van stuk, terwijl ik stevig en compact gebouwd ben. Li is knap en heeft netjes gekamd schoon haar, en naast haar ben ik een luidruchtige slons. Eang zegt dat ik er nog steeds uitzie als een weeskind, zoals je die in de reclames voor het Christian Children's Fund ziet. Soms zou ik wel willen dat ik meer op Li en Chou leek, want iedereen vindt hen aardig.

'Hou op met aan je korstjes krabben, dat is smerig!' zegt Li streng, terwijl ze hijgt en puft.

'Als je mij laat trappen heb ik het daar te druk voor.' Maar Li wil daar niets van horen en trapt door.

Als we eindelijk thuis zijn, spring ik eraf en zet Li haar skelter zorgvuldig weg. Dan spelen we een paar uur kickball, zitten elkaar achterna bij het verstoppertje spelen en rollen door het gras in een poging onze handstand en radslag te perfectioneren. Als we naar binnen gaan zijn we bezweet en zitten we onder de modder- en grasvlekken.

'Bij de deur schoenen uit!' roept Ti, de oudste zus van Li. 'En dan in bad!'

'Oké, oké,' antwoordt Li, en we rennen hun badkamer in. Als de deur dicht is, trekken we onze kleren tot op ons ondergoed uit en stappen in bad. Het warme water stroomt over ons lichaam en om beurten boenen we het vuil van elkaars rug, waarbij we met onze ingezeepte oksels winden nadoen en we in elkaars gezicht bellen blazen.

'Laten we gaan zeepschaatsen!' Ik zet grote ogen op van mijn eigen geniale plan.

'Hoe doe je dat?' vraagt Li.

'Ik doe het wel even voor.' Ik ga op de rand van het bad zitten en zeep mijn voeten flink in. Li houdt me bij mijn ellebogen vast, ik sta wiebelig op en duw mezelf naar voren, waarbij mijn voeten door de porseleinen badkuip glijden.

'Joehoe! Super! Nu moet je me duwen!' Li doet wat haar gezegd is, en ik vlieg naar de andere kant van het bad. Ik steek lachend mijn hand uit om mezelf tegen de muur tegen te houden. 'Nu jij.'

'Nou, dat weet ik niet, hoor.' Li aarzelt en ze fronst onzeker haar voorhoofd.

'Kom op, het is hartstikke leuk!'

Li gaat aarzelend zitten en ik zeep haar voeten extra goed in. Met haar handen als vleugels uitgespreid schaatst Li langzaam naar de andere kant van het bad. Plotseling leg ik mijn handen plat tegen haar rug en geef haar een flinke duw. Li maait als een jong vogeltje dat leert vliegen met haar armen, glijdt helemaal naar de andere kant, valt en knalt met haar kin tegen de rand.

'Li, heb je je pijn gedaan? Het spijt me heel erg.' Het water is rood van het bloed dat uit Li's mond stroomt.

'Li, gaat het?' Ik draai de kraan dicht. Mijn handen zijn ijskoud.

'Mijn lip is kapot,' antwoordt ze, en haar ogen schieten vuur van woede. Ze stapt uit het bad om haar lippen te bekijken, en ik kom druipend achter haar aan. 'Het is maar een klein sneetje,' zegt ze als ze ziet hoe bezorgd ik ben. 'Het gaat wel.'

Maar met míj gaat het niet. Ik ben slecht, ik ben slecht! Die gedachte dreunt door mijn hoofd. Mijn lichaam wordt gehuld in een duister verdriet dat me zwaar op de maag ligt en me lamlegt van schuldgevoel en schaamte. Als door het verdriet mijn tranen gaan stromen wil ik iemand slaan, schoppen, ik wil schreeuwen en zo erg haten dat de pijn erdoor overstemd raakt.

Als ik weer thuis ben ga ik snel naar mijn kast om daar alleen te kunnen zijn. Een paar minuten later steekt Meng zijn hoofd om mijn deur.

'Je moet niet meer van die wilde spelletjes doen,' zegt hij. In zijn stem klinkt geen woede door, maar alleen teleurstelling en verdriet.

'Het ging per ongeluk,' antwoord ik rustig.

‘Je bent geen jongen,’ gaat hij verder. ‘Het is geen oorlog meer. Je hoeft niet meer zo te vechten.’ Zijn woorden vullen mijn kast en ik krijg het gevoel dat ik stik. Hij staat daar maar te wachten tot ik iets zeg, maar dat doe ik niet. Hij draait zich zwijgend om en laat me alleen. Als het gordijn ruist en ik weer afgesloten ben, druk ik mijn lippen nog harder op elkaar. In mijn hoofd woedt de oorlog voort, ook al weet ik dat ik in een land woon waar het vrede is. Ik weet niet hoe ik dat aan Meng moet uitleggen.

8
Rusteloze geest

Oktober 1980

'Ik heb me bij het leger aangesloten,' meldt Khouy de familie tijdens het eten. Chou en Kim houden halverwege een hap stil en kijken elkaar vol afgrijzen en verwarring aan.

'Khouy, het land is nog in oorlog. Dat is veel te gevaarlijk,' begint oom Leang, en dan zwijgt hij om diep adem te halen. 'Khouy, wanneer is dat gebeurd?'

'Ik ben vandaag naar het dorpshoofd in Ou-Dong gegaan om erover te praten dat ik politieagent wil worden,' antwoordt Khouy zakelijk.

'Vandaar dat je niet op het veld was,' antwoordt oom Leang.

Chou ziet dat Khouys kaak zich spant als hij ooms rustige terechtwijzing aanhoort. Ze weet dat oom Leang boos is dat Khouy geen belangstelling heeft voor de landbouw en dat hij vaak hele tijden achtereen weg is, terwijl de familie op het land zwoegt.

'Er is geen werk voor politieagenten in de dorpen, alleen in het leger,' vertelt Khouy verder. 'Al het politiewerk wordt door het leger gedaan.'

'Ai, Khouy,' zegt tante Keang zacht. 'Waarom heb je dat gedaan? Het leger is heel gevaarlijk.'

'Khouy, denk goed na over wat je doet,' smeekt Amah. 'Als er iets met je gebeurt, wat moet er dan van je broer en zus terechtkomen? Denk ook aan hen.'

'Het leger is nutteloos. Dat trekt alleen maar van het ene gevecht naar het andere,' zegt oom Leang beschuldigend. 'En als je gevangengenomen wordt, vermoordt de Rode Khmer je.'

'Khouy, als je bij het leger gaat moet je het dorp verlaten. Dan moet je in de buurt van de legerbasis wonen. Denk aan je familie. We hebben je hier nodig,' smeekt tante Keang. Chou gluurt uit haar ooghoeken naar Khouy en ziet dat zijn gezicht een harde en verbeten uitdrukking krijgt. Ze pakt langzaam haar bord van de tafel en loopt ermee naar de keuken.

'Jullie weten niet waar je het over hebt!' roept Khouy plotseling, en hij slaat op tafel. In de keuken krimpt Chou in elkaar. De familie zwijgt. 'Ik denk juist wél aan mijn broer en zus. Ik denk altijd aan mijn familie!'

'Khouy, neef van me. Dit is geen reden om kwaad te worden.' Tante Keang probeert hem te kalmeren.

'Oom Leang,' begint Khouy weer, met zachte, ingehouden stem. Chou komt terug in de kamer, maar blijft verscholen achter de houten deur staan. Vanaf haar veilige plekje kijkt ze toe en ze ziet dat Khouy zijn schouders stram houdt en zijn kin uitsteekt, waardoor hij net een hond in de aanval lijkt. 'Het is in het hele land gevaarlijk. Er zijn overal Rode Khmer-soldaten en elke dag vallen ze dorpen en stadjes aan, ontvoeren ze vrouwen en stelen ze koeien. Vroeg of laat zullen we allemaal tegen hen moeten vechten. In het leger word ik daar in elk geval voor betaald.'

'Je bent eenentwintig. Je mag doen wat je wilt. Maar Kim en Chou blijven hier,' verklaart oom Leang. Khouy is stil. Chou grijpt de deur stevig beet; ze voelt zich verscheurd en wil het aan de ene kant met de beslissing van oom Leang eens zijn, omdat hij ouder is en het hoofd van de familie, maar aan de andere kant wil ze bij Khouy wonen, want hij is haar broer. Het moment duurt voort, en Chou realiseert zich met een bezwaard gemoed dat het er helemaal niet toe doet wat zij wil: Kim en zij blijven bij oom Leang. Toen Meng nog bij hen was, zorgde hij als een moeder voor de broers en zusjes, en Khouy beschermde hen als een vader. Zonder Meng kan Khouy niet voor hen zorgen, dat weet Chou best.

Chou kijkt nu naar Kim, die langzaam dooreet en in zijn kom staart. Net als Chou wordt hij verscheurd door een dilemma waar hij niets aan kan veranderen en waarover hij zich niet kan uitspreken. Tijdens de stilte tussen Khouy en oom Leang houdt Kim op met eten en spant hij zijn kaak zo hard dat de botten tegen zijn huid drukken. Terwijl Kim zijn best doet om zijn gezicht stil te houden, stapt Chou uit de schaduw naar voren om Kim thee in te schenken. Kim neemt de kop van haar aan en lijkt zich een beetje te ontspannen.

Eindelijk verbreekt Khouy de stilte. 'Ik vertrek morgen naar Ou-Dong,' kondigt hij aan. Dan gaat hij achteruitzitten en rolt een sigaret.

'We wensen je het allerbeste, mijn zoon.' Oom Leang zegent hem en steekt zelf ook een sigaret op.

En zo is de storm weer snel voorbij. Aan tafel haalt de rest van de familie opgelucht adem, blij dat er geen ruzie van gekomen is. Chou neemt een paar borden mee naar de keuken, waar ze op haar hurken naast een kom water gaat zitten. Terwijl ze de wok schoonboent, dringt het besef dat ze altijd geweten heeft dat Khouy op een dag weg zou gaan tot haar door. Zelfs toen ze nog heel klein was wist Chou dat Khouy rusteloos van geest én van lichaam was. Mama zei dat hij met te veel vuur geboren was en dat dat de reden was waarom hij zo'n rusteloze geest had en waarom hij altijd in de problemen raakte. In de hoop dat hij er wat rustiger van zou worden deed mama Khouy op karateles, op gitaarles, op sport, en overal was hij heel goed in. Maar hij had nog steeds tijd om in de problemen te raken en om ruzie te krijgen.

In de hut ruimt Kim de tafel verder af. Hij zorgt er goed voor dat hij niet naar Khouys gezicht kijkt. Om hem heen zet de familie, alsof er niks is gebeurd, het gesprek voort over wat er het komende seizoen verbouwd moet worden. Kim brengt de borden naar Chou en gaat naast haar op zijn hurken zitten. Als jongen in een gezin met veel meisjes hoeft Kim geen vrouwenwerk te doen en niet te wassen en schoon te maken. Chou weet dat en waardeert zijn gebaar des te meer. Terwijl hij haar met de afwas helpt, weet ze dat hij zijn rol als haar broer probeert te vervullen. Kim troost haar niet met woorden, maar spoelt de borden af en blijft bij haar terwijl zij ze met tranen in haar ogen afwast.

Die avond droomt Chou weer van de Rode Khmer-soldaten. De donkere mannen zitten in het oerwoud achter Khouy aan, en Chou kijkt, verscholen achter een struik, verlamd van angst, toe. Onder het rennen komen Khouys armen en benen tegen bomen en struiken aan, en de scherpe bladeren snijden in zijn huid. De soldaten komen dichterbij en richten hun geweer op hem. Chou gilt dat hij harder moet hollen. Maar hoe hard hij ook rent, de soldaten zitten voortdurend achter hem. In haar schuilplaats voelt Chou haar hart steeds sneller kloppen en ze wordt duizelig van angst. 'Rennen, Tweede Broer, rennen! Zorg dat ze je niet te pakken krijgen!' roept ze naar hem. Plotseling droomt ze van kuilen met water erin, vol schedels en botten van mensen.

De volgende ochtend wordt Chou vroeg wakker. Ze maakt snel een vuur om rijstsoep voor Khouys ontbijt te koken. Terwijl ze in het vuur blaast, moet ze denken aan haar jeugd in Phnom Penh. Toen Chou klein was, vond ze Khouy de grappigste, sterkste en interessantste broer. Hij sloeg haar nooit, maar ze wist dat hij gemeen kon zijn, want er kwamen voortdurend ouders bij hen aan de deur van gewonde jongens die hij samen met zijn bende wél in elkaar had geslagen, om mama om hulp te vragen. Als ze weg waren zocht mama gejaagd het hele huis door naar een schuilplaats waar Khouy zich voor de toorn van papa kon verstoppen. Als papa dan thuiskwam, stormde hij het hele huis door, trok hij kasten open, tilde hij in alle kamers de bedden op, op zoek naar Khouy. Maar mama wist hem altijd te verstoppen, of ze stuurde hem naar het huis van een vriend totdat papa wat gekalmeerd was. Khouy kwam op een gegeven moment wel weer naar huis, waar papa's woede nog napruttelde en hij hem dreigde te onterven als hij de goede naam van de familie te schande bleef maken. De sfeer was een paar dagen gespannen, maar dan gaf papa zich toch door de wilde verhalen en grappen van Khouy gewonnen en was het rustig tot de volgende vechtpartij.

Terwijl de zon de lucht boven het dorp langzaam doet oplichten, wordt de rest van de familie onder hun klamboe wakker. Chou weet nog dat ze in Phnom Penh altijd wakker werd van het vogeltje van de koekoeksklok dat elk uur uit zijn houten huisje kwam. Khouy was altijd als eerste op. Tegen de tijd dat Chou ging ontbijten, was Khouy al klaar en deed hij buiten op het balkon zijn ochtendgymnastiek, waarbij hij telkens hurkte en dan weer als een kikker opsprong.

Chou roert in de soep, draait zich om en ziet Khouy onder de boom als een kind zijn armen strekken en heen en weer zwaaien. Hij draait zich snel om en schopt naar een onzichtbare vijand; dat doet hij met een kracht die, als hij een echt mens zou raken, volgens Chou diens ribben zou breken. Zo vroeg in de ochtend zijn er nog geen wolken, maar het regenseizoen is bijna ten einde en aan het eind van de middag zal het hozen. Chou gaat snel terug naar haar vuur en soep, want ze weet dat Khouy vroeg weg wil om tijdens zijn lange wandeling niet nat te regenen. Bij de gedachte dat Khouy ten strijde trekt beven haar handen.

Tot de soldaten van de Rode Khmer Phnom Penh binnenstormden, had de wereld van Khouy uitsluitend om hemzelf gedraaid. Maar tijdens de oorlog had Chou gezien dat Khouy veranderde; zijn geest was tot rust gekomen en zijn familie stond op de eerste plaats. Toen de soldaten het voedselrantsoen van het gezin terugschroefden, bood Khouy zich vrijwillig aan voor het werk dat lichamelijk het zwaarst was, omdat dat betekende dat hij meer eten zou krijgen. Khouy werkte dag en nacht, weer of geen weer, veertien tot zestien uur per dag voor een paar ons rijst en gezouten vis. Zelfs wanneer hij ziek was en bloed ophoestte, werkte hij keihard en bewaarde hij altijd een deel van zijn rijst om mee naar huis te nemen. Om de week kwam hij langs en bracht hij het eten. Wanneer mama en de jongere kinderen luidruchtig rondom het eten samendromden, gingen Khouy en papa rustig even bij elkaar zitten. Als het tijd was en Khouy weer terug moest naar zijn werkkamp, pakte papa hem bij de schouders vast en zei hem dat hij een goede zoon was.

'Chou, kom ontbijten voor Tweede Broer vertrekt,' riep Kim naar haar.

In de hut is het gezin bezig met opstaan en zich klaarmaken om naar het land te vertrekken. Kim staat met een gespannen glimlach op zijn gezicht in de keuken en geeft Khouy zijn ontbijt. Ze kletsen wat over het werk op het land en over het weer, en Chou vouwt langzaam Khouys kleren op en legt ze op de plank. Terwijl haar handen zo bezig zijn, moet ze denken aan de eerste keer dat Khouy zijn emoties niet meer de baas was. Toen Kim hem vertelde dat de soldaten mama en Geak hadden meegenomen, zag Chou Khouys onderlip trillen en zijn ogen rood worden. 'Ze was zo klein, ze was zo klein,' zei hij met hese, gebroken stem, terwijl zijn hand nog een sigaret naar zijn mond bracht en zijn tranen in de rook verdwenen. Chou had naast hem gezeten en toen zij de tranen plengde die Khouy niet kon vergieten, had haar keel pijn gedaan. Weg was de gemene broer voor wie ze in Phnom Penh bang was geweest; hier zat een man die zoveel van zijn familie hield dat hij graag honger voor hen leed.

Hoewel iedereen van hun familie zijn best heeft gedaan om zich aan het nieuwe leven na de oorlog aan te passen, is die aanpassing voor Chou en Kim gemakkelijker verlopen dan voor Khouy. Chou vindt dat Khouy er met de dag verlorener uit gaat zien, en onder de tafel wiebelt hij steeds onrustiger met zijn benen. Chou denkt dat Khouy niet meer weet waar hij moet zijn; hij weet alleen maar dat hij weg moet.

Als Khouy klaar is met zijn ontbijt, loopt hij naar Chou.

'Chou, braaf zijn en geen ruzie met je nichtjes maken,' luidt Khouys broederlijke advies. Ze staan even ongemakkelijk tegenover elkaar, maar ze weten allebei niet wat ze moeten zeggen. Dan neemt hij voorzichtig de tas aan die Chou voor hem heeft gepakt en loopt hij naar Kim.

'Zorg goed voor je zusje,' zegt hij nonchalant tegen Kim. Kim knikt, Khouy gooit de tas over zijn schouder en loopt de weg op naar Ou-Dong. Chou kijkt hem na en moet denken aan herinneringen van lang geleden, aan Keav en papa die wegliepen, met een magere, sterke rug. Dan moet ze denken aan Oudste Broer, die met Loung achter op zijn gammele fiets wegreed. Net als ze denkt dat ze het niet verdraagt om alleen te zijn, komt Kim bij haar staan. Hij zegt niets, raakt haar niet aan, maar toch voelt Chou zich opgenomen in zijn omhelzing.

'Een kogel vliegt voor je langs,' bidt Chou stilletjes. 'Een kogel komt van achteren en smelt als was in de zon. Moge de godin Neang je beschermen.' Samen zien Kim en Chou hoe de gestalte van Khouy in de bocht van de weg verdwijnt.

De moessonregens zetten het land blank, de waterpoelen vullen zich en de vissen eten de insecten die vlak boven het wateroppervlak zweven. De slangen verlaten hun overstroomde hol in de modder en zwemmen over de rijstvelden, op zoek naar verdronken ratten en andere smakelijke hapjes. Vanaf zijn legerbasis stuurt Khouy zo vaak hij kan berichten om te zeggen dat het goed met hem gaat. Hij woont in een soldatenkamp. Hij vertelt geen details over zijn leven in het leger en zijn opleiding. In het dorp gaan de bewoners, na berichten over aanvallen van de Rode Khmer in nabijgelegen provincies, achter hun hutten schuilkelders bouwen. Elke keer dat Kim de hut verlaat, wacht Chou angstig af tot hij aan het eind van de dag weer veilig thuiskomt. Na een lange dag op het land hun eigen voedsel verbouwen, hout sprokkelen en water halen, eet de familie snel en gaat dan naar achteren om in de grond een schuilkelder te bouwen. Het is allemaal zo druk dat Chou van elk minuutje dat ze vrij heeft om te spelen geniet als van een kostbaar geschenk.

En vandaag krijgt ze dat geschenk in de vorm van een kort ritje op de fiets over het platteland met Hong. Afgezien van zo nu en dan even fietsen en boerderijdieren van klei maken besteedt Chou het beetje vrije tijd dat ze heeft aan tekeningen maken in de modder, origami vouwen, van gedroogde bessen voor zichzelf kleurige kettingen en armbanden maken, hinkelen en soms verstoppertje spelen.

Hong doet Chou heel erg aan Loung denken. Het is net alsof ze een luidruchtig, roekeloos zusje is kwijtgeraakt en er een ander voor in de plaats heeft teruggekregen. Chou ziet voor hen een vrouw met een metalen emmer naar de weg lopen. De vrouw blijft staan, stopt haar blouse in haar groene sarong en trekt die strak om haar middel. Dan tilt ze haar emmer op en gooit de inhoud in een greppel naast de weg. Het afval, bestaande uit bananenbladeren, kokosnoten en sinaasappelschillen, heeft de zoete geur van bederf.

'*Chum reap sur!*' De meisjes roepen 'hallo' in het voorbijgaan.

Ze fietsen langs rijstvelden, huisjes met rieten daken en palmbomen. Chou neemt alles in zich op. Soms kan ze bijna niet geloven dat ze in de stad geboren en getogen is, terwijl ze heel erg van het platteland houdt. Hoeveel rijstoogsten ze ook heeft moeten meemaken, ze vindt het altijd weer heerlijk om de volle groene rijststengels te zien. In de oogsttijd veranderen de velden in mooie goudkleurige akkers. Chou houdt van de kleine poelen die je overal op het platteland ziet, waar witte en roze lotusbloemen groeien die altijd in bloei staan. Naast de weg liggen huisjes met rieten daken die ooit kaal waren, maar waarvan de voordeuren nu versierd zijn met kleurige linten en met provisorische altaartjes om de bewoners tegen het kwaad te beschermen. Om de huizen heen staan bananen-, palm-, kokosnoot-, mango-, guave- en papajabomen die de bewoners schaduw bieden en voedsel leveren.

De meisjes komen langs weer een hut, en daar kuiert een bloot jongetje naar buiten om naar hen te kijken. Hij staat langs de kant van de weg en zijn buikje puilt zo uit dat zijn navel helemaal naar buiten steekt. In het voorbijgaan zwaaien de meisjes naar hem. Plotseling rent hij met maaiende armpjes achter de fiets aan. Als zijn moeder hem roept, gaat hij schoorvoetend terug, waarbij zijn billetjes op en neer wippen. Chou kijkt hem na en droomt ervan zelf ook ooit kinderen te krijgen. Heel even moet ze weer aan Geak denken, maar dan besluit ze zich toch maar door de wind te laten meevoeren.

Als ze een heuveltje af sjezen, houdt Chou Hong goed vast. Ze rijden op een kudde koeien af die aan de kant van de weg staan te grazen. De koeien voelen het gevaar, houden op met kauwen en haasten zich weg, waarbij ze met hun hoeven steentjes doen opspringen en hun staart door hun haast heen en weer zwaait. De koebellen klingelen zacht als Chou en Hong langszoeven, met wapperend haar en hun mond wijd open. Hong zit voor Chou en lacht vrolijk, terwijl haar benen de roestige ketting laten ronddraaien. De oude gammele fiets piept en knarst, maar Hong fietst door, zwalkend als een dronkaard. Onder de kale banden spat de aarde op, waardoor er een stofwolkje achter hen ontstaat. Met de wind in haar haar voelt Chou eindelijk haar jaren van zich af vallen en blijft er een meisje van twaalf jaar over.

9
Verklede spoken en sneeuw

Oktober 1980

'Wat is Halloween?' vraag ik aan Ahn McNulty. Sinds begin oktober gonzen de kinderen, wanneer ze van het ene tafeltje naar het andere lopen om hun kostuum te bespreken, als zwermen vliegen rond een berg koemest.

'Dat is een kinderfeest,' zegt Ahn op volwassen toon. 'Dan komen alle spoken tevoorschijn om te spelen!'

'Wat?' zeg ik, en ik hap naar adem.

'Grapje! Ik maakte maar een grapje!' Ahn lacht en slaat me op mijn arm.

'De kinderen op school zeggen dat het een feest voor de doden is,' ga ik door. Met mijn bijgelovige aard ben ik hier helemaal niet blij mee.

'Nee, nee. Volgens mij niet. Het gaat er gewoon om dat we ons verkleden en dat we om snoep vragen.'

'Verkleden?'

'Ja, je mag zijn wie je maar wilt. Een heks, een prinses, een stripfiguur, een spook.'

'Nee, geen spoken.'

Dan vertelt Ahn dat op de avond van Halloween de kinderen in het hele land zich verkleden, hun buurt in gaan en 'iets lekkers' vragen, en dat nog krijgen ook! Ik geloof mijn oren niet! Wat is Amerika toch een fantastisch land!

Terwijl de groene bergen rond Essex Junction in de drie weken hierna rood en oranje kleuren, droom ik alleen nog maar over Halloween. Meng en Eang weten van niks en verbazen zich over de veranderende kleuren die ze vanuit ons appartementje op de eerste verdieping zien. In Cambodja hebben we drie seizoenen. Van september tot december is het bij ons winter, en is het koel en groen. Van januari tot april verandert het landschap bijna niet – dat is het droge seizoen, met warm en vochtig weer. Van mei tot augustus vallen de moessonregens en is het heel nat in het hele land, waardoor er overal waterplassen ontstaan en er bloemen in de groene, weelderige tropische oerwouden bloeien. Naarmate het regenseizoen vordert, overstromen de plassen die krioelen van de vis en de krabben. Maar in Vermont brengt het veranderende weer geen regen of vis, maar juist een toevloed van auto's uit andere staten die allemaal achter elkaar over smalle eenbaansweggetjes over het platteland rijden. We zijn laatst een keer met de McNulty's gaan rijden en toen begrepen Meng, Eang en ik eindelijk waarom de mensen in het najaar zo tergend langzaam door de bergen rijden. Terwijl we in de auto van de McNulty's voortkropen, was er zo ver het oog reikte alleen maar gebladerte te zien. In de felle zon glinsterden en dansten de kleurige bladeren en was het net alsof de bergen in vuur en vlam stonden.

Maar nu oktober ten einde loopt en het kouder wordt, lichten de kleuren van de bergen fel op en worden ze snel bruin. De wind is koud en berooft de bomen van al hun bladeren. Zodra die op de grond liggen, dansen ze niet meer, maar rotten ze en keren ze terug tot de aarde. Uit de verte staar ik somber naar de kale bomen, maar dan denk ik snel weer aan de genoegens van Halloween.

Als de grote avond eindelijk is aangebroken trek ik mijn pakje van 'Tom de kat' aan, dat Meng voor 2,99 dollar voor me bij de A&P heeft gekocht. Ik zou liever de hardwerkende Assepoester zijn, maar zij kost 9,99 dollar, dus Meng heeft besloten dat ik maar een kat moet zijn. Maar ik klaag niet, want als hij vanavond boos op me wordt, mag ik misschien niet met Ahn mee. Meng en Eang begrijpen niks van Halloween en vinden het niet netjes dat kinderen om snoep bedelen. Maar mevrouw McNulty heeft hun uitgelegd dat het op Halloween geen bedelen is en dat het dan ook niet onbeleefd is als de kinderen om snoep vragen. Meng heeft wel geknikt toen ze dat zei, maar ik geloof niet dat hij er iets van begrepen heeft.

'Oké, meneer McNulty is beneden. Ik ga, hoor!' roep ik, en ik ren het huis uit.

'En geen gebedel, begrepen? We komen uit een nette familie!' roept Eang me na.

‘Niet de familie te schande maken!’ klinkt dan ook Mengs stem. Ik draai geërgerd met mijn ogen en doe de deur achter me dicht.

Bij het huis van de McNulty’s begroet Ahn me. Ze heeft een lange zwarte cape aan en een punthoed op.

‘Ik ben een heks! Ieieieie!’ krijst ze.

‘Ja, je bent een heks,’ grinnikt mevrouw McNulty, en ze geeft haar een kus.

‘Veel plezier, jongens!’ zeggen meneer en mevrouw McNulty als we samen weghollen.

Als we bij het eerste huis komen, doe ik mijn plastic kattenmasker voor en kijk even vol bewondering naar de dikke opgevulde vogelverschrikker die op het gazon voor het huis onder een boom staat. Ik tuur door de twee gaatjes van mijn masker, loop het trapje op en klop aan.

‘*Trick or treat!*’ roep ik als een vrouw met een grote schaal reepjes de deur opendoet. ‘*Trick or treat, give me something sweet to eat!*’ herhaal ik, en ik voel mijn warme adem terug in mijn gezicht blazen.

‘Jeetje, wat zien jullie er leuk uit!’ roept de vrouw, en ze laat eerst een reep in mijn tas vallen en dan een in die van Ahn.

‘Dank u wel!’ roep ik, en ik ren al naar het volgende huis.

‘Wacht!’ roept Ahn lachend.

Als ze me heeft ingehaald, geeft ze me een klap op mijn arm. Dat doet Ahn vaak. Als ze moet lachen, slaat ze ook. Als iemand anders dat zou doen, zou ik zijn arm als een kippenvleugeltje op zijn rug draaien. Maar Ahn noemt me ‘zus’ en is heel aardig en koopt snoep en boeken voor me. Bovendien weet ik niet of ik haar aankan. Want ze is geadopteerd uit een Koreaans weeshuis, en Ahn is net zo’n harde als ik. En ze is nog sterk ook. Maar dat ik haar arm niet op haar rug wil draaien komt vooral doordat ik haar lief vind.

Twee uur later is het koud geworden, zijn de kaarsjes in onze lantaarns uitgegaan en hebben mijn plakkerige vingers alle Halloweenversieringen uit de hele buurt aangeraakt.

Als meneer McNulty me voor onze deur afzet, maak ik mezelf weer hard. Als ik heel veel met Ahn gelachen heb, voel ik me bij thuiskomst wel eens zacht en licht. Dan zie ik Mengs sombere ogen en lange gezicht en voel ik me schuldig dat ik op één dag zoveel gelachen heb en mijn broer niet één keer in een hele week. Dus nu ik voor onze deur sta, zet ik snel een rustig gezicht, zet mijn glimlach af en loop de trap op.

Meng en Eang zitten in de woonkamer op me te wachten.

'Laat kijken, laat kijken,' zegt Eang, en ze wenkt me naar zich toe.

'Heb je iets opgegeten?' vraagt Meng, terwijl hij de zware tas van me aanneemt.

'Ja, maar mevrouw McNulty heeft het snoep al nagekeken.'

'Ik kijk het nog een keer na,' zegt Meng, en hij gooit de snoepjes op de grond. 'Ik heb gehoord dat er gestoorde mensen zijn die drugs, spelden en naalden in de snoepjes stoppen.' Ik zucht en laat me op de grond zakken, terwijl hij de snoepjes en zakjes stuk voor stuk inspecteert. Eang, die zeven maanden zwanger is, kijkt vanaf de bank toe. We weten allebei dat Meng als het om onze veiligheid gaat niet op andere gedachten te brengen is. 'Deze hier; de randjes zien eruit alsof ze opengescheurd zijn.'

'Het papier is alleen gekreukt,' antwoord ik.

'Nee, het zou opengescheurd kunnen zijn, en dan zou iemand een naald door dit gaatje naar binnen gestoken kunnen hebben,' zegt Meng over het denkbeeldige gaatje, en hij gooit het snoepje op het hoopje met afgekeurde exemplaren. 'Deze appel is niet goed. Ik heb gelezen dat sommige gekken vergif in fruit spuiten om mensen iets aan te doen.'

'Die heb ik bij mevrouw McNulty thuis gekregen.'

'Niet goed,' zegt hij, en hij gooit hem weg.

Naarmate de berg afgekeurd snoep hoger wordt, sla ik mijn armen steviger over elkaar om het toch vooral niet uit te schreeuwen van ergernis. Het lijkt uren te duren, maar dan is Meng eindelijk klaar.

'Ziezo, dat is gebeurd,' zegt hij met een tevreden glimlach. Dan gooit hij de afgekeurde snoepjes in een zak. 'Die gooien we weg.'

Als Eang en hij naar bed gaan, kruip ik weg onder mijn dekens en probeer in slaap te komen. Eang en Meng liggen in hun kamer al te snurken, maar ik ga terug naar de woonkamer om tv te kijken. Tot mijn grote schrik is er op alle drie de zenders een enge film te zien! Ik zit in het donker op de bank met mijn knieën stevig tegen mijn borst gedrukt en de deken over mijn schouders. De maan laat zich telkens even vanachter de wolken zien, maar klimt dan langzaam tot boven het dak, en dan zie ik hem niet meer. Om ons heen lacht de wind en de bomen schudden met hun takken als ouders met een waarschuwende vinger. Maar dat maakt niet uit. Ik kijk gebiologeerd naar de televisie, waar het nepbloed over het scherm spat, helemaal tot het eind, tot iedereen dood is en de mens uiteindelijk de geesten en de monsters overwint.

Oktober gaat over in november, het wordt steeds eerder donker en de zon trekt in een steeds kortere baan langs de horizon. Het wordt al snel knisperend koud en er waait een felle wind over het kale land, maar er zijn geen bladeren meer om te protesteren. In Essex Junction treedt de winter, nu de herfst net geweken is, snel in, totdat we op een ochtend wakker worden en allemaal wit spul op de grond zien liggen.

'Sneeuw! Sneeuw!' roep ik opgewonden, en ik druk mijn handen tegen de koude ruit. 'Sneeuw!'

'Hou op met dat gegil. Ik weet het al.' Eang is nu acht maanden zwanger en werkt niet meer, dus ze is thuis, met mij.

De ruit beslaat door mijn adem en ik moet weer denken aan ijscomannen die hun ijsblokken vermalen. In gedachten valt het ijsschaafsel uit de lucht en kan ik het zo oppakken, er ballen van maken en er sinaasappelsiroop op gieten! Ik ga ijsco's verkopen om geld te verdienen, en dat stuur ik dan naar Cambodja, denk ik bij mezelf. Dan denk ik aan mevrouw McNulty, die zei dat we vaak niet naar school hoeven als het hier sneeuwt.

'Ik hoef vandaag niet naar school!' Ik ren de keuken in om het tegen Eang te zeggen.

'Jij hoeft vandaag wel naar school,' antwoordt Eang, en ze loopt schommelend met mijn sneeuwkleren naar de woonkamer.

'Je gelooft me ook nooit,' klaag ik.

'Mevrouw McNulty belt heus wel als er geen school is.'

'Hmm!' Ik loop stampend de badkamer in, met armen en benen die als olifantenpoten heen en weer zwaaien. Terwijl ik me was gooit Eang een heleboel winterspullen op mijn bed. Hierna volgt een langdurige aankleedprocedure, waarbij er aan me geduwd en getrokken wordt en ik in verschillende kledingstukken word gewurmd. Als ik eindelijk de deur uit loop heb ik een glanzende blauwe sneeuwbroek over mijn lange onderbroek en spijkerbroek aan, twee paar sokken, mijn rode winterjas, een oranje muts, zwarte wanten en vuurrode moonboots. Ik laat mijn schooltas onmiddellijk op de stoep vallen en druk mijn lichaam plat tegen de grond.

'Sneeuw! Sneeuw!' schreeuw ik, en ik druk mijn buik tegen het bevroren gras. Met moeite rol ik me op mijn rug en staar naar de witte, lege lucht, terwijl mijn neusgaten als een draak koude rook uitblazen. Onder mijn gewicht knerpt de sneeuw als kleine kristallen.

'Het sneeuwt! Het sneeuwt!' roep ik uitgelaten, en ik wapper met mijn armen om mijn eerste sneeuwengel te maken.

'Nee. Het vriest, het vriest,' antwoordt een buurmeisje, dat alleen maar een dunne jas, een sjaal en gymschoenen aanheeft.

Het vriest al snel niet meer, maar we krijgen wel sneeuwbuien, hagel en ijsballen. Terwijl het buiten ijskoud is en de lucht grijs is, blijven wij binnen steeds langer in bed. Als Eang en Meng me de kans zouden geven, zou ik de hele dag slapen. Want als ik onder mijn warme dekens uit kom, wordt mijn stemming somber en naar. De keren dat we de deur uit moeten, doen we het heel snel en bij thuiskomst laten we ons onder de elektrische dekens weer ontdooien. Maar hoe koud het ook is, Meng en Eang zorgen ervoor dat ik toch naar school ga, ook al moet ik door kniehoge sneeuw over het ongeveegde trottoir ploeteren. Zelfs onder al die lagen kleren, mutsen en sjaals hunkert mijn lichaam naar de warme zon en het vochtige weer van Cambodja. En bij elke stap die ik doe droom ik ervan op het strand te lopen en mijn tenen in het zondoorstoofde zand warm te laten worden. Maar hoe levendig mijn fantasieën ook zijn, toch voelt mijn gezicht ijskoud aan en elke bijtende windvlaag lijkt een harde klap op mijn koude wangen. Als ik thuiskom uit school slaat Eang dikke dekens om me heen en probeert mijn lichaam met een kom zelfgemaakte hete, zure soep weer warm te krijgen.

Naarmate het weer kouder wordt, wordt ons hart verwarmd door bezoek van onze vrienden en sponsors. Ze komen met cadeautjes in mooie doosjes en mooi papier bij ons. Als ze weg zijn waggelt Eang meestal naar de keuken om eten voor ons klaar te maken, terwijl Meng in de woonkamer aan zijn huiswerk Engels bezig is. Vanuit mijn kast hoor ik hem zijn werk lezen en herlezen, en hoe hij met zijn duim door zijn woordenboek Chinees-Engels bladert.

Vóór de oorlog was Meng een van de beste studenten van zijn jaar; papa en mama waren daar zo trots op dat ze hem ter beloning een auto gaven. Meng zit nu nog steeds voortdurend te studeren, ook al moet hij het nu zonder hun goedkeuring en aanmoediging stellen. Hij is twee maanden lang elke zaterdag met de bus naar Massachusetts gegaan om aan de universiteit in Boston maatschappelijk werk te studeren. In Boston logeerde hij bij een ander gezin uit Cambodja en studeerde hij de hele dag. Na een weekend intensief les te hebben gehad kwam hij dan op zondagavond terug, en maandag moest hij weer aan het werk. Maar door de zwangerschap van Eang moest Meng ophouden met studeren en twee fulltime banen nemen om ons gezin draaiende te houden. Toch gaat hij elke dag als hij thuiskomt Engels leren. Ik vraag me wel eens af of hij voor zichzelf zo hard studeert, of dat hij het nog steeds allemaal voor papa en mama doet.

Meng verdient de kost voor ons gezin, en ik hoef alleen maar een goede leerling te zijn. Meng heeft me een keer verteld dat hij mij, en dus niet Chou of Kim, heeft gekozen om mee naar Amerika te gaan, omdat ik de jongste was en dus een betere opleiding kon krijgen. Hij zei dat het papa's grote droom was dat we allemaal een opleiding zouden volgen. Net als papa gelooft Meng heilig dat je alleen met een opleiding een beter leven krijgt. Als een Ung een goede opleiding heeft gevolgd betekent dat in hun wereld eer, prestige, trots en waardigheid voor de hele familie. Deze verantwoordelijkheid hangt zwaar en luidruchtig als een enorme lompe koebel om mijn nek. Soms heb ik het gevoel dat hij me als ik probeer te praten de keel dichtknijpt.

Het is allemaal heel vreemd. Een jaar geleden was ik soms bang dat ik door soldaten gedood zou worden en nu is mijn grootste angst dat ik in de klas een beurt krijg. En als dat dan gebeurt, gloeit mijn gezicht, tolt mijn hoofd en haal ik alle grammaticaregels door elkaar. Dan moet ik mijn gedachten langzaam tot een zin vormen en mijn mond en tong dwingen die uit te spreken. In het Khmer zijn er geen voornaamwoorden, meervouden of werkwoordstijden. In het Engels bestaan er een heleboel grammaticaregels en daar zijn dan weer allerlei uitzonderingen op, en op alle uitzonderingen bestaan ook weer uitzonderingen. Het vraagt zo veel energie en inspanning om in de klas naar alles te luisteren, alles te begrijpen, te praten, te studeren, te leren en alles te onthouden dat ik me in de pauze vaak afzonder om stil te kunnen zijn.

Terwijl de andere leerlingen in de sneeuw spelen, schuifel ik met mijn zakje chips naar het klimrek, met de schaduw van Tommy naast me. Waar Tommy een paar maanden geleden nog stond, staan nu drie meisjes. Als ze me zien aankomen, buigen ze hun hoofd naar elkaar toe en fluisteren ze met hun hand voor hun mond.

‘Het is leuk om in een boom te wonen,’ zeg ik, in de hoop nieuwe vriendinnetjes te maken.

‘Wat?’ vraagt een meisje met bruin haar en sproeten.

‘Het is leuk om in een boom te wonen en aan touwen te slingeren.’ Ik heb veel boeken over de aap Nieuwsgierige Joe gelezen.

‘Wat een domoor,’ zegt het meisje met de sproeten zachtjes.

‘Wat is een “domoor”?’ vraag ik rustig, en ik loop naar haar toe. Het meisje met de sproeten haalt haar schouders op en draait zich om.

‘Wat is een “domoor”?’ vraag ik met klem, maar ze doet net alsof ze me niet hoort. ‘Ik word gek van jullie!’ gil ik in het Khmer. ‘Ik heb er schoon genoeg van om aldoor mijn best te moeten doen om jullie te begrijpen! Ik heb er schoon genoeg van dat jullie me in jullie buitenlandse taal belachelijk maken! Ik heb er schoon genoeg van dat jullie denken dat jullie slimmer zijn dan ik!’ In mijn eigen taal vliegen de woorden gemakkelijk en snel mijn mond uit.

De meisjes staan nog steeds dicht bij elkaar. Plotseling voel ik de hitte van mijn hoofd naar mijn gezicht en nek stromen, en daarna naar mijn armen. Zo snel als een kikker schiet mijn arm omhoog en geeft het meisje een stomp tegen haar hoofd.

Het meisje gilt het uit en ik grijp haar beet en trek ons allebei tegen de grond. Terwijl we daar liggen te worstelen, proberen haar vriendinnen ons uit elkaar te halen, maar ik sla hun handen weg alsof het motjes zijn.

‘Ophouden! Nu!’ Als ik de stem van een volwassene hoor, verroer ik me meteen niet meer. Ik durf me niet om te draaien en haar aan te kijken. ‘Naar binnen, allemaal!’

Gedwee rol ik van het meisje af en loop terug naar ons lokaal. Als om kwart over drie de bel gaat, stuurt het schoolhoofd me met een briefje voor Meng naar huis.

‘Loung.’ Zelfs nadat ik Meng verteld heb wat er is gebeurd, klinkt zijn stem kalm en hard. ‘In Amerika mogen we ons gezicht niet verliezen.’

Ik zeg niks. Meng begrijpt niet dat ik bij die meisjes juist mijn gezicht probeerde te redden. Hij denkt er alleen maar aan dat we als Cambodjaanse vluchtelingen die in Amerika wonen ons gezicht niet mogen verliezen. Maar hoe zit het dan met mijn gezicht op school?

‘Ze misdraagt zich omdat jij niet streng genoeg tegen haar bent!’ valt Eang hem bij.

'Loung,' zegt Meng, en hij kijkt me recht aan. In zijn donkere pupillen en op zijn roerloze gezicht is zijn woede goed te zien. 'We zijn te gast in dit land. Hoe lang we hier ook wonen, we zijn hier altijd te gast. En een gast mag nooit ofte nimmer stelen, vechten of de gastheer pijn doen. Door ruzie te maken maak je de familie te schande. De volgende keer dat je je misdraagt, stuurt Amerika je misschien wel terug naar Cambodja.'

Meng hoeft zijn stem niet te verheffen; zijn zacht uitgesproken bedreiging is genoeg om mij ervan te weerhouden me ooit nog te misdragen. Ik wil niet terug naar Cambodja; ik wil niet terug naar de oorlog. In Amerika ben ik zo zwak en slap geworden dat ik niet weet of ik de oorlog nog een keer zou overleven. Dat vind ik vreselijk van mezelf. Ik weet namelijk dat Chou ergens in Cambodja op me wacht, maar toch wil ik niet naar haar toe.

10
De dood van een kind

November 1980

'Wat is er aan de hand?' vraagt Hong met bezorgde stem.

Chou en Hong hebben de hut toen ze terugkwamen van het hout sprokkelen in een toestand van paniek aangetroffen. Ze lopen naar Cheung, die buiten heen en weer beent met Mouy op haar heup. Binnen zitten tante Keang en oom Leang naast een stromat, met hun lichamen naar elkaar toe gebogen, maar zonder elkaar aan te raken. Een medicijnman loopt vlug om de mat heen, waar een klein wezentje op ligt dat hij met zijn handen optilt en aanraakt.

'Waar zaten jullie?' vraagt Cheung streng.

'We waren hout sprokkelen,' antwoordt Chou, en haar stem klinkt onderdanig, zoals dat hoort tegenover haar oudere nicht.

'Toen jullie weg waren is Kung in een pan kokende bergaardappelen gevallen,' begint Cheung, maar dan knijpt haar keel zich dicht. 'De aardappelen waren al gekookt en mama had de pan onder de boom gezet om af te koelen. Toen er niemand keek, is Kung erheen gelopen en er op de een of andere manier in gevallen. Toen mama haar hoorde, zat ze in de pan en krijste om hulp. Mama heeft haar eruit gehaald. De medicijnman is nu bij hen.'

Chou loopt aarzelend de hut in. Het ruikt in het vertrek muf en vochtig, en er hangt een zware geur van wierook. Uit de koele wind verzamelt het vocht zich snel op Chous huid. Ze veegt met haar kroma over haar voorhoofd en bovenlip. In het halfduister ziet ze Kung roerloos op haar buik op een oude bruine sarong liggen, met haar gezicht, dat glinstert van het zweet, naar opzij. De medicijnman heeft een natte doek op de billetjes van de peuter gelegd en zegt nu bezwerende spreuken op om de wonden te genezen. Als hij Kungs armen en benen optilt om haar brandwonden te bekijken, jammert Kung zachtjes als een gewonde puppy. Chou draait haar sjaal strak om haar hand en haar knokkels worden wit. Als de medicijnman Kung helemaal heeft onderzocht, gaan oom Leang en hij nog meer bladeren en kruiden voor haar wonden zoeken.

'Che Chou, help me alsjeblieft,' smeekt Kung, en terwijl ze naar Chou opkijkt, glijden er tranen langs haar neus. Chou draait de kroma los van haar hand en loopt op Kung af.

'Mooie dochter, mooi zusje, mooie Kung van me,' zegt Chou, en ze strijkt over Kungs haar en streelt zachtjes over haar wangen. Tante Keang zit naast hen en huilt in haar sjaal. Haar schouders gaan op en neer.

'Che Chou, help me alsjeblieft. Ik heb zo'n pijn.' Kungs linkerwang ligt tegen de doek gedrukt die tegen haar huid plakt. Chou brengt haar gezicht omlaag naar de plank en gaat heel zachtjes met haar vingers langs Kungs haargrens.

'Mooi meisje van me, je bent zo sterk.' Chou buigt zich naar Kung toe en geeft haar een Cambodjaanse kus. Ze ruikt naar versgemalen kruiden en naar wierook.

'Che Chou, warm. Het brandt.'

'Ssjt,' sust Chou haar. 'Mooi meisje van me, ik zal je het verhaaltje vertellen over waarom de koeien huilen en de paarden lachen.' Kungs ogen lichten even op als ze dat hoort, want het is haar favoriete volksverhaal. 'Vind je dat leuk? Dan vertel ik je het verhaal nog een keer.'

'Che Chou, het doet zo'n pijn.' Kungs stemmetje klinkt nu nog kleiner. Chou kust haar hand en voorhoofd, en haar tranen druppelen in Kungs natte haar.

'Toen God de dieren maakte, maakte hij de koeien dik, saai en lelijk. En de paarden maakte hij mooi, en hij gaf hun glanzend haar en een sierlijke lange staart. Maar toen keek hij naar de dieren en vond hij het niet eerlijk om één dier zoveel te geven. Om het eerlijker te verdelen gaf God de koeien speciale toverschoenen waardoor ze heel hard konden rennen. Toen gaf God de mooie paarden heel grote, lompe schoenen waardoor ze alleen heel langzaam konden lopen.' Met haar rustige stem sust Chou Kung half in slaap.

'Che Chou, ik heb pijn.' Kungs ogen zijn nu dicht, maar ze heeft nog steeds pijn. Chou houdt Kungs hand vast, en ze raakt al haar vingertjes heel voorzichtig aan.

'Nou, met die speciale schoenen aan werden de koeien heel verwaand en vonden ze zichzelf beter dan wie ook.' Chou vertelt verder en haar stem wordt nog zachter en rustiger.

'Doordat de koeien zo snel waren, kwamen ze altijd als eerste bij de waterpoel aan. Maar in plaats van voor het water te zorgen, zodat de anderen ook konden drinken, renden ze rond en spetterden ze elkaar nat, en daardoor werd de poel helemaal modderig. Toen de andere dieren aankwamen, was het water heel vies en modderig. "Alstublieft, broer en zus koe," zeiden de dieren, "we smeken jullie nederig om ook aan ons te denken en het water niet zo modderig te maken!"' Chou deed het stemmetje van een heel klein dier na. '"Ha!" antwoordde de koe. "Het is niet ons probleem als jullie te langzaam zijn. We drinken en spelen zoals wij dat willen! En met die woorden zwaaiden de koeien met hun staart en keerden de andere dieren de rug toe."' Kung ademt diep en Chou veegt een piek vochtig haar van haar wang en wappert haar voorhoofd koelte toe.

'Maar toen kwamen de koeien op een dag bij de poel,' zegt Chou, en ze laat haar stem dalen, 'en deden voor ze het water in gingen eerst hun schoenen uit. Dat zagen de paarden, en die glipten stiekem achter hen aan. Terwijl de koeien bezig waren het water modderig te maken, trokken de paarden hun eigen lompe schoenen uit. Aangezien geen van de andere dieren het op een schreeuwen zette om de koeien te waarschuwen, konden de paarden de snelle schoenen van de koeien aantrekken en wegrennen. Terwijl ze wegrenden, lachten de paarden. "Hieie! Hieie!" klonk het. Toen de koeien ontdekten wat er was gebeurd, huilden en loeiden ze. En dat is de reden waarom tot op de dag van vandaag koeien loeien en paarden lachen.'

'Chou,' fluistert tante Keang, en ze pakt Kungs handje uit de hand van Chou. 'Ga maar eten koken.'

'Ja, tante.' Chou bukt zich en geeft Kung een kus op haar warme wang. Dan laat ze haar alleen met tante Keang.

Als ze de hut uit loopt, verandert de wereld in een waas. Haar benen worden slap en ze moet tegen de muur leunen om overeind te blijven. Ze denkt aan een ziekenhuis van de Rode Khmer, vol zieke mensen, maar zonder dokters of verpleegsters. Met haar ogen dicht denkt Chou aan de laatste keer dat ze mama en Geak in dat instortende, muffe en van ratten vergeven ziekenhuis heeft gezien. Geak was vijf jaar, maar door haar verschrompelde armen en benen en haar opgezette buik leek ze kleiner dan Kung, die drie jaar is. Omgeven door ziekte en dood verkrampte het lichaam van Geak helemaal, en als ze probeerde te slapen deden haar armen en benen pijn. Het gejammer van Geak werd een enkele keer beantwoord door een vrouw die langskwam en haar dan een paar heel kleine klontjes suiker en een kopje water gaf, maar ze konden de zieken niet van de stervenden onderscheiden. De mannen van Pol Pot hadden de meeste artsen en verpleegsters vermoord, en degenen die nog wel in leven waren, hielden zichzelf en hun identiteit verborgen. Chou knijpt haar ogen stijf dicht en wou dat ze zich als een schildpad in haar harde schild kon terugtrekken, dat ze de pijn van Geak en Kung kon overnemen, zodat zij niet hoeven te lijden. Ze is woedend op Pol Pot en zijn Rode Khmer-soldaten.

'De soldaten van Pol Pot hebben de dokters vermoord. Nu hebben we geen ziekenhuis en geen dokters om ons te helpen als we ziek zijn. Dat is allemaal de schuld van Pol Pot!' Chou spuugt de woorden als vergif van haar tong. 'Ik hoop dat hij een pijnlijke dood krijgt en dat zijn lichaam ziek wegrot. Ik hoop dat hij als worm terugkomt op aarde!' Chou richt haar smeekbeden tot de hemelgoden, de boomgoden, de riviergoden en alle andere goden die maar willen luisteren. Maar net zo snel als het vuur van de haat in haar ontvlamt, dooft het ook weer. Chou maakt zich los van de muur en loopt naar de keuken. Ze gaat op haar hurken zitten om het vuur aan te maken waarop ze het eten gaat koken. Als de rook in haar ogen komt, laat ze haar tranen de vrije loop. Ze haalt diep adem en blaast in het vuur. Chou weet dat het geen zin heeft om energie en woede te verspillen aan dingen waar ze toch niets aan kan veranderen als ze verder nog zoveel te doen heeft.

Terwijl Chou met het eten bezig is, stampt oom Leang woedend met een houten stok met een afgerond uiteinde in een kom met zalf. Als zijn spieren pijn doen, trekt hij zijn hemd uit en gaat dan weer verder. Van de plek waar Chou zit, ziet ze hoe zijn lange ruggengraat zich kromt, alsof er een slang over zijn magere rug kronkelt. Zo nu en dan houdt hij even op, zodat Cheung er nog meer bladeren en kruiden bij kan doen. Terwijl hij de bladeren tot een dikke pasta plet, staat zijn gezicht strak en bewegen zijn kaken niet. Als hij klaar is, brengt Cheung de zalf naar tante Keang, die hem op Kungs wonden aanbrengt.

De volgende dag zijn de brandwonden van Kung veranderd in zwarte blaren en ontstoken bulten. Er zijn geen dokters en geen medicijnen; de familieleden doen wat ze kunnen om haar pijn te verzachten. Met dikke ogen en een bedrukt hart masseren ze om de beurt haar armen en benen, wapperen haar koelte toe en draaien haar hoofd van rechts naar links om een stijve nek te voorkomen. Als ze klaagt over jeuk op haar buik, steekt Chou haar hand onder Kungs lichaampje en krabt daar. Soms gaat ze naar buiten en gaat ze even bij Kim zitten. Ze zwijgen, hij kraakt een groene kokosnoot open, giet het sap in een kom en geeft het haar. Dan gaat hij weer bij haar zitten en staart naar de hut. Als Kim in zijn vermoeide ogen en gezicht wrijft, ziet Chou hoe zijn vingers zich in zijn huid drukken als een ploeg in de aarde. Als hij haar weer aankijkt, ziet ze dat zijn ogen rood en dik zijn.

'Waarom ga je niet even naar haar toe?' fluistert Chou tegen hem.

'Dat heb ik al gedaan,' zegt hij, en zijn stem klinkt afgemeten en ernstig. Chou weet dat hij alleen even de hut in is gegaan om snel naar Kung te kijken en dat hij toen weer is weggegaan.

'We kunnen in elk geval afscheid nemen.' Hiermee zegt Chou datgene wat ze allebei niet willen horen. Ze hebben nooit de kans gehad om afscheid te nemen van mama, Keav en Geak. Papa was de enige van wie ze liefdevol afscheid hebben kunnen nemen. Kim staat zwijgend op van het bankje en loopt naar de hut. 'We kunnen afscheid nemen,' herhaalt Chou zachtjes, en haar ogen beginnen te prikken.

Drie dagen lang klampt Kung zich aan het leven vast en verzorgt de familie haar wonden, houdt haar handjes vast, vertelt haar verhaaltjes en zegt dat iedereen van haar houdt. Met geleend geld koopt oom Leang rundvlees en varkensvlees, dat Cheung voor Kung moet klaarmaken. Tante Keang kauwt het taaie vlees, maalt het fijn in haar mond en geeft het dan aan Kung, met waterige rijstsoep. Als Kung dorst heeft, doopt tante Keang de punt van een kroma in een kom kokosmelk en knijpt de vloeistof tussen haar kurkdroge lippen uit. Terwijl het leven uit haar vliedt, blijft Kung met haar kleine stemmetje smeken of ze haar pijn willen verzachten.

Wanneer Kung ophoudt met praten, proberen de mannen zonder succes een monnik te vinden die Kung kan helpen om van dit leven naar het volgende over te gaan. De mannen weten dat ze niets kunnen doen om de pijn voor haar te verlichten en gaan buiten voor de hut zitten. Binnen wassen de vrouwen Kungs lichaam, haar haar, handen en voeten, tussen haar tenen en onder haar nagels. Dan gaan ze verder met haar gezicht, vegen het vuil uit de huidplooien in haar hals, haar oogleden en oren. Langzaam maar zeker wordt Kungs ademhaling onregelmatig. De vrouwen zitten in een kring om haar heen, kussen haar gezicht, fluisteren haar in het oor en zingen haar lievelingsliedjes. Buiten reist de zon langs de hemel, trekt over het dorp en de hut, wekt de uilen, de vleermuizen en de krekels. De nachtdieren zingen samen, terwijl Kungs lichaam in shock raakt en ze vochtig en koud wordt.

Chou legt haar hand op Kungs arm en verbaast zich erover hoe mooi ze nog is. Chou heeft spijt van alle keren dat ze op haar gemopperd heeft en wou dat ze die ongedaan kon maken. Ze bidt tot de goden dat ze Kung in haar volgende incarnatie in een beter leven geboren laten worden. Ze begraaft haar neus in Kungs wang en neemt afscheid, zoals ze dat ook van Geak had willen doen. Terwijl het kaarslicht op Kungs gezichtje flakkert, kust Chou haar voorhoofd, haar ogen en handen. De rook van de wierook stijgt op en verspreidt zich door de kleine hut, alsof het vertrek doortrokken raakt van Kungs geest. Chou verlaat het vertrek en keert haar gezicht omhoog naar de donkere hemel, waarmee ze haar tranen dwingt in haar keel te blijven.

'Mama, papa, Keav en Geak. Zorgen jullie alsjeblieft goed voor Kung.' De sterren twinkelen aan de hemel, alsof ze haar antwoord geven. 'Het is een lief meisje,' fluistert Chou, en ze gaat verder met de armzalige maaltijd van de familie. Terwijl op het vuur de soep kookt, graaft Chou rode klei uit de grond op, genoeg om er figuurtjes van mama, papa, Keav, Geak en Kung van te maken. Van de klei maakt ze ook primitieve wagens, paarden en koeien voor hen, voor in het hiernamaals. Ze zet ze op een rij bij het vuur te drogen. Als ze opkijkt van haar kleigezelschap, ziet ze dat Kim veelbetekenend vanonder de boom naar haar kijkt.

Binnen masseert tante Keang zachtjes Kungs nek en houdt ze haar kleine gezichtje tussen haar handen. In het zachte licht is het net of Kung vredig slaapt. Tante Keang steekt haar armen onder Kungs schouders en knieën, tilt haar dochtertje op en drukt haar tegen haar boezem. Ze wiegt het kind in het donker in haar armen heen en weer, maar Kung is dood en maakt geen geluid meer. De mannen en vrouwen komen samen en er worden nog meer kaarsen aangestoken en wierook gebrand. Een voor een gaan alle familieleden naar Kung toe om definitief afscheid van haar te nemen.

11
De eerste Amerikaanse Ung

December 1980

'Daar is ze,' kondigt mevrouw McNulty aan, en haar stem danst over de muren. 'Is het geen plaatje?'

Achter haar loopt Eang langzaam de trap naar onze flat op, met in haar armen de eerste Amerikaanse van de familie Ung. Ik ren naar de woonkamer en schik de kussens netjes op de bank. Als ze de woonkamer binnenlopen, zie ik dat Eangs gezicht bleek en dikkig is als een marshmallow, maar ik hou mijn mond. Naast haar ziet Mengs huid er bruin en droog uit, als oudbakken crackers.

'Nou Meng, Eang en jij moeten nog vijf jaar wachten voor jullie Amerikaan kunnen worden, maar dit meisje krijgt automatisch de Amerikaanse nationaliteit!' roept mevrouw McNulty lachend uit.

Meng heeft me al uitgelegd dat Eang en hij vijf jaar in Amerika moeten wonen voor ze het staatsburgerschap kunnen aanvragen en dat ik, omdat ik minderjarig ben, moet wachten tot ik achttien en volwassen ben en dat ik dan pas Amerikaanse kan worden.

'Ze is prachtig, Meng. Je zult wel trots zijn,' zegt meneer McNulty zachtjes tegen Meng.

'Ja, ik ben blij dat ze gezond is.' Meng glimlacht en loopt achter Eang aan de woonkamer in.

'Ja, in het Medical Center in Vermont ben je in goede handen,' zegt meneer McNulty, trots op zijn stad.

Het is 23 december en de wereld is weer donzig en wit. Meng zegt dat de vallende sneeuw net witte Chinese bloesem lijkt. Binnen is het warm en ruikt het naar de dennenboom van anderhalve meter hoog die voor het raam staat. Aan de dikke takken hangen glazen ballen, snoeren met popcorn en daaroverheen weer snoeren met witte lichtjes.

Toen een van onze sponsors met deze lelijke, spichtige dennenboom bij ons voor de deur stond, wilde ik vragen of we geen mooiere konden krijgen, met grote groene bladeren en bloeiende bloemen. Hoewel Meng, Eang en ik niet begrijpen wat deze naaldboom met de geboorte van Christus of met Kerstmis te maken heeft, versieren we hem net zoals we dat mensen op de televisie hebben zien doen.

'Mevrouw en meneer McNulty, willen jullie iets drinken?' vraagt Eang, terwijl ze de baby in haar armen wiegt. Ik glimlach als ik merk hoezeer Eang aan de etiquette hecht en hoeveel haar eraan gelegen is haar gasten respect te betonen. Zelfs als ze op haar sterfbed ligt zal ze haar gasten nog iets te drinken proberen aan te bieden, denk ik.

'Nee hoor, dank je,' antwoordt mevrouw McNulty. 'We gaan maar, dan kunnen jullie rusten,' zegt ze. Ze staat op, en meneer McNulty ook.

'Heel erg bedankt dat jullie ons uit het ziekenhuis hebben opgehaald,' bedankt Meng hen nogmaals, terwijl hij met hen naar de deur loopt.

Ik loop snel naar Eang en ga naast haar op de bank zitten. Langzaam haal ik met mijn hand het bundeltje witte stof in haar armen uit elkaar. Ik pel de lagen er als de bladeren van een lotusbloem af en zie dat er een lichtbruine, gladde baby in zit. Ze heeft haar oogjes nog dicht en ze wriemelt en ze zuigt op haar lipjes. Eang haalt de baby uit de wikkels, en ik raak haar roze babypyjama aan en streel haar rimpelige handjes. Ze tuit haar mondje, alsof ze me wil zeggen dat ik haar met rust moet laten, dat ze wil slapen. Langzaam trek ik haar mutsje af en zie dat er een bos zwart haar op haar hoofdje zit. Ze gaapt en plooit haar gezichtje alsof ze het op een schreeuwen wil zetten, maar dan doe ik snel het mutsje weer op haar hoofd. Vervolgens breng ik haar minuscule handje naar mijn neus en lippen en geef ik haar eerst een Cambodjaanse en dan een Amerikaanse kus.

'Hallo baby'tje,' kir ik. Ze knijpt haar oogleden samen, maar ze ademt zo diep dat het net is alsof ze alleen maar zucht. 'Wat een schatje!' Haar zachte huid ruikt naar babypoeder. Ik fantaseer over hoe het is om zelf een levende pop te hebben om mee te spelen, aan te kleden en te eten te geven. 'Doe je oogjes open, doe je oogjes eens open,' dring ik bij haar aan, maar ze reageert niet.

'Haar Chinese naam wordt Geak Sok,' zegt Meng, die plotseling naast me staat en liefdevol naar zijn dochter kijkt. De adem stokt in mijn keel en ik kijk hem aan. Ik blaas langzaam mijn adem uit en de kamer wordt donkerder en de lichtjes in de boom feller. Ik zie de lijnen op Mengs gezicht, rond zijn ogen en mond, dieper worden. Heel even ben ik bang dat hij onze onuitgesproken regel om niet over Cambodja, de Rode Khmer, mama, papa en vooral Geak te praten zal overtreden.

'Ze is geboren op 21 december, de eerste dag van de winter, vandaar die Chinese naam, die jaden sneeuw betekent,' gaat Meng verder. Onze regel blijft ongeschonden. 'Ze is naar Geak en naar de sneeuw vernoemd.' Mengs stem sterft heel even weg, maar zijn glimlach wijkt niet van zijn gezicht.

'Mooi,' beaam ik, en ik blijf met haar zachte vingertjes spelen. Ergens binnen in mij roeren zich verdrietige herinneringen, die zich naar de oppervlakte proberen te dringen. 'Geak Sok,' fluister ik zacht, en ik staar naar de rimpelige roze wangetjes van de baby. Ik streel ze met mijn vinger en vraag me af of ze ooit tot rode appeltjes zullen rijpen, net als die van haar naamgenootje. Als de baby haar oogjes samenknijpt en open probeert te doen, kruipen de herinneringen aan Geaks gehuil en haar opgezette buik als een verslagen muis terug in hun zwarte gat.

'Maar we noemen haar Maria,' verklaart Eang, en dan legt ze de baby in mijn armen.

'Dat is ook mooi!' Ik giechel goedkeurend en probeer niet naar Eangs op- en neergaande borsten te kijken, die in de twee dagen dat ze in het ziekenhuis heeft gelegen wel twee keer zo groot lijken te zijn geworden. In mijn armen rekt Maria zich uit en ze pruttelt vredig in haar slaap. 'Wat is ze klein,' zeg ik tegen Eang, en ik richt mijn aandacht weer op Maria. Ik kijk naar haar wimpertjes, die eruitzien alsof ze erop geschilderd zijn, en naar hoe haar kleine neusgaatjes als die van een onschuldig babydraakje zich bij het ademen verwijden. Ik kan er geen weerstand aan bieden, breng mijn gezicht omlaag en druk mijn neus tegen haar wangen. Met haar hoofdje in de holte van mijn elleboog voelt Maria net als een kleine bultige warmwaterkruik. 'Maria, net als in *The Sound of Music*.'

'Ja, mooie film,' beaamt Eang.

En zo komt Maria bij ons gezin en slaapt ze twee dagen lang in onze armen. Met Kerstmis maken we onze cadeautjes open en eten we gedroogde kalkoen. We installeren ons voor de televisie om de film te bekijken waar al onze sponsors het over hebben: *It's a Wonderful Life*. Buiten sneeuwt het zachtjes en is de wereld stil. Aan het eind van de film huilt het gezin en dromt samen om Joe Bailey, die naar huis rent nadat hij de hele dag vermist is geweest. Als hij ziet hoeveel familieleden en vrienden er op hem staan te wachten klaart zijn gezicht op en glinsteren er tranen in zijn ogen. Dan wordt er gelachen, omhelsd en gekust, en is iedereen blij dat ze weer samen zijn. Plotseling kan ik er niet meer tegen en zet ik snel de televisie af.

'Is de film al afgelopen?' vraagt Eang slaperig.

'Ja.'

'Naar bed dan maar,' gaapt ze, en ze tikt Meng op zijn arm. Samen lopen ze langzaam hun slaapkamer in, waar Maria in haar wiegje ligt te dromen.

In het donker leg ik mijn hoofd op het kussen op de armleuning, zodat ik schuin in de schommelstoel lig. Buiten, boven de telefoon- en elektriciteitsdraden, fronst de maan en twinkelen de sterren net als de lichtjes in de dennenboom. Terwijl de stoel heen en weer schommelt, breng ik mijn benen omhoog naar mijn borst en krul me in foetushouding op. Het is kerst, zeg ik tegen mezelf. Je moet gelukkig zijn. Met kerst is iedereen gelukkig. Het gesnik wordt sneller, drukt tegen mijn middenrif en komt door mijn keel naar buiten. 'Ik voel me zo eenzaam.' Ik leg mijn hand tegen mijn mond, zodat Meng en Eang me niet horen. Ik wil niet dat zij het weten.

'Ik mis mijn zusjes,' zeg ik hardop in de lege kamer. Ik realiseer me dat dit de eerste keer is dat ik dit hardop gezegd heb, en niet alleen maar gedacht. Mijn borst gaat op en neer. 'Ik mis Chou.'

De lichtjes in de boom schijnen op mijn huid, maar vanbinnen zwelt de duisternis aan. Het is Kerstmis en heel veel mensen leven, zijn samen en gelukkig! En morgen komen er nog meer mensen om me gelukkig kerstfeest te wensen en dan zegt Eang dat ik moet glimlachen. Maar hoe moet ik hun vertellen dat het moeilijk is om mijn lippen te krullen als mijn gezicht helemaal stijf is van woede? Als de andere kinderen opscheppen over wat ze voor Kerstmis allemaal van hun ouders gekregen hebben, ben ik stil, want ik wil niets van mama en papa. Ik wil alleen maar dat ze er zijn. Ik wil op papa's schoot zitten. Ik wil mama zien glimlachen. Ik wil alleen maar dat ze nog leven.

Uitgeput val ik in de stoel in slaap, met het geluid van klokken nog nagalmend in mijn oren. Dan zie ik mama en Geak. Het is overdag. De lucht is blauw en er staat een windje, waardoor hun haar in hun gezicht waait. Mama's ogen glanzen en als ze glimlacht trekken haar lippen breed open en zie ik haar tandvlees. Geak zit bij haar op schoot en lacht; haar dikke wangetjes zien er glanzend en gezond uit. Ze slaat haar armpjes om mama's nek. Ze drukken zich stil tegen elkaar aan, Geak met haar gezichtje tegen mama's borst, mama met haar kin op Geaks hoofd. Ze zien er mooi uit. Er kruipt een glimlach over mijn gezicht. Ze zien er heel echt uit. Ik wil mijn armen om hen heen slaan en denken dat ze echt leven. Maar dat denk ik niet, zelfs niet in mijn slaap.

Plotseling zijn ze weg. Ik ren hen achterna, roep hun namen en smeek hun mij mee te nemen.

'Wacht! Wacht alsjeblieft op mij!' roep ik, maar ze zijn al weg. 'Kom terug; zeg me wanneer jullie terugkomen,' smeek ik. Het doet zo'n pijn dat ze nu verdwenen zijn dat ik wel in een graf zou willen kruipen en me zou willen laten opnemen door de aarde tot ik niets meer weet.

'Mama, wacht op mij!' smeek ik, maar niemand hoort me.

In paniek merk ik op een gegeven moment dat ik iets zwaars in mijn armen heb. Ik buig mijn hoofd en zie dat ik een pasgeboren baby vasthoud. De baby is lijkbleek en hangt slap en roerloos in de holte van mijn arm. Ik kijk naar haar en er trekt een koude rilling over mijn rug, die zich vervolgens als een poolwind door mijn hele lichaam verspreidt.

'Nee, nee! Word wakker!' Ik schud de baby heen en weer, maar ze beweegt niet. 'Word wakker, word wakker!' Ik druk de baby als een dolle tegen mijn borst in de hoop haar tot leven te wekken. Maar het kind ligt dood in mijn armen.

DEEL II

Twee parallelle levens

12
Waanzinnig Amerika

Maart 1983

Om half zeven 's ochtends wekt de wekkerradio me met 'Like a Virgin' van Madonna om naar school te gaan. Ik geef een klap op de sluimerknop en doe mijn ogen nog een paar seconden dicht. Buiten loeit de wind en koude lucht blaast door de kieren in het raam. Als ik mijn ogen weer opendoe is het zeven uur.

'Verdomme, ik kom te laat!' Ik spring uit bed, trek snel mijn dikke rode trui, een zwarte maillot, een rok en rode beenwarmers aan. In mijn kast kam ik mijn pony snel op en draai de rest van mijn gepermanente haar in een grote klem.

'Verdomme, verdomme!' vloek ik, terwijl ik mijn voeten springend en hupsend in een paar sportschoenen probeer te wurmen.

'Loung, hou op met dat gevloek en gespring,' zegt Eang, terwijl ze slaperig langs mijn kamertje loopt om binnen op de bank te gaan liggen.

'Het spijt me. Ik heb me verslapen.'

'Schiet dan op, maar vloek en spring er niet zo bij.' Eang trekt een deken over zich heen en doet haar ogen dicht.

Ik loop op mijn tenen de trap af en naar buiten. Doordat ik zo snel loop, wordt mijn lichaam vlug warm, wat me beschermt tegen de koude wind. Het is krap een kilometer naar de ADL Intermediate School, en die leg ik hardlopend af. Onderweg denk ik aan Eang, die zo'n hekel aan vloeken heeft. Toen we net in Amerika waren, kon ik kwistig met vierletterwoorden strooien en tegen Eang zeggen dat ze niks te betekenen hadden, maar ze weet nu wel beter en zit me er voortdurend over op mijn huid. 'Vloeken is niet netjes en hoort niet voor een jongedame,' zegt ze. Ik heb wel eens zin om tegen Eang en al haar regeltjes tekeer te gaan. We wonen nu drie jaar in Amerika en zij probeert me nog steeds tot een keurig Cambodjaans meisje op te voeden. Behalve dat zo'n keurig Cambodjaans meisje niet mag vloeken, mag ze ook niet naar de film met jongens, niet naar het winkelcentrum, niet naar harde muziek luisteren, niet langer dan vijf minuten telefoneren, niet na het donker thuiskomen en nergens alleen naartoe. Als ik het goed begrijp, moet een keurig Cambodjaans meisje gewoon thuiszitten en haar mond houden. Maar ik ben geen keurig Cambodjaans meisje. En in het Engels vliegen de lelijke woorden zo mijn mond uit, zonder wat voor schaamte of angst ook, maar diezelfde lelijke woorden kan ik in het Chinees of het Khmer niet eens in stilte zeggen, want dan voel ik me meteen heel slecht.

Ik nader school en hou op met hardlopen om over een spekglad stuk trottoir te glijden. Ik glijd over het gladde beton alsof ik rolschaatsen aanheb, maar val dan plotseling.

'Shiiit!' brul ik luidkeels.

Een hele rij vogels vliegt fladderend op van de telefoondraad. Mijn rechterenkel rolt van een gevallen tak en ik zie hem voor mijn ogen dik worden.

'Godver! Dat kan er ook nog wel bij! Jezus christus!' mompel ik in mezelf, terwijl ik over mijn enkel wrijf. Voor me draait een groepje kinderen zich om en kijkt me bevreemd aan. Ik wil niet als een halvegare overkomen en dus kijk ik heel boos naar hen en knijp mijn ogen samen, alsof ik ze uitdaag om iets tegen me te zeggen.

'Hé, gaat het wel?' vraagt een meisje met bruin haar.

'Hmm, ja hoor,' antwoord ik gedwee.

'Echt?' vraagt ze met enige aandrang.

'Ja, ik heb alleen mijn enkel verstuikt.'

'Goed, tot straks op school dan,' zegt ze met een glimlach, en ze loopt door met haar vriendinnen.

'Dag.' Ik krijg een zure smaak in mijn mond bij de gedachte dat ik er meteen van uit ben gegaan dat het groepje me wel zou uitlachen. Maar dat gebeurt in de meeste gevallen dan ook.

Ik ben dertien jaar en daarmee maar een jaar ouder dan de meeste zesdeklassers op de ADL, maar die 365 dagen zorgen ervoor dat ik telkens dat mijn leeftijd ter sprake komt bloos van verlegenheid en schaamte. Het is elke keer raak: het gesprek eindigt ermee dat een of ander kind me erom uitlacht.

'Ben je blijven zitten?' vraagt dan iemand.

'Nee,' antwoord ik met een nonchalant schouderophalen.

'Ben je later naar school gegaan?'

'Ja, heel laat,' lach ik dan, en ik ben me de hele tijd scherp bewust van het ongeloof in hun ogen, want in hun wereld gaat iedereen op dezelfde leeftijd naar school. En als iemand pas laat met school is begonnen, moet dat betekenen dat diegene traag is.

'Ik ben niet stom!' wil ik tegen hen schreeuwen, maar in plaats daarvan glimlach ik maar.

Som zou ik wel willen dat ik een T-shirt had met daarop de tekst: IK PRAAT ANDERS. IK KOM UIT EEN ANDER LAND. DAAR SPREKEN WIJ GEEN ENGELS. DUS DOE NIET ZO ONBESCHOFT! Maar zulke T-shirts bestaan niet. En ik heb geen zin om uit te leggen dat ik als kind van tien in de tweede klas ben begonnen, want ik voel er weinig voor om hun over Cambodja en de Rode Khmer te vertellen.

Ik kom langzaam overeind en loop voorzichtig verder met mijn zere enkel, maar voor ik bij school ben, loop ik plotseling van de stoep af om bij Beth aan te kloppen. Er nadert een auto die heel schokkerig rijdt en veel lawaai maakt. Onwillekeurig trek ik mijn schouders op en buig ik mijn knieën, alsof ik in elkaar wil duiken. Als de auto langsrijdt, neem ik mezelf kwalijk dat ik zo'n angsthaas ben.

'Beth,' roep ik, en ik klop wat harder.

'Wat ben je laat,' zegt Beth rustig als ze de deur opendoet.

'Sorry, ik heb me verslapen en toen heb ik in mijn haast om hier te komen mijn enkel verstuikt. Het is echt zo'n dag waarop alles tegenzit.' Beth zegt niets en doet de deur achter zich dicht.

Beth is mijn beste vriendin van school. Ze is een meter zestig, en daarmee vijf centimeter langer dan ik. Ik heb zwart haar en een donkere huid, en Beth is blond en heeft blauwe ogen – een echte Amerikaanse schone. Ze is tevens een van de aardigste meisjes van school en voor mij een uitzonderlijk goede lerares.

'Als we opschieten halen we het nog wel,' zegt ze, en ze kijkt even naar mijn gezicht. 'En eh... Ik zou die lelijke, knalblauwe oogschaduw er maar afvegen.'

'Echt?'

'Mm-mm, zonder ben je veel mooier.'

Een van de redenen waarom ik zo dol ben op Beth is dat ze me de hele tijd complimentjes maakt. En al heb ik haar nog zo vaak horen zeggen dat ik knap ben, ik zie het er zelf niet aan af. Hoe kan ik knap zijn als ik er zo totaal anders uitzie dan alle andere meisjes?

'Moet ik het er allemaal afvegen of moet ik een beetje laten zitten?' vraag ik.

'Het moet er allemaal af.'

'Echt?'

'Ik begrijp niet waarom je jezelf niet knap vindt,' verzucht Beth geërgerd.

Ik volg Beths advies op en maak mijn oogleden schoon. Maar ze begrijpt het niet. Zij was er afgelopen zomer op de kermis niet bij toen die jongen zijn gezicht afwendde. Ik had naar hem geglimlacht toen we allebei in de rij stonden om een suikerspin te kopen. Toen hij later weer bij zijn vrienden stond, hadden ze naar me gekeken en me uitgelachen. Beth begrijpt gewoon niet hoe dat voelt – zij is zo volkomen normaal dat ik me soms wel eens afvraag waarom ze bevriend met mij is.

Hoewel Beth en ik veel samen doen, vertel ik haar nooit iets over de Rode Khmer of over de oorlog. Als ik bij haar thuis ben, zit ik het liefst bij hen in de keuken en kijk ik hoe ze met haar moeder omgaat. 'Moeder Poole', zo mag ik haar van mevrouw Poole noemen. Moeder Poole knuffelt vaak en slaat vaak haar armen om Beth heen. En als ik er ben, word ik ook geknuffeld. Ik vertel Beth wel hoe het is om als buitenlandse in een ander land te leven. Bij haar thuis, bij haar moeder, voel ik me deel uitmaken van een Amerikaans gezin.

Ik luister vaak jaloers hoe moeiteloos Beth moeilijke woorden uitspreekt, automatisch en accentloos. Haar lippen bewegen zo snel dat het lijkt alsof ze een van een sok gemaakte poppenkastpop is, waarvan de mond door iemands hand wordt bediend. Ik moet daarentegen dag in dag uit op spraakles om de klanken *s*, *th*, *str*, *l* en *v* te oefenen. Bij die oefeningen moet ik lucht tussen mijn tanden door blazen, mijn tong tegen mijn verhemelte drukken en door een rietje ademhalen. Na afloop voelt mijn tong meestal opgezwollen aan, te dik voor mijn kleine mond. Soms is mijn tong zo moe dat hij chagrijnig en ontevreden wordt, en dan klanken uitstoot die naar brak water smaken. Maar ik blijf oefenen en herhaal de klanken. Op een gegeven moment zeg ik zelfs in mijn slaap nog zinnetjes als *Susan eats snakes.*

Beth en ik komen net wanneer de bel gaat bij school aan.

'Nog één dag en dan is het weekend!' roept Beth, en ze loopt naar haar lokaal.

'Te gek!' roep ik terug, en ik ga mijn lokaal in.

In de klas staan de populaire leerlingen bij elkaar te kletsen en de buitenbeentjes zitten te suffen en doen alsof ze niet geïnteresseerd zijn. De hippe meisjes staan in hun hoek met hun plastic armbanden te rinkelen en zetten als een kikker hun wangen op, waarna ze hun kauwgom opblazen. Ik zit stilletjes aan mijn tafeltje en probeer me te herinneren wat we gisteren bij grammatica hebben geleerd. In het begin heb ik geleerd dat ik, om mijn proefwerken goed te maken, alleen maar de regels uit mijn hoofd hoef te leren, ook als ik niet begrijp hoe ze moeten worden toegepast. De dag na het proefwerk kan ik de regels als bezige gele bijtjes zo weer uit mijn oren laten vliegen. Als de regels wel in mijn hoofd blijven, zoemen ze rond en gaan ze een kruisbestuiving aan met alle andere lessen die in mijn hoofd zitten, en dan raakt alles in de war.

'Goed, jongens en meisjes, ik neem aan dat jullie allemaal je huiswerk hebben gemaakt.' De lerares zegt dat we allemaal moeten gaan zitten.

De opdracht was dat je een groot woord moest nemen en daar kleine woorden bij moest zoeken. De leerlingen lopen een voor een naar voren en geven hun huiswerk af. Ik kijk de lerares niet aan, in de hoop dat ze mij niet naar voren zal roepen.

'Goed, Loung,' zegt de lerares met een knikje in mijn richting. 'Nu jij.'

'Oké.' Ik glimlach, maar als ik naar het bord loop dreunen mijn voeten op de grond alsof ze in blokken beton vastzitten. Ik sta voor de klas en schrijf mijn grote woord op het bord. Ik let goed op dat ik het krijtje schuin houd, zodat het niet piept. Als ik klaar ben, draai ik me weer om naar de klas. Mijn lippen zijn droog en gebarsten.

'Mijn woord is *saturday*,' zeg ik met een klein stemmetje. Mijn voeten willen van de zenuwen op de grond tikken, maar ik hou ze tegen. 'Mijn woord is *saturday*,' zeg ik nog een keer, maar nu met een lagere stem. 'Daar zit het woord *sat* in.' Ik trek een streep onder *sat*. 'Daar zit ook het woord *day* in.' Ik trek twee strepen onder *day*, voor de nadruk.

'En in het midden zit *turd*,' ga ik verder.

Twintig kinderen gooien hun hoofd in hun nek en barsten in lachen uit. Ik draai me om en houd het krijtje nog steviger beet.

'Wat is er?' vraag ik niet-begrijpend.

'Loung, weet je wat dat betekent?' vraagt een meisje vooraan.

'Dat betekent *cool*,' antwoord ik. Ik heb de coole kinderen het tegen elkaar horen zeggen.

'Nee, dat betekent het niet,' zegt een andere leerling lachend. Nu buigt zelfs de lerares haar hoofd naar het bureau, en ze legt haar rechterhand voor haar mond.

'Maar laatst noemde iemand me een *turd*,' protesteer ik. Nu buldert de klas echt, en op een gegeven moment zegt de lerares tegen een meisje dat ze mij moet uitleggen wat het woord betekent.

Het meisje heeft er lang voor nodig om uit te leggen wat een *turd* nu precies is. Eerst zegt ze iets over een galopperend paard dat zijn staart optilt.

'Bedoel je dat hij ermee naar vliegen zwaait?'

'Nee. Je weet wel,' gaat ze door. 'Als een paard zijn staart optilt en er komt spul uit.'

'Als het paard plast?' Ik frons mijn wenkbrauwen.

'Bijna,' zegt ze met een glimlach. 'Oké,' zegt ze, en ze kijkt me recht aan. 'Konijnenkeutels, vogelpoep en olifantenmest.'

Eindelijk begin ik het door te krijgen.

'O, stront!' roep ik uit, maar dan sla ik snel allebei mijn handen voor mijn mond.

Als de bel weer gaat en ik de klas uit loop, zou ik willen dat ik iemand anders was. Ik loop naar het volgende lokaal en beeld me in dat ik een meisje met blond haar en blauwe ogen ben, net als Beth. In mijn fantasie heet ik Jassy, naar een personage uit een oude zwart-witfilm die ik een keer op de televisie heb gezien. Ik vond het meteen een mooie naam, want het meisje in de film rijdt paard en is een wildebras. Maar de eerste keer dat ik tegenover Meng over een naamsverandering begonnen ben, keek hij me aan alsof ik niet goed bij mijn hoofd was.

'Maar Oudste Broer,' werp ik tegen, 'alle andere kinderen van vluchtelingen hebben wél een Amerikaanse naam.' Ik zeg dat de meesten van de om en nabij tweehonderd Cambodjanen die in Vermont wonen een Amerikaanse naam aangenomen hebben.

'Het kan me niet schelen wat andere mensen doen, maar jij verandert niet je naam,' had Meng gezegd. Hij kan heel pertinent zijn als hij dat wil.

Meng weet alleen niet dat mijn naam op school al in Amerikaanse variaties van Loung is veranderd.

'Hé, Louie,' zegt een meisje, ene Missy, tegen me. 'Leuk is de gym in het tweede semester, hè?'

'Ik vind er geen bal aan!' zeg ik, en ik loop de kleedkamer in om mijn korte broek en sweatshirt aan te trekken.

Buiten schijnt de zon en is het ongebruikelijk warm voor eind maart. De sneeuw is gesmolten en het gras is er nog koud en zompig van. Maar als ik het veld op loop wil ik toch dat het vijf graden warmer was. Mijn sportschoenen zuigen het water als een spons op.

'Wat een heerlijke dag om buiten te spelen!' roept het meisje naast me uit.

'Ik vind er geen reet aan,' mopper ik zacht, en ik wrijf over het kippenvel op mijn armen.

'Oké meisjes,' roept de gymlerares, en ze blaast op haar fluitje. 'Kom maar bij me staan.' We doen wat ze zegt. 'Missy, jij bent midvoor. Loung, jij bent linksback. Colleen, jij bent de rechtervleugel...' Terwijl ze ons in twee teams verdeelt, kijk ik omhoog naar de lucht en bid dat het mooi weer zal blijven. Maar in Vermont kan het zelfs in mei nog sneeuwen.

'Goed, iedereen op zijn plaats!' roept de lerares. Ik kuier naar mijn plek. Twintig minuten lang sta ik over mijn dijen te wrijven om ze warm te houden en hol ik achter de bal aan als die voorbijkomt. Plotseling, voor ik goed en wel weet wat er gebeurt, vliegt de bal hoog over mijn plek en zonder erbij na te denken spring ik op om hem met mijn hoofd te raken. Hij komt met een harde knal tegen mijn hoofd, waardoor er een trillende schokgolf door mijn schedeldak gaat, en dan stuitert hij op de grond, waar andere spelers erop aanvallen. Ik lig op mijn rug, met mijn armen en benen wijd, op het gras en knijp mijn ogen dicht. Heel even zie ik zwarte vlekken en springt mijn hart op van opwinding. Misschien raak ik mijn geheugen wel kwijt, fluistert een stemmetje me in. Ik zie al helemaal voor me dat ik wakker word en niet meer weet wie ik ben. Ik zie me al terugkeren naar een normaal leven met Meng, Eang en Maria – maar dan als nieuw mens, zonder herinneringen aan Cambodja. Maar dan zie ik sterretjes en dringt de zon door mijn dichte oogleden. Mijn gezicht betrekt van teleurstelling.

'Lou, heb je je erge pijn gedaan?' vraagt de gymlerares verontwaardigd.

'Nee, ik lig hier voor de lol, nou goed?' bijt ik geïrriteerd terug. De lerares is in haar wiek geschoten.

'Wat zei je daar?' vraagt ze streng.

'Sorry, ik bedoel: het gaat wel.' Ik bijt op mijn lip om me in te houden.

De lerares glimlacht gespannen en stuurt me naar de bank. De wedstrijd gaat verder en ik probeer een andere manier te bedenken om mijn herinneringen aan Cambodja uit te vlakken. In soaps krijgt een meisje zodra ze haar hoofd stoot, te veel drinkt, een auto-ongeluk krijgt of alleen maar flauwvalt al geheugenverlies. Terwijl ik op het bankje een koude kont krijg, bedenk ik dat het in werkelijkheid veel moeilijker is om geheugenverlies op te lopen dan op de televisie.

Hierna heb ik Engels van mevrouw Kay. Ik luister naar haar vriendelijke stem, waarmee ze de klassenmededelingen hardop voorleest, en ik vraag me af hoe het zou zijn als zij me 's avonds voor het slapengaan zou voorlezen. De rest van de les zit ik met mijn gezicht in mijn handen, als een zware kokosnoot die ik moet ondersteunen omdat hij anders valt. Wanneer de bel gaat, stormen de leerlingen het lokaal uit als krokodillen die uit hun kooi gelaten worden. Ik loop achter hen aan.

'Loung, kan ik je even spreken?' roept mevrouw Kay me na.

'Ja hoor, mevrouw Kay.' Ik ga naast haar bureau staan.

'Loung,' begint mevrouw Kay aarzelend. 'Ik heb je gevraagd om na te blijven omdat ik je wil bedanken.'

'Me bedanken?' Ik begrijp er niets van

'Ja. Je weet het niet, maar afgelopen zomer is mijn zoon overleden. Ik heb het heel moeilijk gehad, en jij hebt me erg geholpen.' Ze glimlacht. 'Het hele jaar heb ik, als ik me heel verdrietig voelde, gewoon naar jou gekeken. Jij glimlacht altijd en je werkt hard. Dan zeg ik tegen mezelf: dit meisje is haar familie en haar thuis kwijt, ze is naar een ander land verhuisd en toch glimlacht ze nog steeds.' Ik kijk mevrouw Kay aan en weet niet wat ik moet zeggen. Ik weet niet hoe ze die dingen over mij weet. Ik praat met niemand over mijn verleden. 'Je hebt me geholpen verder te gaan... En Loung, ik vind jouw verhaal heel belangrijk. Als je het ooit wilt opschrijven, wil ik je wel helpen. Je zou het zelfs op een bandrecorder kunnen inspreken en dan help ik je met de transcriptie.'

'Dank u wel, mevrouw Kay. Ik zal erover nadenken. Ik vind het erg voor u van uw zoon.'

'Als ik ooit iets voor je kan doen, hoef je het me maar te vragen.'

'Dank u wel, dat zal ik doen,' zeg ik tegen mevrouw Kay, hoewel ik niet van plan ben mijn verhaal aan wie dan ook te vertellen.

Na school loop ik met Beth mee naar haar huis en drink daar even thee voor ik zelf naar huis ga.

'Loung, wat ben je laat! Het is al tien over drie!' roept Eang als ik de deur opendoe.

'Sorry,' antwoord ik gedwee, want ik weet dat ze allebei om half vier moeten werken.

'Oké, het eten is klaar. Je moet wel de was nog afmaken. En de vloer dweilen.' Meng en Eang stormen als een tornado de deur uit.

'Oké, oké,' roep ik hun na, en dan loop ik naar Maria om haar te knuffelen.

'Dag schatje,' zeg ik. Ze glimlacht, maar kijkt vervolgens weer naar de televisie.

Maria is drie jaar en kan zich al in drie verschillende talen verstaanbaar maken. Meng en Eang spreken Mandarijns Chinees, Kantonees, Chiu Chow, Vietnamees, Khmer en nu Engels, en ze dringen er nu al bij mij op aan dat ik Frans moet leren, zodat ons huishouden nog een taal rijker is. Meng spreekt thuis voornamelijk Chinees, en Eang geeft haar instructies in het Khmer. Meng wijkt zelden af van zijn regel dat hij alleen Chinees wil spreken, zelfs niet wanneer Ahn McNulty hier is.

Maar ik zie Meng en Eang niet vaak genoeg om nog ruzie met hen te maken. Ze werken nu allebei in de avonddienst, want dat betaalt beter. Voor Meng betekent dat extra geld dat hij meer apart kan leggen om naar onze familie in Cambodja te sturen. Dat alleen was al reden genoeg voor hem om met zijn baan als maatschappelijk werker te stoppen, terwijl hij dat heel leuk vond. Als ik naar school ga zijn ze meestal nog niet wakker en als ik na school vlug naar huis kom om op Maria te passen, maken zij zich klaar om naar hun werk te gaan. Tegen de tijd dat ze thuiskomen, rond een uur of twaalf 's nachts, liggen Maria en ik al diep te slapen in mijn bed.

Als ik klaar ben met mijn karweitjes geef ik Maria te eten en doe haar in bad. Dan is het bedtijd voor haar.

'Welk boekje vanavond?' vraagt ze in het Engels, terwijl ze onder de lakens kruipt.

Nu haar ouders er niet zijn, ben ik degene die de bladzijden omslaat en Maria van een peuter in Sneeuwwitje, Assepoester of Doornroosje verandert. Als ze geen prinses is, sluit Maria vriendschap met Snoopy en de Peanut-bende, loopt ze achter Kikker aan die op vrijersvoeten gaat, slingert ze zich van boom naar boom met Nieuwsgierige Joe en draait ze in het rond met de geheimzinnige Twaalf Dansende Prinsessen.

Mijn kast, die ooit een plek was om dingen voor Eang te verstoppen, is nu een bibliotheek, waar ik in mijn boeken kan vluchten. Op de planken stond ooit een grote sieradenkist vol kleurige haarspelden en schuifjes, maar nu staan er allerlei soorten boeken op. De koude metalen stoel is weg en daarvoor in de plaats heb ik van Meng een bureaustoel en een vouwtafel gekregen. Eang heeft een kussen voor me genaaid om mijn billen warm te houden en zacht op te zitten terwijl ik lees. Aan de wanden hangen plaatjes uit tijdschriften van zonnebloemen, palmbomen in Californië, bananenplantages en Wonder Woman, samen met allerlei tekeningen van Snoopy, Winnie de Poeh, Mickey Mouse en babyfoto's van Maria.

'Zullen vanavond ons eigen verhaaltje verzinnen?'

'Goed,' zegt ze, en ik ga naast haar liggen.

'Er was eens een mooie prinses. Ze heette Maria. Ze was een heel slimme prinses. Op een dag ging ze in het bos wandelen en zag ze...'

'Een heel grote vlinder!' roept Maria uit. 'En de vlinder was heel mooi en had een heleboel kleurtjes en vloog heel snel. Toen rende de prinses erachteraan, en...'

'En ze haalde haar tovertouw tevoorschijn en probeerde hem te vangen...' Samen met Maria fantaseer ik een verhaal, tot de prinses aan het eind de vlinder weet te vangen.

Maria ligt in de holte van mijn arm vredig te slapen en ik kijk naar haar. In het zachte avondlicht ziet haar ronde gezichtje er warm en vol uit. Plotseling moet ik aan Geak denken. Ik probeer me Geaks gezicht te herinneren toen dat net zo vol en rond was als het gezichtje van Maria. Maar zonder foto als houvast krijgt haar mooie gezicht holle wangen en diepliggende donkere ogen. Terwijl mijn neus jeukt en loopt, fantaseer ik erover dat ik Pol Pot vermoord. Ik wil nog steeds dat hij doodgaat, ik wil mijn vingers om zijn keel slaan, met mijn duimen zijn adamsappel platdrukken. In mijn lichaam kolkt de haat, en die onderdrukt en overweldigt mijn verdriet. In mijn armen beweegt Maria zich dichter tegen mijn borst aan; haar ademhaling is regelmatig en diep. Heel even voel ik me oud en als een moeder, maar als ik mijn ogen dichtdoe keert het meisje terug. Als ik mijn ogen weer opendoe zijn Meng en Eang thuis. Ze brengen Maria heel stilletjes naar hun kamer, zodat ik alleen in mijn bed kan slapen.

's Ochtends word ik wakker van andere Cambodjaanse stemmen in de keuken. Ik trek me terug in mijn kast om te lezen, en Meng, Eang en hun vrienden praten over Cambodja. Omdat Meng beter Engels spreekt dan de meeste andere vluchtelingen, komen ze elk weekend bij ons thuis om hem te vragen hen te helpen allerlei documenten te vertalen en sollicitatiebrieven te schrijven. Soms blijven die vluchtelingen maar een paar uur, maar soms ook een paar dagen. Hoe langer ze blijven, hoe meer ze over Cambodja praten, waardoor het voor mij heel moeilijk is om me ervoor af te sluiten. Als ik over de stroom bezoekers klaag, zegt Meng alleen maar dat we elkaar moeten helpen – vooral andere Cambodjanen.

In werkelijkheid is Amerikaanse worden het enige wat mij interesseert. Ik draag al altijd een spijkerbroek en een honkbalpet, ik luister naar Loretta Lynn en kijk naar Crystal Gayle op de televisie. Op school moet ik van mezelf zelfs laf gehakt, hamburgers en *shepherd's pie* eten zonder er een vies gezicht bij te trekken. Maar Meng zegt dat ik, zolang ik geen documenten heb, nog steeds niet meer ben dan een legale buitenlander.

'Oudste Broer, waarom moeten we zo lang wachten tot we Amerikaan kunnen worden?' vraag ik Meng op een avond.

'Misschien wil de regering eerst zeker weten dat we wel goede mensen zijn.'

Meng zegt dat Eang en hij over twee jaar de Amerikaanse nationaliteit kunnen aanvragen, maar dat hij nu al voor de examens aan het studeren is, omdat hij zeker wil weten dat hij ervoor slaagt. Meng zegt dat hij als hij Amerikaan is een begin kan maken met de papierwinkel om Chou, Kim en Khouy te sponsoren, zodat zij ook naar Amerika kunnen komen. Als hij ziet hoe blij ik ben bij het vooruitzicht dat ik Chou weer zal zien, betrekt zijn gezicht en waarschuwt hij me dat het zelfs wanneer hij Amerikaans staatsburger is nog jaren kan duren voordat wij de rest van de familie kunnen laten overkomen.

'Maar Oudste Broer, toen we weggingen, hebben we tegen hen gezegd dat we over vijf jaar weer bij elkaar zouden zijn,' help ik hem herinneren. 'Ze wachten op ons.'

'Dan zullen nog iets langer moeten wachten,' antwoordt hij.

'Hoeveel langer dan?'

'Dat weet ik niet,' zegt hij verdrietig.

Meng legt uit dat Cambodja door de Verenigde Naties niet als land wordt erkend, vanwege de Vietnamese bezetting. Meng zegt dat hij denkt dat de regering, doordat de VS de oorlog met Vietnam hebben verloren, nog steeds boos is op Vietnam. Het gevolg hiervan is dat de VS diplomatieke betrekkingen met Vietnam noch met Cambodja onderhouden, en dat wij dus geen brief of pakje daarheen kunnen sturen. Maar omdat Canada een ontzettend vriendelijk land is en iedereen aardig vindt, heeft de regering daarvan wel betrekkingen met Cambodja en kunnen we onze pakjes naar Cambodja van daaruit versturen.

Totdat Amerika, Vietnam en Cambodja vriendschap sluiten, kunnen we geen brieven of wat dan ook naar onze familie in het dorp sturen. Maar elke keer dat Meng een winkel binnengaat, levert hij zijn bonnen in en komt terug met een heleboel pakjes Tylenol, hoestbonbons, medicijnen tegen verkoudheid, oogdruppels, thee en Chinese kruiden. Als er ergens in een warenhuis een grote uitverkoop van kleding is, komt Eang thuis met hemden, broeken, rokken en jurken in alle verschillende kleuren en maten.

Meng en Eang sorteren de spullen, plakken er instructies voor gebruik in het Khmer en Chinees op en schrijven er de naam van de ontvanger op. In zijn brieven vertelt Meng over het leven dat we hier leiden, over de gezinsuitbreiding, en doet hij er de adressen van familie en vrienden in Canada, Frankrijk, Australië en Vietnam bij. Dan pakt hij de spullen zorgvuldig in een gewone bruine doos in en omwikkelt die helemaal met plakband. Op alle kanten van de doos schrijft hij dan Khouys naam, en een adres in Phnom Penh. Hij bidt dat zijn bericht in Cambodja zal aankomen, maar ik doe geen briefje voor Chou in de doos.

'Morgen gaan we naar Montréal,' kondigt Meng opgewekt aan, terwijl ik gaap en me klaarmaak om naar bed te gaan. Sinds we twee jaar geleden onze verblijfs- en werkvergunning hebben gekregen heeft Meng elke maand de twee uur durende reis naar Canada gemaakt om zijn brieven en pakjes naar Cambodja te sturen. Vaak propt hij ons dan ook in onze tweedehands Nissan Stanza.

De volgende dag vult Eang in het Chinatown van Montréal onze winkelwagens met zakken jasmijnrijst van twintig kilo, met gezouten vispasta, oestersaus, gedroogde inktvis, rijstpapier, gedroogde golangawortel en andere Aziatische producten die we in Burlington niet kunnen krijgen. Meng gaat in de rij van een Canadees postkantoor staan, met zijn armen vol dozen en brieven. Na het postkantoor haalt Meng ons op en brengen we een bezoek aan zijn vriend, wiens adres we op al onze dozen naar Cambodja zetten.

'Nee,' zegt deze vriend tegen Meng. 'Niets uit Cambodja.' Na het bezoek loopt Meng met afhangende schouders terug naar onze auto.

Weer terug in Vermont maakt maart plaats voor april en tsjilpen de vogels luidkeels in de bomen en pikken in de nieuwe lenteknoppen. Net als ik thuis bedenk dat Meng wel nooit van de donkere kringen onder zijn ogen af zal komen, gaat de telefoon.

'Met Meng,' zegt Meng. Vanuit mijn schommelstoel zie ik Meng op de bank vooroverbuigen. Er verschijnt een grote glimlach op zijn gezicht. 'Wanneer?' vraagt hij, en zijn hand houdt de hoorn zo stevig beet dat zijn knokkels er wit van worden. 'Pas drie maanden oud?' roept Meng uit. Zijn stem klinkt als die van een jongen. 'Wat staat er in de brief? Lees voor alsjeblieft.'

'Wie is het? Wie is het?' vraag ik aan Meng, maar hij wuift me weg. Eang is door alle commotie gealarmeerd, komt uit de keuken en gaat naast Meng zitten.

'Er is een brief van Khouy gekomen!' vertelt Meng eindelijk opgewonden. 'En hij is pas van drie maanden geleden!' Eang buigt haar hoofd naar het zijne en drukt haar oor tegen de hoorn.

Het is alsof binnen de tijd stil is blijven staan. Heel even hoor ik mezelf in- en uitademen. In de stilte zie ik de spiertjes in Mengs gezicht trillen, alsof hij zijn best moet doen om ze stil te houden. Als zijn vriend voorleest dat Khouy, Chou en Kim in leven zijn en het goed maken, glimlacht Meng zo stralend dat hij me aan papa doet denken.

13
Een doos uit Amerika

Augustus 1983

Het is nog vroeg op de ochtend en de zon moet zich nog door de nevel heen branden. Chou zit naast de hut op haar hurken en pakt met haar hand een pluk gras beet, waarbij de dikke eeltlaag haar handpalm en vingers beschermt. Met haar andere hand snijdt ze het gras met haar sikkel af en gooit het op de berg voor de ossen.

'Tweede Broer,' hoort Chou Kim ter begroeting tegen Khouy zeggen wanneer zijn motor voor hun hut ronkend tot stilstand komt.

Chou laat haar sikkel vallen en loopt naar de deur om Khouy gedag te zeggen. Als ze bij hem aankomt, staat Kim al naast hem op en neer te springen, met in zijn armen een grote bruine kartonnen doos met westers schrift erop.

'Het is een pakket van Oudste Broer,' kondigt Kim opgewonden aan.

'Echt waar?' Chou hapt naar adem en voelt haar benen als verlepte planten onder zich buigen.

Het is drie jaar geleden sinds Meng en Loung vertrokken zijn en dit is het eerste wat ze van hen horen. 'Tweede Broer,' begroet ze Khouy, terwijl haar hart in haar borst tekeergaat. 'Is die doos echt van Oudste Broer?' Chou wringt haar sarong in haar handen en wacht tot Khouy antwoord geeft.

'Ja, hij is van Oudste Broer,' zegt Khouy vriendelijk. 'Ik heb hem gisteravond ontvangen. Ik ben vanochtend zo snel ik kon hierheen gekomen.'

'Fijn dat je zo vroeg gekomen bent.' Chou laat haar sarong los en gedrieën lopen ze snel de hut in. Terwijl het gezin in de keuken samenkomt om voor het ontbijt rijstpap en eieren te eten, gaat Khouy aan de nieuwe zelfgemaakte houten tafel zitten.

'Tweede Broer, hoe zijn we hieraan gekomen?' vraagt Chou, en haar stem kraakt van opwinding.

'Oudste Broer schrijft dat hij naar alle verschillende adressen dozen heeft gestuurd, maar alleen deze is aangekomen,' zegt Khouy, en hij legt zijn hand in een kom om zijn sigaret heen en steekt die aan.

Kim zit naast Khouy en als hij de envelop openmaakt, trilt zijn hand. Plotseling roept hij uit: 'Maar Tweede Broer, deze brief is van vier maanden geleden!'

'De doos heeft er drie maanden over gedaan voor hij op het adres in Phnom Penh is aangekomen, en mijn vriend heeft de doos nog een maand in zijn bezit gehad.'

'Een maand!' fluistert Kim. Chou schuift dichter naar hem toe.

'Kim, iedereen heeft het druk. Het is niet meer zoals vroeger, toen ze ons konden opbellen om te zeggen dat we de doos moeten komen halen. Op een motor is het een lange en gevaarlijke reis van Phnom Penh naar Oud-dong. Mijn vriend moest wachten tot hij toch naar het dorp moest.' Khouy kijkt op, neemt een lange, langzame trek aan zijn sigaret en zegt dan: 'De doos was al open toen mijn vriend hem kreeg.'

'Is er veel uit gehaald?' vraagt tante Keang.

'Uit de lijst van Oudste Broer, die hij in de brief heeft bijgesloten, begrijp ik dat ze de meeste kleren, hemden, broeken en jurken hebben gestolen. Er zitten nog kruiden in, medicijnen tegen hoofdpijn, oogdruppels en nog een paar andere dingen. Oudste Broer heeft overal de naam van degene voor wie het is op geplakt, en een gebruiksaanwijzing.'

Chou kijkt in de doos en verbergt haar teleurstelling; ze weet dat de jurken die er niet meer in zitten voor haar waren. De laatste keer dat ze een mooie jurk had was vóór de Rode Khmer. 'Maakt iedereen het goed? Oudste Broer, Oudste Schoonzus en... Loung?' Chou legt haar armen om de doos heen alsof het haar familie is, van vlees en bloed.

Terwijl Khouy zijn sigaret uitdrukt, leest Kim de brief. Chou kijkt over zijn schouder mee.

'Lees voor, lees voor,' vraagt Chou, en ze pakt zijn arm beet om de brief omlaag te brengen, zodat zij hem ook kan zien. De andere familieleden komen om hen heen staan en willen het nieuws uit Amerika eveneens horen.

'"Hier in Amerika,"' begint Kim met vaste stem, '"hebben Eang en ik een goede baan gevonden: we werken in een fabriek vlak bij ons huis. We werken van maandag tot vrijdag, en in het weekend gaan we bij vrienden op bezoek. Loung doet het goed op school. Ze maakt elke dag haar huiswerk en is het gezin niet tot last. We hebben nu ook een dochtertje; ze heet Geak Sok."' Bij het lezen van Geaks naam stopt Kim en schraapt zijn keel. '"Geak Sok is drie jaar en groeit als kool..."'

Terwijl Kims woorden tot haar doordringen, stelt Chou zich Essex Junction voor als een welvarende stad met veel geplaveide straten, grote huizen en grote boerderijen met honderden koeien, varkens en kippen. Chou kan zich gewoonweg niet voorstellen dat je zo rijk bent dat je honderden dieren bezit. Hier in het dorp gaat het een gezin al goed als ze twee ossen hebben, of een paar varkens en kippen. Chou schrikt ervan als ze in de brief van Oudste Broer leest dat deze Amerikaanse koeien vaak twee keer zo groot zijn als een Cambodjaanse os en dat ze alleen maar melk hoeven te geven! Dat vindt Chou wel een erg lui leven; haar ossen werken net zo hard als de familie. Ze helpen met water dragen, rijst ploegen en de kar van de familie trekken. Maar ja, als er in Cambodja geplaveide wegen waren waar wel vier of vijf auto's naast elkaar op konden, dan zouden hun ossen ook niet meer zoveel te doen hebben!

Kim is klaar en pakt de foto's uit de envelop. Terwijl Kim naar de foto's in zijn hand kijkt, wordt er in de hut gesnuft en worden er neuzen gesnoten. Zijn ogen zijn groot en hij knippert er snel mee. Chou kan niet langer wachten en grist de foto's uit zijn hand. Ze houdt ze een voor een vlak voor haar ogen en kijkt naar de gezichten. Ze voelt dat haar keel pijn begint te doen en al snel stromen de tranen over haar wangen en druppelen over haar kin op haar schoot.

Op de eerste foto is de lucht blauw en zijn de bomen vol en groen. Het gezin staat op het gras voor een schoon, wit gebouw. Nergens is er stof of vuil te bekennen. Oudste Broer staat kaarsrecht en heeft een gestreken blauwkatoenen buttondownoverhemd aan en een bruine broek. Chou houdt de foto nog dichter voor haar neus; ze kijkt naar zijn gezicht en ziet dat de ogen van Oudste Broer, ondanks zijn frisse voorkomen en glimlach, verdrietig en somber staan. Naast Oudste Broer staat Loung, met een roze, zachte trui aan en een zwarte rok tot onder haar knieën. Ze glimlacht breed.

'Loung lijkt op Keav!' roept Chou lachend uit. 'Maar moet je haar

haar zien! Wat een bos krullen!' Nicht Hong staat naast Chou en pakt haar hand beet. Samen kijken ze giechelend naar de foto.

'Maar het staat haar goed,' valt tante Keang hen bij. Chou glimlacht; zelfs al zou tante Keang Loungs haar lelijk vinden, dan zou ze het nog niet zeggen.

'Loung is mooi en blank,' zegt Chou als een trotse zus. 'Ze zit goed in het vlees en heeft een mooie huid. Ze lijkt heel erg op Keav, maar dan wat dikker.' Chou kijkt naar haar eigen bruine huid, die donker is doordat ze lange uren in de brandende zon werkt. Zonder er verder bij na te denken krabt Chou over haar droge huid.

'Dit is vast Geak Sok,' zegt Hong, die zich naar Chou toe buigt en op de peuter wijst. 'Wat een mooi meisje.' Oudste Schoonzus staat naast Loung, met een blauwe twinset en een zwarte broek aan, en ze houdt Geak Sok in haar armen.

'Geak Sok is mooi,' fluistert Chou zacht. De familie knikt en zegt dat ze ronde ogen, volle lippen en een klein neusje heeft. Terwijl Chou nog steeds naar de foto van Loung kijkt, probeert ze het zusje terug te vinden dat ze onder de Rode Khmer had, het zusje dat geen angst kende, dat altijd boos keek, dat gemeen kon vechten. Maar het zusje dat haar vanaf de foto aankijkt ziet er heel schoon en ongeschonden uit. Chou probeert weer of ze de Loung ziet met wie ze in Phnom Penh vóór de oorlog heeft gespeeld, het slimme meisje dat zich voortdurend in de nesten werkte. Dit keer is er iets van herkenning. Heel even schiet het door Chous hoofd dat ze Loung misschien nooit meer ziet, en de adem stokt haar in de keel. Ze schudt het gevoel snel van zich af.

'Chou, geef de foto's eens door,' dringt tante Keang aan. Chou geeft hun het familieportret met tegenzin en kijkt dan de andere foto's door: poses van het gezin in de kamers van hun huis.

'Wat een groot huis!' roept Chou uit, waarmee ze de stilte verbreekt. 'Moet je kijken hoe groot en lang die stoel is. Hij is wel zo groot als een bed!' kwebbelen de nichtjes vol ontzag. Als Chou alle foto's bekeken heeft, wacht ze tot ze de familie rond zijn geweest, zodat ze nog een keer naar het gezicht van Loung en van Oudste Broer kan kijken. Even later komt Khouy overeind en zegt dat hij terug moet naar Ou-Dong.

'Tweede Broer, mag ik een paar foto's houden?' vraagt Chou, en ze klemt ze tegen haar borst.

'Kies er maar een paar voor jezelf; de rest is voor de familie,' zegt hij.

Chou bladert het stapeltje foto's door en trekt er gretig de exemplaren uit waar het hele gezin op staat. De rest geeft ze terug. Als Khouy weg is, gaat de familie weer aan het werk op de velden. Chou is alleen in de hut. Ze pakt het houten krat met haar eigen spulletjes dat onder de plank staat. Ze haalt er voorzichtig een bundeltje uit, vouwt de doek open en ziet dan mama's gezicht in zwart-wit. Onder mama's foto liggen haar andere schatten: foto's van papa, Geak en Keav. Het zijn de enige foto's die er nog zijn, en dát ze er nog zijn mag een wonder heten. Chou weet nog dat Kim twee jaar geleden opgewonden thuiskwam. Hij was in Phnom Penh geweest en vertelde hoe de foto's in zijn bezit waren gekomen.

Sinds hun gedwongen evacuatie in 1975 is Chou niet meer in Phnom Penh geweest, maar Kim en Khouy zijn er al vaak naartoe gegaan, op zoek naar families die het overleefd hebben en naar werk. Op Khouys oude roestige fiets duurde het de eerste keer meer dan een halve dag om de stad in te komen – een hobbelige, pijnlijke reis.

Kim heeft Chou verteld dat hij, toen hij voor het eerst de stad binnenreed, schrok van alle mooie huizen die waren verwoest en die aan de moessonregens waren overgeleverd toen de bewoners in allerijl tijdens de machtsovername van de Rode Khmer de stad hadden moeten verlaten. De gebouwen waren zwart uitgeslagen van de schimmel, de muren waren vochtig en de funderingen begaven het bijna. Langs de ooit zo brede, mooie, lommerrijke lanen stonden nu alleen nog maar boomstronken. Op Khouys fiets reden ze langzaam over de Charles de Gaullestraat, stil en in gedachten verzonken.

Terwijl ze de gaten in de weg omzeilden, viel het Kim op dat het wel lawaaiig op straat was, met een zee aan vluchtelingen en ontheemden, maar dat er geen auto's, motors of wat voor voertuigen dan ook te bekennen waren. Naarmate ze hun oude appartement dichter naderden, concentreerde Kim zich steeds meer op de draaiende fietswielen die hen voorwaarts stuwden. Want als hij opkeek, zag hij overal het kind dat hij was geweest, dat achter verkopers van etenswaren aan rende, dat met zijn vriendjes lachte, dat zijn zusjes bang maakte en dat met papa en mama naar de noedelwinkels liep. Kim hield zich stevig aan het zadel vast, spande zijn spieren en zette zijn kiezen op elkaar. Toen ze bij de bioscoop aankwamen, hield Khouy stil en sprong Kim eraf.

Kim weet nog dat hij dacht toen hij naar het huis opkeek: het is ons huis niet meer.

Na het vertrek van de Rode Khmer uit Phnom Penh waren er geen wetten inzake het eigendom van bezittingen of grond. Wie zich als eerste in een huis vestigde, mocht zich daar eigenaar van noemen. Khouy reed zijn fiets zwijgend het gebarsten trottoir op en liep schuifelend naar onze oude deur.

'Wie is daar?' riep een mannenstem toen Khouy aanklopte.

'Hallo, ik heet Khouy. Ik woonde hier vroeger met mijn familie.' De man die de deur op een kier opendeed, was zo te zien een jaar of veertig, hoewel zijn gezicht al diep doorgroefd was en onder de bruine ouderdomsvlekken zat. 'Mijn broer Kim en ik zouden graag even binnen willen kijken.' Er viel een ongemakkelijke stilte en de man hield zijn hand tegen de deur.

'Kom binnen, kom binnen,' zei hij toen vriendelijk, en hij deed een stap opzij. Khouy en Kim liepen de drempel over en gingen naar binnen. Vergezeld van de nieuwe eigenaar liepen Khouy en Kim snel het appartement door, allebei verzonken in hun eigen herinneringen. Kim bleef staan in de keuken en zag dat de tafel, de teakhouten stoel en al hun oude meubels weg waren. Khouy bleef even in de woonkamer staan. Ze eindigden hun rondgang allebei op het balkon en keken vanaf papa's lievelingsplekje naar de wereld. Heel lang geleden zat Kim hier samen met papa en keek hij naar de wereld beneden op straat. Toen had de stad gebruist en tot de verbeelding van de tienjarige jongen gesproken. Nu was de oude bioscoop aan de overkant van de straat bedekt met een laag zwarte schimmel. Ooit keek Kim naar buiten en droomde hij ervan dat hij in Frankrijk ging studeren of dat hij een kungfu-ster werd en optrad in vechtfilms. Hij droomde er nooit van dat hij een boer in een dorpje zou worden.

'Kom, we gaan,' zei Khouy op een gegeven moment. Kim wilde niet dat Khouy zijn rode ogen zag en durfde hem toen ze naar buiten liepen niet aan te kijken.

Maar toen hield de man Khouy tegen en gaf hem een paar oude papieren. Toen Kim zag dat er foto's van mama, papa, Keav, Geak en van hen allemaal toen ze klein waren tussen zaten, zette hij grote ogen op van dankbaarheid.

'Dank u wel,' antwoordde Khouy, die de foto's met allebei zijn handen vasthield.

'We wisten wel dat er op een gegeven moment iemand voor zou komen,' vertelde de man. 'Als de wegen weer veilig zijn, gaan we terug naar ons eigen huis en hopen we daar hetzelfde aan te treffen.'

Khouy bedankte de man nogmaals, en ze vertrokken. Achter hem keek Kim nog één keer om naar hun oude huis. Toen liep hij met prikkende ogen achter Khouy aan.

Toen Kim Chou de foto's gaf, trilden haar handen. Ze kon bijna niet geloven dat ze zo'n schat hadden teruggevonden. Khouy bewaarde de meeste foto's zelf thuis, maar hij liet er een paar bij Chou.

In de hut kijkt ze naar haar schat. Ze wil de foto niet vies maken, dus gaat ze alleen met haar ogen langs de contouren van mama's fijne gezicht. Mama beantwoordt Chous liefde; haar glimlach vervaagt nooit. Door deze foto weet Chou dat ze nooit bang hoeft te zijn dat ze het gezicht van mama uit Phnom Penh als de mooie vrouw met de volle lippen en het glanzende zwarte haar zal vergeten. Ze probeert het beeld van die andere mama te vergeten, die verdrietige oude vrouw die onder de blauwe plekken zat, die geslagen was omdat ze eten voor haar hongerige kind probeerde te vinden.

Chou veegt haar vingers eerst een paar keer aan haar sarong af en tilt de foto van mama dan op; nu springt het knappe jonge gezicht van papa haar van het papier tegemoet. Mama heeft mooi golvend haar tot op haar schouders, maar papa's dikke zwarte haar is kort en heeft krullen. Vanuit haar krat kijkt papa Chou met zijn ronde gezicht aan en overspoelt haar met zijn wonderbaarlijke verhalen. Ze herinnert zich het verhaal over hun verkering, over dat ze van de ouders van mama niet mochten trouwen en dat mama er toen met papa vandoor was gegaan. Chou veegt haar handen nogmaals aan haar sarong af, raakt papa's glimlach aan en vraagt hem goed voor de anderen te zorgen.

Hierna pakt Chou haar laatste foto. Daarop is Keav te zien als knap meisje van tien jaar dat boven haar jongere zusjes uittorent. Chou kijkt naar zichzelf als meisje van vijf jaar, helemaal in het wit, naast Loung, toen drie jaar oud, die alleen een T-shirt met lange mouwen en haar ondergoed aanheeft. Keav draagt een bloemetjesjurk en staat netjes naast hen. Als een echte grote zus heeft Keav haar hand op Chous arm. Chou legt haar nieuwe foto's voorzichtig boven op de stapel en vouwt de doek er weer omheen.

Ze schuift het krat weer onder het bed. Dan hoort Chou Kim binnenkomen.

'Ben je nou nog steeds binnen? Wat ben je aan het doen?'

'Ik was de foto's van mama en papa aan het bekijken,' antwoordt Chou zacht. Er valt een stilte. 'Kim, wanneer ga je met Tweede Broer weer naar Phnom Penh?'

'Dat weet ik niet; Tweede Broer heeft het momenteel erg druk,' zegt Kim.

'Als jullie gaan wil ik graag mee.'

Kim zegt tegen Chou dat het niet veilig is als de familie te vaak naar de stad gaat, want daar zijn de Vietnamezen de baas en die houden niet van Chinezen. De Chinezen hebben de Rode Khmer immers geld en wapens gegeven om hun strijd tegen de Vietnamezen te steunen. En toen de Vietnamezen Cambodja binnenvielen, hebben de Chinezen hun grote leger over de noordelijkste grens gestuurd om de Rode Khmer te helpen vechten. Terwijl Kim haar belerend vertelt dat de Chinezen zeventien dagen lang tegen de Vietnamese soldaten hebben gevochten, met veel doden aan beide kanten, en dat de Chinezen zich toen eindelijk hebben teruggetrokken, dwaalt Chou met haar gedachten af. De Vietnamezen die in de Cambodjaanse regering de dienst uitmaken hebben het tegenwoordig vaak gemunt op de Khmer-Chinezen in de stad, die ze bij de minste overtreding van de wet aanpakken. Er zijn zelfs geruchten geweest dat de Khmer-Chinezen terug naar China gedeporteerd zullen worden.

Als Chou dit hoort, luistert ze heel goed naar wat Kim vertelt. Niemand in het dorp weet of dit gerucht waar is, maar toch leven de Chinese Cambodjanen in angst. De kans dat ze gedwongen wordt naar China te gaan maakt Chou doodsbang. Ze is nog nooit in China geweest, maar beschouwt zichzelf als zowel Cambodjaanse als Chinese. Ze spreekt Khmer en Chinees, maar Khmer beter. Chou eet met een lepel en bord, zoals Cambodjanen dat doen, en niet met stokjes en een kom, zoals de Chinezen. In januari en februari viert ze het Chinese Nieuwjaar, en in april ook het Cambodjaanse Nieuwjaar. In het oogstseizoen bidt ze tot alle boeddhistische goden en godinnen, in beide talen. Chou houdt van beide culturen, maar wil graag in Cambodja blijven.

Alle geruchten over de Vietnamezen en de Chinezen ten spijt weet Chou dat ze op een dag met haar broers naar Phnom Penh zal gaan. Haar maag trekt samen bij de gedachte dat papa, mama, Keav en Geak niet in hun oude huis zullen zijn om haar te begroeten. Als Chou aan hen denkt, wordt haar lichaam slap van verdriet en pijn. Soms mist ze hen zo erg dat de tranen haar over het gezicht en door de neus lopen. De volgende dag wordt ze dan met dikke ogen en een verstopte neus wakker, en de rest van de dag voelt ze zich traag en sloom. Chou praat er niet vaak met Kim over dat ze mama en papa zo mist, want als hij naar oom Leang en tante Keang met hun kinderen kijkt, ziet ze het verdriet in zijn donkere ogen en op zijn lange gezicht. Als dat zich voordoet, haalt ze haar krat met de foto's tevoorschijn en kijken ze samen naar mama, papa en de rest van hun familie.

14
The Killing Fields *in mijn woonkamer*

Juni 1984

Twee weken geleden is de zomervakantie begonnen. Voor mij betekent dat dat ik al twee weken vrij heb om met Li en haar neefjes kickball te spelen, bij Beth langs te gaan en de heerlijke koekjes te eten die haar moeder altijd bakt, wheelies te oefenen op mijn nieuwe fiets met twaalf versnellingen die Meng vorige maand voor me heeft gekocht en ermee naar het zwembad te rijden en te gaan zwemmen als het warm is. En vandaag is het heel warm! De felle zonnestralen aan de blauwe hemel weerkaatsen in het water, zodat het pijn doet aan mijn ogen en de wereld eventjes helemaal zwart wordt. Als het felle licht uit mijn ogen is verdwenen, zie ik dat het zwembad vol ligt met kinderen die luidruchtig plonzen en elkaar natspetteren.

'Kom op, Loung!' roept Li, terwijl haar hoofd boven het water op en neer beweegt. 'Je kunt het best!'

Ik sta in de rij te wachten tot ik voor het eerst van mijn leven een duik van de duikplank kan nemen! Mijn handen trillen van de zenuwen en mijn huid voelt warm aan in de zon, die de waterdruppels op mijn armen en benen laat opdrogen. In het zwembad liggen Li en haar neefjes te wachten tot ik de plank op loop. Ik volg met mijn blik een kind van tien jaar dat voor me de trap op klimt. Zijn vader staat naast hem en houdt zijn grote hand als een vangnet tegen zijn rug. De jongen loopt naar de rand van de plank en zijn vader roept hem instructies en aanmoedigingen toe. De jongen perst zijn lippen geconcentreerd op elkaar en springt van de plank. Hij wordt toegejuicht en er wordt voor hem geklapt.

Als ik aan de beurt ben, ren ik de trap op en loop naar de rand van de plank. Dan blijf ik wachten. Terwijl ik kijk hoe de vader zijn zoon uit het water trekt, roept niemand instructies naar mij. Ze lopen samen weg, met hun armen in een feliciterend gebaar om elkaar heen. Ik sta stil op de plank, anderhalve meter boven het glinsterende water. Met één arm boven mijn hoofd spring ik erin, en ik kom neer plat op mijn buik. Het water slaat pijnlijk en vermanend tegen mijn lichaam en er komt chloor in mijn mond en neus. Ik trappel mezelf omhoog en hap als ik boven ben naar adem. Ik schaam me, doe net alsof ik niet hoor dat Li me roept en klim snel het zwembad uit.

Plotseling begint er in het ondiepe een vrouw te gillen. De badmeester blaast op zijn fluit en springt op uit zijn stoel, een vader staakt het gesprek met zijn vrienden en alle drie springen ze het water in. Samen rennen ze door het kniehoge water, met maaiende armen en benen die als harde robotachtige ledematen door de golven klieven. Als ze bij het jongetje komen dat hen zo aan het schrikken heeft gemaakt, trekken drie paar handen hem omhoog. De jongen kijkt niet-begrijpend en begint woorden te sputteren die alleen een moeder kan volgen. De moeder huilt en drukt hem tegen haar borst. De vader legt zijn hand op haar schouder en stelt haar gerust. De badmeester komt naast hen staan en zegt dat de jongen maar een paar seconden onder water heeft gelegen. Het jongetje ligt veilig in de armen van zijn moeder en zegt dat alles goed met hem is. De vrienden van de moeder troosten haar met begrijpende woorden en raden haar aan snel in actie te komen en altijd waakzaam te zijn. Ze zeggen dat ze een fantastische moeder is.

Ik sta er een eindje vandaan en zie de schouders van de moeder op- en neergaan, terwijl ze het kind nog steviger tegen zich aan drukt. Ik bekijk het allemaal eens, en uit het niets steekt dan mijn woede op, als een orkaan, waarbij de wind me de adem beneemt, in mijn huid bijt en me in een chaotische draaikolk laat rondtollen. Vanuit een verdriet van ergens diep binnen in me begin ik keihard te krijsen.

Dat jongetje heeft een paar seconden in het water gelegen. Er was geen sprake van echte pijn of gevaar. Maar toch snellen jullie allemaal toe. Ik heb jaren liggen verzuipen, en waar waren jullie toen? Begrijpen jullie het dan niet? Weten jullie dan niet wat echt lijden is?! Mijn tirade zwelt aan, maar niemand kan hem horen. Als ze naar me zouden kijken zouden ze zien dat ik er als aan de grond genageld bij sta, met mijn vuisten gebald. Maar niemand kijkt naar me.

Jullie denken allemaal dat het belangrijk is dat jullie je liefde en steun laten blijken, maar het betekent helemaal niets. Het betekent pas iets als je moet toekijken terwijl de jongen doodgaat. Ik heb mijn moeder in gedachten zien doodgaan en ik ben mijn vader al honderden keren naar zijn massagraf gevolgd, en nu zit ik hier. Ik ben samen met mijn zusjes gestorven en toch leef ik en moet ik mijn ouders missen!

Ik ben doodop, spring snel in het zwembad en duik onder water. Mijn haar waaiert uit in de vorm van zeeslangen en het water verkoelt mijn huid en vergeeft me mijn haat.

Begrijpen jullie het niet? Ik wil ook dat iemand zijn handen naar me uitsteekt, smeek ik, en ik doe mijn ogen dicht.

'*Wieie*!' Mijn benen jagen de rolschaatsen steeds sneller over de lege parkeerplaats voor onze flat.

Terwijl ik rondtol, ruisen de bladeren aan de bomen alsof ze voor me applaudisseren. Ik kijk op naar de blauwe lucht en weet weer waarom ik de zomer in Vermont zo heerlijk vind. Ik blijf staan en strek mijn armen boven mijn hoofd uit. Ik doe net alsof ik bij de wolkenflarden kan. Ik stel me voor dat ik me eraan vasthoud en dat de wolken me over de hele staat heen voeren, waarna ze me weer op aarde laten vallen. De zomerzon trekt in mijn lichaam, waardoor mijn haar dik en golvend wordt en mijn huid zacht en bruin. Van juni tot augustus zingen de vogels in de volle groene bomen en staat in heel Vermont een zacht windje. Op het veld naast ons huis nodigen de kabbelende beekjes me uit om in alle hoeken en gaten te komen kijken.

'Wieie!' gil ik weer, en ik draai op mijn rolschaatsen in het rond. Op het asfalt van de parkeerplaats tekent mijn schaduw zich lang en slank af. Ik duw nog harder met mijn benen, houd mijn armen recht en ga op mijn hurken zitten, terwijl ik door blijf rollen tot de wieltjes tot stilstand komen.'

'Toe maar, Kgo!' Maria noemt me 'tante' in het Chinees en juicht me vanaf de zijlijn toe. Ik kom overeind en duw mezelf weer naar voren. Dan draai ik me heel snel om en schaats achteruit. Ik kijk achterom en schaats nog harder, terwijl de wind mijn haar in mijn gezicht blaast. Ik ga steeds sneller. Er waaien haarlokken in mijn open mond, die ik ondamesachtig weer moet uitspugen.

'Yay! Kgo!' Maria klapt in haar handen en steekt haar armen naar me uit. Ze wriemelt met haar vingertjes, alsof ze me met haar energie naar zich toe wil trekken. 'Til me op, til me op!' Maria is vier jaar en haar gezichtje is net een rijpe appel en haar glimlach net een halvemaan. Ik zoef naar haar toe, pak haar armen beet en draai haar in het rond.

'Sneller, sneller!' roept Maria, en ze lacht klaterend. Haar voetjes tollen door de lucht. Maar dan wordt de wereld onscherp en mijn voeten zwak en wankel, dus zet ik haar weer neer.

'Ik ben moe, schatje.'

'Nog één keer! Alsjeblieft?' smeekt Maria.

'Ga jij maar paardenbloemen plukken, dan draai ik je straks nog één keer rond, goed?' zeg ik hees tegen haar.

'Oké, Kgo!' En weg is ze, springend en huppelend met onvervalste blijdschap. Ik kijk haar na en mijn gezicht betrekt van jaloezie. Haar tere lichaampje danst met de vrijheid van een kind dat nog nooit honger of pijn heeft geleden. Maria voelt dat ik kijk, draait zich om en glimlacht. In mij breekt er iets, en de woede beneemt me bijna de adem.

Ik doe mijn ogen dicht en denk aan een van mijn rustgevende lievelingsplekjes: de wilde appelboom aan de beek naast ons huis. Als ik een rotdag op school heb gehad, ga ik vaak tegen die boom zitten en doe ik mijn hoofd achterover, omhoog naar de warmte van de zon. Ik stel me dan voor dat de boom een mythisch wezen is, een troostende oude ziel met groen mos als haar en heen en weer wiegende takken als armen. Ik doe mijn ogen dicht, blijf stil zitten en stel me voor dat de ritselende bladeren gefluisterde wijze woorden zijn die ik niet begrijp. Als de wind de takken omlaagbuigt, zodat ze mijn hoofd strelen, doet die aanraking me aan papa denken.

'O papa,' fluister ik tegen hem, terwijl ik nog steeds met mijn rolschaatsen aan en mijn ogen dicht sta. 'Waar ben je?' Ik probeer me te herinneren wanneer papa voor het laatst in een droom bij me is geweest. Ik woon nu vier jaar in Amerika, en hij is niet achter me aan gekomen. Ik leg mijn hand op mijn hoofd, en heel even voel ik papa's aanraking. Als ik mijn ogen weer opendoe, is Maria terug, die tegen mijn buik stompt en aan mijn armen trekt.

'Kgo! Kgo! Moet je die rode kever zien!' roept ze, en ze rent weg. Ik ga langzaam achter haar aan. Mijn rolschaatsen bonken zwaar op de grond, en tegen de tijd dat ik bij Maria ben is de wereld niet meer zo duister en boos.

'Loung! Maria! *Nham-bay-e!*' 'Rijst eten!' roept Eang in het Khmer uit het raam. In het Khmer zijn er geen aparte woorden voor de maaltijden. Je zet het woord 'ontbijt', 'lunch' of 'avondeten' naast het woord *bat* en dan heb je ontbijt, lunch en avondeten. Maar Eang hoeft alleen maar 'nham-bay-e' te roepen en wij komen al aangerend.

'Eerst jullie handen wassen,' zegt Eang als Maria en ik naar de badkamer lopen. Als we terugkomen staat onze maaltijd, bestaande uit geroerbakte kip met gember en koolraap, gekookt in varkensbouillon, al op tafel.

'De film *The Killing Fields* draait nog steeds in alle bioscopen,' zegt Meng tussen twee slurpende happen soep door. 'De bioscopen adverteren ermee dat alle Khmer-mensen hem gratis mogen zien!' lacht Meng.

'Waarom zouden we ernaartoe gaan? Die film gaat over het leven onder de Rode Khmer. Dat hebben wij zelf meegemaakt.' Terwijl Eang dat zegt, betrekt haar gezicht. 'Ik betaal geen geld om die film te zien. Al kreeg ik geld toe, dan wilde ik hem nog niet zien.'

'Ik ga er ook niet heen, als je dat maar niet denkt,' val ik hen bij, in de hoop dat onze unanieme overeenstemming inzake dit onderwerp een einde aan het gesprek zal maken, want de kip begint er ranzig door te smaken.

'Nou dan gaan we toch naar *Ghostbusters*?' zegt Meng, en hij glimlacht. Eang houdt er niet van om geld te verspillen aan Engelstalige films die ze toch niet begrijpt, dus gaan Meng en ik vaak samen.

Ik vind het leuk om naar de bioscoop te gaan, want dat doet me aan papa denken. Een van mijn dierbaarste herinneringen aan Cambodja is dat ik in de donkere bioscoop bij papa op schoot zat. Ik zat dan te wiebelen, met in mijn ene hand mijn sojadrankje en in de andere een zak met gefrituurde krekels. De krekels waren knapperiger dan de popcorn en bleven niet aan je tanden plakken. Als ik mijn lekkers niet meer zelf wilde vasthouden, tikte ik op papa's hand en zonder een woord te zeggen draaide hij dan zijn handen met de handpalmen omhoog en dan legde ik daar mijn eten en drinken in. Toen waren er in Cambodja nog geen bekerhouders. Papa's schoot was mijn stoel, zijn armen waren mijn leuningen, zijn handpalmen mijn bekerhouder. Papa was alles voor me.

Vroeger was het leuk om in Vermont met Meng naar de bioscoop te gaan, en ik werd nog steeds bang van films als *Clash of the Titans* en *The*

Beast Measter. Ik vond het toen niet erg dat Meng koppig weigerde om in het openbaar Engels tegen me te praten, zelfs als we mensen tegenkwamen die ik kende! Nu vind ik dat wel erg. Het is al erg genoeg dat ik zelf besef dat ik anders ben. Aan mijn huidskleur en het feit dat ik niet in Amerika geboren ben kan ik niks doen, maar ik kan in elk geval proberen om met nieuwe kleren, vloeiend Engels en de laatste haarmode ermee door te kunnen. Maar Meng schijnt het niet erg te vinden dat hij niet zoals alle andere mensen is, en waar hij ook gaat laat hij trots merken dat hij buitenlander is. Ik ben veertien jaar en heb besloten dat ik niet meer met mijn broer in het openbaar gezien wil worden. Maar ik weet niet hoe ik hem dat moet vertellen, dus doe ik altijd maar alsof ik te veel huiswerk heb en niet met hem mee kan.

Na het eten verkassen we allemaal naar de woonkamer. Meng en Eang gaan op de bank zitten en Maria speelt met een pop tussen hen in. Ik lig op mijn zij op de grond. Dan verschijnt de trailer voor *The Killing Fields* op ons televisiescherm. Hij begint met een groep helikopters die als een zwerm libellen in beeld verschijnen, en daarna zien we scènes waarin bommen op Cambodja worden gegooid en Rode Khmer-soldaten Phnom Penh binnenstormen. Terwijl de soldaten hun geweer en vuist ten teken van de overwinning de lucht in steken, staat Haing Ngor, de acteur die Dith Pran speelt, alleen op een overstroomd rijstveld. Hij heeft een nat zwart, gehavend hemd en een zwarte broek aan die tegen zijn magere lichaam plakken en als tot hem doordringt dat hij in een van de vele massagraven van Cambodja is gaan staan, betrekt zijn gezicht. De camera zoomt uit en we zien schedels, beenderen en zwarte aan flarden gescheurde kleding in het troebele bruine water drijven.

Ergens uit mijn brein duikt de geur van rottend vlees op. Ik knipper met mijn ogen, maar de geur gaat niet weg en mijn ogen gaan ervan tranen. Mijn hoofdhuid begint te zweten en mijn hart knijpt zich samen tot een strakke vuist. Ik krab zacht over mijn voeten en laat mijn tenen kraken om mezelf een beetje van de geur af te leiden.

Amerikanen zullen nooit weten hoe het echt geweest is, denk ik bij mezelf.

Ze zullen zich niet de geur, het geluid of de hitte herinneren. Ze zitten twee uur in het donker te kijken, maar dan weten ze nog niet hoe het drie jaar, acht maanden en eenentwintig dagen lang geweest is. Hoe het was om elke dag te denken dat ik doodging en niet te weten of de oorlog ooit voorbij zou zijn. Als na twee uur de aftiteling verschijnt en het licht weer aangaat, laten zij de oorlog achter zich. Maar ik kan dat niet.

Achter mij zitten Eang en Meng doodstil op de bank, allebei in hun eigen gedachten verzonken. Ik richt mijn blik zonder mijn hoofd te bewegen op de hoek van de woonkamer. Ik wil niet dat Meng en Eang zien hoe van slag ik ben en bezorgd zullen zijn dat ik het nog steeds allemaal voel en me alles herinner. Ik moet sterk zijn, want als ik mezelf toesta te huilen, ben ik bang dat ik niet meer kan ophouden. Dus dwing ik mijn lichaam om zich stil te houden, terwijl de in het zwart geklede acteurs huilen en krijsen. Ik houd mezelf voor dat de acteurs veel te dik zijn om Cambodjanen te spelen die van de honger sterven. Samen wachten we zwijgend tot de trailer voorbij is, zodat we verder kunnen kijken naar ons programma.

Voor *The A-Team* begint, zijn meneer en mevrouw Lee op het scherm om ons iets te verkopen dat Calgon heet. We hebben deze commercial al heel vaak gezien, maar Meng en Eang kijken er altijd naar omdat de acteurs Chinees zijn. En ze zijn echt Chinees, en dus geen blanke mensen met afgeplakte ogen en een slecht accent die Chinezen moeten voorstellen, zoals in de oude zwart-witfilms.

Als meneer Lee in de commercial aan een klant vertelt dat zijn was zo schoon is dankzij een 'oud Chinees geheim', lachen Eang en Meng luidkeels. Dan zegt mevrouw Lee heel schamper dat meneer Lee een opschepper is en bekent hij dat Calgon zijn geheim is.

'Calgon heeft twee ontkalkers, waardoor het water zachter wordt en uw wasmiddel beter wast. Zelfs in het hardste water wast uw wasmiddel dankzij Calgon tot dertig procent schoner,' zegt ze parmantig.

'Een oud Chinees geheim! Wat grappig!' zeg ik, en ik sla iets te gretig op mijn knieën.

Het moment van *The Killing Fields* is voorbij.

Als *The A-Team* eindelijk weer begint en onze avond redt, is onze stemming door Calgon alweer opgeklaard.

'Zo, het is afgelopen, bedtijd,' gaapt Meng, en hij rekt zich uit. Eang pakt Maria op en draagt haar de slaapkamer in. Meng loopt achter hen aan.

Ik ga op hun plek op de bank zitten en kijk in mijn eentje naar het nieuws. De verslaggever laat beelden zien van Ethiopische kinderen die honger lijden. Ik zak dieper in de kussens weg. Door de langdurige droogte in Ethiopië gaan alle gewassen dood en veel gezinnen lijden honger. De camera zoomt in op een broodmagere vrouw met grote vochtige ogen. Ze heeft een bruine doek over haar hoofd en schouders om zich tegen de brandende zon te beschermen. Ik zie dat haar huid in haar mouwen als gerimpeld zwart, ongepoetst leer om haar magere armen hangt. De camera neemt langzaam afstand van haar stille blik en gaat naar het kindje in haar armen, bijna dood van de honger. Het kind zweeft tussen deze wereld en de volgende, en de vrouw wappert met haar hand voor haar gezichtje om de vliegen te verjagen die zich al te goed doen aan haar vlees.

Ik kan er niet meer tegen en zet de televisie uit. Als ik mijn pyjama heb aangetrokken kruip ik in bed, ga op mijn buik liggen en begraaf mijn gezicht zo'n beetje in mijn armen. Mijn buik drukt tegen de matras en voelt aan als een harde bal die pijn doet van te veel eten. Als ik mijn ogen dichtdoe zie ik het kindje uit het nieuws. Ik zie hoe haar huid bleek wordt, haar zwarte haar ontkroest en haar gezichtje Aziatisch wordt. De moeder is ook meteen verdwenen en voor haar in de plaats zie ik nu mama, met Geak in haar armen. Mama kijkt naar Geak, haar hand strijkt haar haar glad en streelt haar gezicht, maar Geaks lichaam hangt slap en vertoont geen teken van leven.

'Ik word gek,' fluister ik. Ik trek de dekens over mijn hoofd. In de benauwde ruimte eronder klinkt mijn ademhaling heel luid in mijn oren. Ik denk dat ik het Ethiopische kind hoor dat naar adem snakt, terwijl dat geluid niet eens door de microfoon van de verslaggever was geregistreerd. Ik zie voor me hoe ze verwoed vecht om genoeg zuurstof in haar lichaam te krijgen. Haar droge mondje gaat open en dicht, haar borst gaat pijnlijk op en neer.

Ik lig te woelen, maar mijn gedachten gaan naar Keav en naar de laatste ogenblikken van haar leven. Hoewel ik er niet zelf bij aanwezig was, vormen zich beelden in mijn hoofd die mijn ogen niet gezien hebben. Mama huilt als ze ons over haar bezoek aan de zieke Keav vertelt. 'Het was haar laatste wens om haar familie te zien en ook na haar dood bij ons in de buurt te zijn. Ze weet dat ze doodgaat, maar ze wacht op papa... Ze wacht tot hij haar mee naar huis neemt...' Maar papa kreeg niet de kans om Keav mee naar huis te nemen en ze stierf alleen, bang en ver bij ons vandaan. Die dag zijn papa en wij allemaal samen met haar ook gestorven.

'Ga uit mijn hoofd!' smeek ik, maar de geesten, de velden des doods en het Ethiopische meisje gaan niet weg. Mijn oogleden trekken en bewegen snel op en neer van al die beelden. Ik weet dat ik vanavond de slaap niet zal kunnen vatten. Ik geef het op en ga uit bed. Ik loop mijn kast in en dwing mezelf aan iets anders te denken. Ik ga met mijn vingers langs een rek oude kleren van het Leger des Heils. Ik fantaseer dat ik op een dag een groot duur warenhuis als JC Penny binnenloop en kleren koop waarbij geen vlekken in de oksels zitten.

'Okselvlekken,' zeg ik walgend en ik voel aan de franje op het roodwit geruite cowgirlbloesje dat aan het rek hangt. Ik zet een cowboyhoed op en kijk in de spiegel. Het meisje dat ik daar zie heeft lang zwart, golvend haar tot over haar schouders. Ik buig me dichter naar de spiegel toe; ze kijkt terug met haar amandelvormige ogen en een gezicht dat zo rond is dat ze wel dik lijkt. Als ik van opzij in de spiegel kijk, ziet het meisje er mager uit, op haar grote uitpuilende buik na. Ik leg mijn handen op mijn strakgespannen buik en kijk fronsend in de spiegel. Eang zegt dat mijn buik nog steeds opgezwollen is doordat ik jarenlang ondervoed ben geweest. Meng zegt dat ik me geen zorgen moet maken en dat ik mijn buik maar als mijn boeddhabuikje moet beschouwen. Eindelijk verdwijnt de duisternis en kruip ik weer in bed. Ik bid dat Boeddha ervoor zal zorgen dat er geen oorlog meer komt, ook niet meer in mijn hoofd.

15
Hun laatste adem

April 1985

April is de warmste maand van het jaar, met temperaturen die vaak tegen de veertig graden lopen. Vandaag toont de zonnegod geen genade en verandert hij de grond onder Chous voeten in harde droge klei en de ooit zo groene velden in bruin onvruchtbaar land. Chou is onderweg naar de markt. Ze schikt de kroma op haar hoofd en veegt haar druipende voorhoofd met haar mouwen af. Als ze daar aankomt ziet ze maar een stuk of tien handelaren die hun waar op het open veld verkopen.

Chou wil palmboomvruchten en babykrab met specerijen, gefrituurd tot ze vuurrood zien, kopen. De handelaren roepen naar Chou en naar de paar andere klanten die er al zo vroeg zijn.

'Koop bij mij, zuster,' roept een jongen. Hij loopt met zijn mand glibberige zwarte aal naar haar toe.

'Je hebt vorige week al iets bij hem gekocht,' zegt een meisje, en ze laat Chou haar emmer met levende vissen zien, die in een bodempje water liggen te spartelen. 'Koop deze week iets bij mij, zuster.'

Chou kijkt naar de vis van het meisje, maar dan trilt de aarde plotseling en hoort ze een luide explosie die de vogels de lucht in jaagt. Onmiddellijk branden Chous voeten en steken haar tenen alsof ze doorboord zijn met droog versplinterd hout. Het meisje duikt naast haar in elkaar en drukt haar emmer tegen haar borst. Overal om Chou heen beginnen de dorpelingen te krijsen en rennen hun huis binnen. Chou doet heel even haar ogen stijf dicht en gaat op haar hurken zitten. Als ze ze weer opendoet, kruipt ze op haar knieën naar de eerste de beste boom, in de hoop daar te kunnen schuilen.

'Weer een mijn!' roept een dorpeling.

'De man op het pad! Hij is gewond!' gilt een vrouw, terwijl ze terugrent naar de markt.

Vanonder haar boom ziet Chou de man in een rode stofwolk op de grond liggen. Hij kijkt verdwaasd uit zijn ogen, werkt zich op zijn knieën omhoog, gaat aarzelend op één been staan en tilt zijn fiets op. Langzaam duwt hij zijn fiets vooruit en hinkt verder naar de markt. Als de man haar passeert, lopen de koude rillingen haar over de rug: zijn gezicht zit onder het bloed, zijn ogen zijn groot als krabben en zijn donkere hemd is nat en zit onder de takjes en twijgen. Als hij Chou passeert, duwt hij zich op zijn linkerbeen voort en sleept het rechter achter zich aan, terwijl het bloed eruit gutst. Chou onderdrukt een kreet: ze ziet dat zijn rechterbeen aan flarden is en alleen met de huid nog aan de stomp vastzit. Van zijn voet zijn alleen stukjes verkoolde huid en gesmolten vlees over. Als hij de menigte passeert, ziet zijn gezicht asgrauw, maar wel kalm. Dan valt hij plotseling op de grond, stuiptrekt nog een paar minuten en blijft vervolgens doodstil liggen.

'Kent iemand zijn familie?' roept een man die op hem af loopt.

'Hij woont in een ander dorp!' roept iemand anders.

'Iemand moet zijn familie gaan vertellen dat hij dood is,' zegt de eerste man rustig.

'Hij ziet eruit alsof hij niet weet wat er gebeurd is,' fluistert een meisje meelevend.

'Hij beleefde zijn laatste adem,' zegt een oude vrouw tegen haar, waarmee ze het moment bedoelt waarop zijn leven aan hem voorbijtrok.

Als de kleur terugkeert in haar gezicht, loopt Chou weg van de menigte. Ze gaat verdoofd en met wijd opengesperde ogen verder met het kopen van eieren, kip en aardappelen voor de familie.

Tegen het eind van april loopt ook het warme seizoen ten einde. De vochtigheid stijgt, het fijne stof daalt neer op de weg en aanstonds begint de regen die het rode land zal doordrenken en alles weer groen zal maken. Maar dat is pas over een paar weken. Het is vroeg in de ochtend en Chou is weer op weg naar de markt. Ze steekt haar armen in de lucht om haar vochtige oksels te laten drogen. Als ze haar armen een paar passen later weer omlaagdoet, staan er al druppeltjes zweet op haar lip.

Als Chou de markt op loopt, wordt ze begroet door een dorpsmeisje dat op een laag krukje in de brandende zon zit. Chou blijft staan om de eieren die ze verkoopt te bekijken. Als ze toevallig even opkijkt ziet ze de man van een vriendin over een pad naar het dorp lopen. Chou heeft zelf al heel vaak over dat pad gelopen. Ze ziet dat hij iets van de grond oppakt wat eruitziet als een groene schijf ter grootte van een kopje. Een fractie van een seconde later explodeert de mijn, en de man slaat tegen de grond. Chou voelt de knal in haar ribben nagalmen, alsof het in slow motion is gebeurd, en ze voelt haar knieën slap worden. Overal op de markt gillen de dorpelingen en ze blijven verschrikt als aan de grond genageld staan. Op de velden in de verte loeit een koe. Honden blaffen hun protest.

In de stofwolk die nu opstijgt ziet Chou hoe de man zijn bebloede handen voor zich houdt en zichzelf met zijn ellebogen van de grond af duwt. Hij slaagt erin overeind te komen en naar het dorp te rennen. Als hij dichterbij is, ziet Chou dat het bloed van zijn gezicht druipt en dat het onder de krassen zit alsof hij net een gemeen hanengevecht verloren heeft. In zijn gitzwarte haar zitten takjes, gras, vlees en huid, die verder losraken naarmate hij voortwankelt. Voor zijn borst, waar ooit zijn handen zaten, bevinden zich twee aan flarden geslagen stompjes die eruitzien alsof ze in een slijpmachine hebben gezeten, met loshangende huid, afgerukte nagels, verbrijzelde knokkels en botten, allemaal open en bloot en voor iedereen te zien. De man rent de markt op, en Chou ziet alleen het wit van zijn ogen. Dan begint hij aan zijn botten te likken, te bijten en te knagen, en het bloed spuit eruit en komt op zijn hemd en broek. De dorpelingen deinzen achteruit en slaan hun hand voor hun mond. Velen staan kokhalzend toe te kijken.

Chou kijkt met grote ogen toe, maar voelt dat ze bijna flauwvalt. Midden in de menigte blijft de man staan. Als hij zijn verminkte handen met een blik van vage herkenning naar zijn ogen brengt, staat zijn gezicht griezelig kalm. Hij wankelt en staat als een dronkenman op zijn benen te tollen; zijn ogen draaien weg. De dorpelingen kijken zwijgend toe, alsof ze de man, terwijl hij zijn laatste ogenblikken meemaakt, eer willen betonen.

Als zijn vrouw eindelijk arriveert, ligt de man op de grond. Ze kijkt hem in de ogen en knielt naast hem neer, waarbij haar broek doordrenkt raakt van de plas bloed waar hij in ligt. Ze veegt het bloed van zijn gezicht. Uit haar tengere gestalte klinkt een luide jammerkreet op. Die is zo hartverscheurend dat er nu zelfs op de versteende gezichten van de omstanders beweging komt. De man raakt in shock en zijn huid wordt bleek en koud. Zijn oogleden bewegen langzaam schokkerig heen en weer en hij kijkt naar zijn vrouw. De vriendin van Chou zegt tegen haar man dat ze van hem houdt, met haar gezicht vlak bij het zijne. Dan is hij dood. Zijn vrouw krijst en brult. Het zijn geluiden van verdriet, pijn en woede. Onderwijl strijkt ze de broek en het hemd van haar man glad. Niemand kan nu nog iets voor hem doen, want hij is nu een geest. De mensen lopen langzaam weg om ruimte te maken voor de familie van de weduwe, die haar komt troosten. Chou loopt weg van haar vriendin en gaat terug naar de hut. Haar lichaam is kletsnat van het zweet, maar haar handen en voeten zijn koud.

Voor de regen komt is het water heel bruin en troebel. Het is nu mei en de regengoden hebben nog steeds de witte wolken niet in zwarte donderbuien veranderd. De zon staat nog steeds brandend aan de hemel en de kleine waterpoelen drogen op. Chou moet nu vanaf het dorp een uur reizen voor ze bij een diepe waterplas is waar ze water voor het huishouden kan halen. Als ze daar aankomt, klimt ze van de kar, bindt de ossen los en leidt ze naar het modderige water. Als de ossen gedronken hebben, bindt Chou het juk weer om hun dikke nek. Chou pakt haar emmer en loopt naar de grazige oever van de waterplas, waar het water helder is en niet doordat zij erin beweegt troebel zal worden. Zelfs op dit korte stukje lopen van de weg naar de plas let Chou heel goed op dat ze alleen op goed betreden paden loopt en niet door dicht struikgewas en rijstvelden. Want het mag hier buiten dan nog zo mooi zijn, Chou weet dat er onder de veldbloemen, het groene gras, de rode aarde en de moerassige stukken landmijnen, granaten, bommen en andere tastbare overblijfselen van de oorlog liggen.

Overal waar Chou kijkt ziet ze geesten door de dorpen spoken. Het zijn er zelfs zoveel dat ze de tel is kwijtgeraakt. 's Nachts denkt ze wel eens dat ze hen in het bos nog kan horen huilen, waar ze de dorpelingen om hulp roepen. Als het gekreun te luid wordt, doet Chou haar ogen dicht en bant ze hen uit haar gedachten. Ze weet dat ze zichzelf niet mag toestaan al te veel aan de dood te denken; dan gaat ze zich maar afvragen hoe papa, mama en Geak zijn gestorven. Chou weet alleen maar dat de soldaten zijn gekomen en hen hebben meegenomen. Als ze te zeer opgaat in gedachten over hun dood, gaat ze op al die andere geesten lijken die over de wereld zwerven en niet weten of ze dood zijn of levend. Ze herinnert zich de verhalen die Khouy over de Lon Nol-soldaten vertelde, die de Vietcong en de Rode Khmer onthoofdden, zodat ze niet herboren zouden worden en Cambodja in hun volgende leven dus niet meer konden binnenvallen. De Lon Nol-soldaten zeiden dat de Vietcong- en Rode Khmer-soldaten dachten dat als het hoofd niet bij het lichaam begraven wordt, de ziel gedoemd is om voor altijd over de aarde te dwalen.

Maar vandaag heeft ze het te druk voor de geesten. Ze schept snel emmers water op en giet die in de grote ronde vaten op haar kar. Bij elke emmer worden haar armen vermoeider en haar rug stijver. In het warme water schraapt het gras haar voeten schoon, waardoor haar huid zacht en glad wordt, maar wel kwetsbaar, zodat ze zich sneller snijdt aan de scherpe steentjes op de weg. Toch werkt ze zonder te rusten door. Als de twee vaten vol zijn, breekt Chou een handvol takken met lotusbladeren af van de dichte struiken aan de rand van de waterplas. Ze spoelt het vuil eraf en dekt het water in de vaten met de bladeren af. Ze voorkomen dat het water tijdens de hobbelige weg terug naar huis gaat spetteren en er te veel over de rand klotst. Als Chou tevreden is, loopt ze het water in en gaat snel kopje-onder. Ze wast haar kroma, klimt weer op de wagen en stuurt de ossen huiswaarts.

Vlak nadat ze weer bij de hut is teruggekeerd, komt Khouy op zijn motor aan gereden. Het gras en de aarde vliegen onder zijn wielen op.

'Chou! Tweede Oom!' roept Khouy dringend. De zon staat al laag aan de hemel, de muggen worden wakker en beginnen rond te zwermen.

'Tweede Broer, wat is er aan de hand?' vraagt Chou, terwijl ze snel naar hem toe loopt. Ze is bang dat er iets gebeurd is. Waarom zou Khouy anders zo laat op de dag in zijn eentje naar het platteland rijden?

Chou heeft Khouy het afgelopen jaar niet veel gezien, maar genoeg om te weten dat hij een nieuwe vrouw heeft, een huis en dat hij zich eindelijk gesetteld heeft. Khouy heeft Morm, een mooie Cambodjaanse, op het hoofdbureau van politie ontmoet, waar ze als administratief medewerkster werkt. Morm komt uit een kleine familie van boeren uit een dorp in de buurt, en Khouy vond haar meteen leuk. Khouy heeft Morm met zijn praatjes, cadeautjes en grappige verhalen bestookt. Op een gegeven moment kreeg Morm dezelfde gevoelens en toen is Khouy heel snel naar huis gekomen om oom Leang en tante Keang te vragen of ze de ouders van Morm wilden benaderen en hun om haar hand wilden vragen.

Chou en Kim waren dolblij voor Khouy, want ze hadden allebei gezien hoe vreselijk hij het vond toen hij werd gedwongen om met zijn eerste vrouw, Laine, te trouwen. Hij hield niet van haar, maar trouwde toch om aan dienstplicht in het Rode Khmer-leger te ontkomen en om te voorkomen dat hij naar het front werd gestuurd, ver weg van zijn familie. Na de oorlog gingen Laine en hij ieder hun eigen weg. Ze hadden geen kinderen samen, dus verdwenen ze volledig uit elkaars leven. Khouy, die drieëntwintig is, heeft nu de liefde van zijn leven gevonden, en Chou heeft hem al heel lang niet zo gelukkig gezien.

'Tweede Oom,' zegt Khouy, en hij rent naar oom Leang toe. 'Chou moet met me mee om Morm te helpen.'

'Khouy, hoe gaat het met de baby?' vraagt tante Keang, terwijl ze haar handen tegen elkaar drukt alsof ze gaat bidden.

'Ze is gisteren geboren, ze is gezond en ze maakt het prima.' Even lacht Khouy breed, maar dan betrekt zijn gezicht weer. 'Maar Morm heeft zich heel erg verbrand.'

Khouy vertelt over de moeilijke bevalling. Terwijl Khouy voor de hut wachtte, heeft de onervaren vroedvrouw een vuur onder hun bed van houten planken aangelegd, zodat Morm het warm zou hebben en de spieren in haar rug wat losser zouden worden. De weeën duurden maar, het werd nacht en het vuur werd steeds heter, waardoor het hout onder Morm verkoolde. Maar het was Morms eerste bevalling, dus haar hele lichaam deed pijn. Ze realiseerde zich pas later dat ze heel erg verbrand was toen er op de brandwonden blaren verschenen. Chou en de andere meisjes van de familie luisteren met open mond toe. Als Khouy klaar is, kijkt Chou naar de grote kookpot en herinnert zich Kung en de vreselijke pijn van haar brandwonden.

'Chou, je moet bij ons komen wonen en helpen met je nichtje verzorgen,' zegt Khouy. Chou knikt, krijgt toestemming van oom Leang en pakt snel haar kleren in. Dan gaat ze met Khouy mee.

Als Chou bij het houten huis van Khouy, dat maar één vertrek telt, aankomt, is het al donker buiten. Binnen ruikt het nog steeds naar rook en naar sterke ontsmettingsalcohol en lichaamsgeur. Chou pakt de huilende baby op die naast haar moeder ligt en Khouy gaat weg om rijstsoep voor zijn vrouw te kopen. Chou wiegt de baby, maar het kleintje blijft jammeren. Dan steekt Chou haar vinger in haar mondje. Morm ligt op haar buik op bed, met haar gezicht tegen het kussen. Ze ademt diep, alsof ze slaapt. Chou is heel even bang dat Morm, terwijl Khouy weg was, is gestorven. Maar dan beweegt Morm en doet haar ogen open, net op het moment dat Khouy terugkomt.

'Morm, ik heb Chou gehaald. Zij komt helpen,' zegt Khouy, en hij bukt zich om naar haar gezicht te kijken. Zelfs in het zachte schemerlicht ziet Chou dat Morm bleek is. Haar lippen zijn gebarsten en haar huid glinstert van het zweet.

'Dank je wel, Chou,' fluistert ze. 'Fijn dat je gekomen bent. Ik moet de baby voeden. Wil je me even helpen?' Khouy maakt plaats, Chou draait Morm op haar zij en legt de baby tegen Morms borst. Ze gaat bij hen zitten.

'Tweede Schoonzus, heb je medicijnen voor de brandwonden?'

'De vroedvrouw heeft er brandzalf op gedaan,' fluistert Morm. 'Die moet er morgenochtend weer op.'

's Nachts slaapt Khouy in een hangmat en Chou ligt naast zijn vrouw en pasgeboren baby. De hele nacht kan Morm alleen maar haar hoofd van links naar rechts draaien en kreunen, totdat Chou wakker wordt en de baby bij haar aanlegt. Chou zit ernaast en Morm en de baby vallen al snel weer in slaap.

Als de zon zich weer laat zien, kijken alle drie de volwassenen slaperig uit hun ogen. Ze zijn doodmoe. Alleen de baby is uitgerust. Voor Morm goed en wel wakker is, gaat Khouy al weg naar zijn werk.

'Sokounthea, wat een mooie naam,' kirt Chou, en ze geeft de baby haar vinger. De baby kauwt erop en zet het weer luidkeels op een huilen. 'Ssst... Laat je moeder nog eventjes slapen.'

'Ka, ka, ka. Wèèè!' brult Sokounthea.

'Vind je het leuk om te huilen? Dan noem ik je voortaan Ka.'

'Chou, breng de baby maar,' roept Morm.

Als de baby gedronken heeft en weer slaapt, helpt Chou Morm naar de badkamer. Morm wast zichzelf, Chou maakt een vuurtje en kookt rijstpap voor het ontbijt. Als Morm weer in bed ligt, draait Chou haar op haar buik om haar brandwonden weer met de kruidenzalf in te smeren. Chou tilt voorzichtig de doek van de gemalen bladeren en Morm balt haar vuisten en klemt haar kaken op elkaar. Dan haalt Chou de plakkerige, dikke zalf van Morms rug en billen. De bruine, verbrande huid ziet eruit als gesmolten rubber. Onder de huid is het vlees roze en vochtig, en het zit onder de kleine blaren. Chou trekt een vies gezicht en houdt haar adem in.

'De bovenste huidlaag is aan het opdrogen,' zegt Chou, terwijl ze rustig uitademt en voorzichtig een nieuwe laag zalf aanbrengt. 'En de blaren zijn gesprongen en drogen ook op.' Morm is stil; haar tenen krullen als klauwen naar haar voeten.

Terwijl Chou zo bezig is, voelt ze de woede in zich opstijgen.

'Maar de goden moeten wel goed voor je zorgen, want Ka is mooi en gezond.' Chou kijkt even naar Ka, die vredig naast haar moeder ligt te slapen en haar lippen in een verdrietige glimlach opkrult. Ze kan zich niet herinneren dat ze in de vier jaar onder de Rode Khmer ooit een kind levend en wel geboren heeft zien worden. Niet veel vrouwen hebben hun kind voldragen ter wereld gebracht, ten gevolge van het zware werk, de honger, ziektes, terechtstellingen en angst.

'Dank je wel, Chou. Je bent een enorme hulp,' fluistert Morm, en ze gaat rechtop zitten. Chou loopt naar de keuken en komt terug met een kom rijstpap.

'Tweede Schoonzus, eet dit alsjeblieft op. Je moet sterk worden voor de baby.' Morm neemt een paar happen en duwt de kom dan weg. 'Je moet je best doen om je pap op te eten, want je bent te mager,' dringt Chou bij haar aan.

'Dank je wel, Chou. Ooit zul jij een heel goede moeder zijn.' Morm weet een glimlachje te produceren en neemt nog een paar happen.

'Rust maar uit. Je moet beter worden.' Chou legt haar mat en haar lakens recht en helpt Morm dan weer op haar buik te gaan liggen. Morm ademt langzaam en Chou trekt voorzichtig een lichte deken over haar rug. Dan loopt ze weg om de baby in bad te doen, af te wassen en de kleren en luiers te wassen. Daarna gaat ze zitten om de kruiden fijn te malen voor de verkoelende zalf voor de brandwonden. Terwijl Chou zo bezig is, denkt ze met een warm gevoel aan Morms compliment. Ze is nu zestien, en een mooi meisje. Ze heeft al wel wat aandacht gekregen van een paar mannen in het dorp, maar ze moet niks van hun hofmakerij hebben. Ze droomt er wel van dat ze op een dag zelf kinderen heeft, van wie ze kan houden en voor wie ze kan zorgen. Ze weet alleen niet hoe ze in deze droom moet verwerken wat er van haar als vrouw van haar toekomstige man verwacht wordt.

Dit rugzakje was het enige wat ik bij me had toen ik in 1995 in mijn eentje een reis van zes weken maakte door China, Thailand en Cambodja! (Heidi Randall)

Meng (midden) met vrienden en familie tijdens zijn bezoek aan Cambodja in 1995.

Wat Byon is mijn favoriet, omdat hij me aan mijn vader doet denken. (Heidi Randall)

Ik houd erg van het landschap van Cambodja

Boven: Phnom Penh is nu een drukke, bruisende stad. (Heidi Randall) *Rechts:* Een ritje met de fietstaxi door de stad brengt nog steeds dierbare herinneringen aan mama in me boven. (Heidi Randall)

Khouy’s huis in het dorp. (1995)

Boven: De rode aarden weg naar het dorp van Chou. Elke keer dat ik terugga, zie ik dit beeld. (Heidi Randall)

Amah is met haar vierennegentig jaar de oudste vrouw van vier generaties Ungs. (1999)

Meng, Khouy, Kim, Chou en ik. Dit was de eerste keer in negentien jaar dat we allemaal bij elkaar waren. (1999)

Boven: Als ik bij Chou thuis kom, gaan we meteen eten. (Van links naar rechts) Morm, ik, Mum, Chou, tante Keang, tante Hearg en Moi. (2001)

Na het eten bekijken we de foto's die Meng van ons gezin in Amerika heeft gestuurd .

Kim, Huy-Eng, Nancy en Nick. (2001)

Een familie-uitje naar Angkor Wat.

Boven: Khouy en zijn gezin. (2002)

Chou en haar gezin. (2002)

Meng, Tori, Eang en Maria. Maria, Tori en ik droegen bij onze diploma-uitreiking allemaal dezelfde Cambodjaanse jurk. (2002)

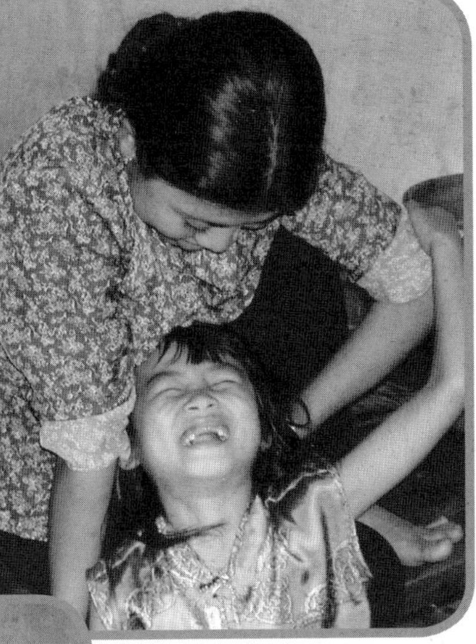

Een fantastische moeder – Chou met haar dochters.

Zusjes, voor altijd. Chou en ik op een bruiloft. (2003)

16
Seks en dergelijke

September 1985

'Vijf dollar voor *a good time* – vijf dollar!' roepen de jongens met een opzettelijk accent als ik naar Essex Junction High School loop. Ik kijk hen boos aan en neem goed in me op hoe ze eruitzien met hun iele snorretje, en hun haar dat zijn best doet om uit hun rode pukkelgezicht te groeien.

'Vijf dollar voor *a good time*?' Ze lachen als hyena's, met hun mond wijd open en hun hoektanden ontbloot.

'Losers!' scheld ik, en ik hou mijn hoofd recht.

Sinds de film *Platoon* is uitgebracht ben ik bedolven onder verzoeken voor 'a good time'. En hoewel ik niet van plan ben – nu niet en nooit niet – om deze oorlogsfilms te gaan zien, zien veel van die stomme jongens mij er op de een of andere manier in. Het zal wel komen doordat ik Aziatisch ben en gebroken Engels spreek, en hen daardoor doe denken aan de Vietnamese prostituees in die films. Ik loop door en zet me schrap voor wat er nu gaat komen.

'*Boem-boem* of *jam-jam*?' roept de groep me na. In hun mondhoeken zitten vlokken speeksel.

'Losers!' roep ik weer, niet in staat iets anders te bedenken.

De jongens zijn weg. Ik stel me voor dat ik over bovennatuurlijke kungfuvaardigheden beschik, zoals de meisjes in Chinese vechtfilms. In mijn fantasie ben ik in twee grote stappen en één sprong bij de jongens. Ik draai me als een speer om, sla hen in één beweging allemaal in het gezicht, terwijl hun mond van schrik en ontzag openvalt. Dan spring ik draaiend op en schop hen in hun buik. Ik maak een reeks snelle bewegingen en kom dan zacht, als een kat, op de grond neer. De jongens staan als dronken idioten op hun benen te wankelen en maaien met hun armen om hun evenwicht te bewaren. Ik zit laag bij de grond, steek één been uit, draai als een helikopterpropeller rond en schop ze zo allemaal onderuit. Ik kom overeind en glimlach triomfantelijk, terwijl zij op de grond liggen. Door de klap stijgt er een rookpluim op, hun haar waait op, ze spugen tanden als popcorn uit hun mond en ze vertrekken hun gezicht in slow motion in een grimas.

Als mijn film ten einde is, zit ik inmiddels in de economieles, helemaal opgekikkerd door mijn alter ego van gevaarlijk supermeisje en klaar om een beurt te krijgen en te laten horen hoe slim ik ben. Als ik aan de beurt ben loop ik naar voren en schrijf de vergelijking op het bord. Dan draai ik me met een zelfverzekerde glimlach om.

Ik ben vijftien jaar, woon nu vijf jaar in Amerika en zit in mijn tweede jaar van de middelbare school. De groen met witte gymschoenen en zwarte stretchbroek uit de tijd dat ik op de ADL Intermediate School zat heb ik achter me gelaten en vervangen door witte pumps en een lange, strakke zwarte rok. Boven die rok wordt mijn lichaam grotendeels aan het zicht onttrokken door een dikke knalblauwe trui met v-hals die tot op mijn dijen komt. Ik ben elke avond een hele tijd bezig met de kleren voor de volgende dag uit te kiezen, maar nog meer tijd ben ik 's ochtends kwijt aan het opmaken van mijn ogen en gezicht. Daar doe ik alleen maar zo veel moeite voor omdat een jongen die ik in de Chinese gemeenschap van Montréal heb leren kennen een keer tegen me gezegd heeft dat ik net een roos was: een en al stekels en doornen, maar met een bloeiend gezicht. Ik ging ervan uit dat hij, net als iedereen, een grapje maakte over mijn ronde wangen; die verstop ik nu onder mijn lange opgekamde haar. Dikke zwarte eyeliner zorgt ervoor dat mijn ogen meer open en westers lijken, en met paarse lippenstift lijk ik een ijskoud persoon. Ik heb geen geld om me volgens de laatste mode te kleden, maar ik ben tevreden met een goedkopere versie van wat hip is. Mijn stijl zou natuurlijk nooit de goedkeuring van Meng en Eang kunnen wegdragen, en daarom ga ik nog steeds in dezelfde saaie kleren de deur uit en kleed ik me pas op school om.

'Mijn spreekbeurt gaat over deposito's,' begin ik, en ik wacht tot de klas stil is.

'Jongens, stilte graag!' steunt de leraar me.

'Ik zal uitleggen wat een deposito is.' De leerlingen op de voorste rij gaan verzitten, waardoor de stoelen kraken. Ik recht mijn schouders en schud zachtjes mijn hoofd, aangezien mijn haar als één blok meebeweegt.

'Stel je hebt tweeduizend dollar. In plaats van daar een auto van te kopen kun je die tweeduizend dollar op een depositorekening zetten, zodat je vijf procent rente per jaar krijgt. Als je dat geld tot je zesentwintigste op een depositorekening laat staan, is de rente bij elkaar...' De leerlingen achterin bewegen rusteloos en die in het midden kijken me uitdrukkingsloos aan. Ik probeer er niet op te letten en blijf berekeningen en rentepercentages op het bord schrijven om warm te lopen voor de klapper op het eind.

'Dus, samenvattend: als je tweeduizend dollar hebt, moet je die niet aan een oude auto besteden, want met het geld van de rente die je over dat bedrag op een depositorekening krijgt heb je over tien jaar, als je een eigen huis wilt hebben, een aanbetaling voor een leuke *condom* ergens.'

'Oeps,' zeg ik, naar adem happend. Ik kan bijna niet geloven dat ik dat net gezegd heb. Alle leerlingen gooien hun hoofd in hun nek van het lachen, grijpen naar hun buik en stampen met hun voeten.

'Ik bedoel *condo*, niet *condom*,' zeg ik tam, maar de klas gaat helemaal door het lint en de leraar moet de leerlingen tot kalmte manen.

Heel even wil ik dat het leven net zo kon gaan als in een stripboek, waar wat je zegt in een ballon boven je hoofd zweeft. Op zo'n vreselijk moment kun je de ballon dan met een naald doorprikken en kijken hoe de woorden op de grond vallen tot ze onontcijferbaar zijn. Was het leven maar zo, dan zou ik niet de rest van het jaar als het 'condommeisje' te boek hebben gestaan. Maar nu lach ik nog harder dan de anderen en loop terug naar mijn plaats achter in de klas, terwijl mijn lichaam veel kleiner voelt dan mijn grote kleren en uitstaande haar.

Na school tref ik Beth bij haar kluisje.

'Ik heb gehoord wat er gebeurd is,' zegt Beth meelevend. Op de middelbare school verspreidt nieuws zich razendsnel, vooral als er vernedering of seks bij ter sprake is gekomen, en dat was vandaag allebei het geval.

Ik grom wat.

Een paar kluisjes verderop zie ik Chris. Zelfs in het akelige scherpe licht is Chris nog steeds de knapste jongen van school. Hij is ook de populairste en torent boven de jongens om hem heen uit, die aan zijn lippen hangen.

'Chris bij zijn kluisje?' vraagt Beth als ze merkt dat ik stil ben.

'Ziet hij er niet ontzettend lekker uit vandaag?' fluister ik tegen haar, blij om op een ander onderwerp over te kunnen schakelen.

'Ja,' beaamt Beth. En dan dromen we allebei weg over hoe het zou zijn om Chris' vriendinnetje te zijn.

Ik weet niet wanneer ik oog voor jongens heb gekregen. Als ik het aan Beth vraag, zegt ze dat ik al sinds de eerste klas jongensgek ben. Maar vorig jaar beschouwde ik jongens alleen nog als een manier om erbij te horen en misschien zelfs om populairder bij de andere leerlingen te worden. Ik heb altijd de indruk gehad dat meisjes die met hun vriendje door de gangen paradeerden plotseling veel zichtbaarder en belangrijker werden, en dat ze er zelfs mooier gingen uitzien. Maar dit jaar is er iets veranderd. Als ik Chris zie merk ik dat ik sneller ga ademhalen en dat mijn hart opspringt. Ik wil hem niet leuk vinden, want ik weet dat de kans heel klein is dat hij mij ook leuk zal vinden.

Dus staar ik uit de verte naar mijn vlam en kijk ik stiekem hoe hij met zijn grote handen zijn kluisje openmaakt, zijn boeken in zijn rugzak propt en het deurtje weer dichtdoet. Chris gaat met zijn vrienden zonder ook maar één keer heel even mijn kant op te kijken naar buiten. Als hij in de menigte in de gang opgaat kan ik hem nog steeds zien. Maar terwijl hij voor mij altijd zichtbaar is, ben ik die zwarte vlek die hij in zijn ogen krijgt als iemand hem met een flitslicht verblindt.

Beth en ik gaan op weg naar huis. Het is mei en het is koel en winderig, maar mijn rug is warm en bezweet van het gewicht van mijn zware rugzak. Nog één maand en dan verlaten Beth en ik de tweede klas en betreden we de betere wereld van de derde.

'Hé, Beth, wat is orale seks?' vraag ik. Beth giechelt en draait zich om om er zeker van te zijn dat niemand haar kan verstaan.

Ik mag van Meng niet met jongens uit – nooit niet! In elk geval niet tot ik negentien ben en zolang ik bij hem in huis woon. Andere leerlingen van mijn leeftijd hebben vaak al met jongens gezoend of het zelfs al gedaan, maar ik heb nog nooit een afspraakje gehad, handen vastgehouden of een jongen gezoend. Tijdens seksuele voorlichting op school, als de jongens gniffelen en de meisjes giechelen, kijk ik gefascineerd en vol afschuw naar de tekeningen van de anatomie van de man.

Als ik een foto van een naakte man zie plak ik vreemd genoeg met mijn ogen een uit papier geknipte onderbroek over zijn edele delen. Als ik in het lesboek over de seksualiteit van de man lees, zorgt een angst die ergens in de glibberige hoekjes van mijn brein verborgen ligt en die nu naar boven komt ervoor dat mijn oksels vochtig worden. Dus doe ik het boek dicht en bestudeer in plaats daarvan de grafieken. Ik leer de medische termen voor de lichaamsdelen en organen systematisch uit mijn hoofd om wel een voldoende voor mijn proefwerk te halen.

'Wat is het nou?' Ik ga zachter praten en buig me dichter naar Beth toe.

'Nou, dat is als een meisje...' Beth is gezegend met een moeder die verpleegkundige is, dus ze praat er lustig op los en kan mij precies de technische details uitleggen.

'Nee!' Ik blijf stokstijf staan en schreeuw het uit, met mijn hand voor mijn mond. 'Ik dacht dat het zoiets was als vieze dingen zeggen.'

'Nou, het is wel iets meer.'

'Nee! Wat walgelijk!' brul ik, en ik maak kokhalsgeluiden.

Als ik thuis ben, ren ik de trap op en laat snel mijn tas vallen. Het is stil en muf in huis, ontdaan van leven en geur. Heel even schiet ik in gedachten naar ons huis in Phnom Penh en naar de herinneringen aan alle broers en zusjes die de kamers in en uit rennen. In een ver verleden en een ver land verkoelen zoemende ventilatoren mijn huid en blazen de zoete geur van rijst en geroosterde knoflook door het hele huis. Papa en mama zitten buiten op het balkon en kijken naar de wereld beneden hen; als Geak en ik bij hen op schoot klimmen, met handjes die plakkerig zijn van het snoep en de zoete vruchten, genieten ze van hun gebrek aan privacy.

Ik kom weer terug in het hier en nu en schud het nutteloze gevoel van gemis van me af. Meng heeft gezegd dat het vijf jaar zou duren voordat we hier een thuis hadden en Khouy, Kim en Chou konden laten overkomen, maar die vijf jaar zijn allang voorbij. Niets duidt erop dat de Amerikaanse overheid ons de kans op hereniging zal geven. Zelfs met de gestage stroom brieven die we nu elke twee of drie maanden uit Cambodja ontvangen begint de glimlach van Meng weer enigszins te verstrakken.

Ik heb me erbij neergelegd dat ik Chou misschien nooit meer zie. Ik weet dat de overige leden van onze grote familie ergens in Cambodja wachten tot ze naar Meng en mij in Amerika toe kunnen komen, maar het is te moeilijk en verdrietig voor me geworden om hen nog te missen. Dus beschouw ik mezelf nu maar als het enige zusje, ook al weet ik dat ik deel uitmaak van een grote familie. Maar dat leven ligt achter me, en hoe graag ik het ook zou willen, het wordt nooit meer hetzelfde. Door deze gedachte voel ik me net als de dode beesten die ik op de weg zie liggen: geplet, platgedrukt en alleen.

In mijn kast trek ik mijn schoolkleren uit en doe ik een oude broek en T-shirt aan. Dan ren ik naar buiten. Het is kwart over drie, en Eang en Maria blijven nog wel een paar minuten weg. Eang is weer zwanger, acht maanden nu, en ze komt eerder uit haar werk om Maria van de kleuterschool op te halen. Ze is om half vier thuis. Ik spring op mijn fiets met twaalf versnellingen en ga de straat op. De lucht is stralend blauw, de zon schijnt en de wind jaagt de witte wolken uiteen. Zo nu en dan ga ik opzij om de auto's langs te laten. Met de wind in mijn haar laat ik Main Street 48, de begraafplaats, het lege huis en mijn warme kast achter me. Maar hoe hard ik ook fiets, Cambodja komt achter me aan en ik zie dat Chou haar handen naar me uitsteekt en me roept. Ik houd mijn stuur stevig vast, ik trap nog harder, waarbij de ketting ratelt, en ik probeer de herinneringen aan Chous hand in de mijne, onze verstrengelde vingers en de tranen die haar over het gezicht stromen als we gedwongen worden elkaar los te laten, weg te duwen. 'Over vijf jaar zien we elkaar weer,' beloofde ik haar toen.

Meng stuurt nog elke maand brieven en pakjes naar Cambodja en wacht tot de Amerikaanse overheid haar betrekkingen met mijn geboorteland normaliseert. Zolang dat niet gebeurd is krijgen wij geen toestemming erheen te gaan. De enige manier om ons met onze familie te herenigen zou zijn dat onze Cambodjaanse familie erin slaagt naar de vluchtelingenkampen in Thailand te komen. Vandaar zouden we vermoedelijk wel sponsors kunnen vinden om hen hierheen te laten komen. Maar de reis naar Thailand voert over een weg die bezaaid ligt met landmijnen en die door oerwouden gaat waar de Rode Khmer de dienst uitmaakt. Ze zouden ook het risico lopen om door Thaise soldaten te worden doodgeschoten als ze proberen de grens over te steken. Khouy schrijft in zijn brieven dat hij zich met zijn gezinnetje gesetteld heeft en dat hij niet meer weg wil, maar hij dringt er bij ons wel op aan om, als het kan, Kim en Chou te laten overkomen.

Met een hoofd vol gedachten aan Cambodja race ik de heuvel af, en als ik over de steentjes en gaten in de weg dender danst mijn paardenstaart heen en weer. Ik trap steeds harder en rijd over de landweg met mijn fiets zo de toekomst in. Voor me ligt een stralende horizon vol kansen, mogelijkheden en hoop. Ik ga op de trappers staan en laat mijn benen nog harder pompen, maar dan trekt mijn maag samen van schuldgevoel en schaamte, omdat ik weet dat ik een toekomst in rijd waarin mijn zusje me nooit ofte nimmer kan volgen. Achter me houdt Chou op met rennen en volgt me verder met haar ogen. Terwijl ik steeds verder bij haar weg rijd, hangen haar armen lusteloos langs haar lichaam en drukken haar voeten zich plat tegen de grond.

'Au-au!' gil ik. Mijn wielen slippen over de steentjes en ik val met mijn fiets.

Als ik mijn ogen weer opendoe, lig ik op de grond. Vanuit mijn knieën en liezen schiet de pijn omhoog. Ik sta langzaam op, peuter de steentjes uit mijn been en zie hoe het bloed uit de wondjes begint te sijpelen. Afgezien van geschaafde knieën heb ik niks ernstigs. Ik pak mijn fiets op en ga erop zitten. Maar als ik mijn linkerbeen optil, voel ik een pijn tussen mijn dijen die ik nooit eerder gevoeld heb. Ik ben ervan overtuigd dat dat brandende gevoel komt door een blauwe plek ten gevolge van de valpartij, dus ik stap gewoon op mijn fiets en ga naar huis.

Tegen de tijd dat ik thuis ben, is het brandende gevoel in mijn onderbuik in kramp veranderd en stroomt er iets plakkerigs en nats over mijn dijen. Ik ren de badkamer in om mijn blauwe plekken te bekijken en zie dat er aan de binnenkant van mijn dij aan één kant een snee zit met aangekoekt bloed, maar dat er nog steeds vers bloed over mijn been stroomt. Het is zoveel dat ik ervan schrik. Ik ga in bad zitten om mijn trillende benen weer stil te krijgen. Het witte porselein van het bad zit nu onder de rode vlekken. Terwijl ik naar het bloed kijk, moet ik aan de keren denken dat ik ook zo veel bloed uit een mens heb zien komen. Plotseling voel ik me licht in mijn hoofd en begint de kamer te tollen. In al die andere gevallen ging de persoon in kwestie namelijk dood of was hij al dood.

Ik sla mijn armen om mijn knieën en trek ze dicht naar mijn borst. Dan begraaf ik mijn hoofd in mijn armen en begin ik te snikken. Duistere gedachten fluisteren me in dat dit een straf is voor mijn slechte gedrag. Ik wieg mijn lichaam heen en weer en probeer de beelden van de executie van de Rode Khmer-soldaat uit mijn hoofd te zetten. Maar ik kan er niks aan doen; ik móét er gewoon aan denken. Ik heb gezien hoe een mens als een dier werd afgeslacht, en ik heb emotieloos toegekeken. Ik stond vooraan in de menigte toen een oude vrouw naar voren kwam en op de Rode Khmer-soldaat af liep. Met een mengeling van haat en verdriet op haar gezicht beschuldigde ze hem ervan dat hij haar familie had vermoord en sloeg ze hem met haar hamer op zijn hoofd. De grond om hem heen raakte doordrenkt van bloed en ik keek gefascineerd toe in de wetenschap dat hij, als al het bloed uit zijn lichaam verdwenen was, dood zou zijn.

'Ik wil niet dood,' jammer ik.

Ik hoor Eang in de woonkamer met Maria spelen, dus ik houd mijn adem in om weer rustig te worden. Iets in mij wil naar Eang toe gaan, maar ik wil ook niet dat ze me zo overstuur ziet, dus blijf ik maar in bad zitten.

'Kgo, ben jij dat?' hoor ik Maria voor de badkamerdeur zeggen. Ik schrik op uit mijn verdoofde toestand.

'Ja, lieverd. Ik kom zo. Ga maar met mama spelen, oké?' Omwille van haar zorg ik ervoor dat mijn stem rustig klinkt.

'Oké,' zegt ze, en ze draaft weg haar blije wereldje in.

Mijn moment van zwakte trekt weg en ik voel langzaam maar zeker weer de flakkering van een warm vuur in mijn buik. Dan herinner ik me, ergens uit de krochten van mijn bewustzijn, de lessen seksuele voorlichting over menstruatie en puberteit. Ik was mezelf en verstop alle aanwijzingen van het bloed en mijn zwakte voor mijn familie.

17
Verloofd

Oktober 1985

Als Chou wakker wordt, ziet ze dat de lucht rood is en vraagt ze zich af of de goden vandaag boos zijn. In oktober laten de goden het meestal onafgebroken donderen, maken ze de wolken zwart en laten ze de wind zo hard waaien dat de kokosnoten van de bomen vallen. Dan breekt de hemel open en vallen er zware regens, waardoor de grond doordrenkt raakt en de laaggelegen gebieden onder water stromen. De laatste tijd hebben de goden genade met hen gehad en wordt het land alleen vochtig van de ochtenddauw. In het droge seizoen kan Chou tegelijk met de zon opstaan om het eten voor de familie te koken en haar karweitjes te doen. Maar tijdens de moesson moet Chou opstaan als de maan nog aan de hemel staat en dan moet ze van vochtig hout een vuur aanleggen. Voordat de familie wakker wordt, heeft Chou dan al rijstsoep gekookt en alle vochtige kleren gedroogd door ze boven het vuur heen en weer te wapperen. Soms is ze zo moe dat ze gehurkt naast het vuur even een dutje doet, maar nooit lang, want ze moet de familie in warme, droge kleren die naar rook ruiken weer op pad sturen.

Maar de regengoden hebben het land vannacht niet blank gezet, dus Chou kan uitslapen. Als ze eindelijk naar de keuken loopt is de rode lucht inmiddels rood-oranje geworden. Tante Keang heeft de rijstsoep al gemaakt. Iedereen eet een flinke kom vol en dan vertrekken Kim en de neefjes naar school, de ouderen naar de rijstvelden om hun rijst te verbouwen en naar de waterplassen om vis te vangen. Vanaf haar plekje bij de vuile vaat kijkt Chou melancholiek hoe Kims gestalte om de bocht in de weg uit het zicht verdwijnt.

'Chou,' zegt tante Keang zacht, 'vandaag mag jij ook naar school.' Chou glimlacht breed.

'Ja,' zegt ze. 'Ik zorg dat al mijn werk gedaan is voor ik naar school ga.'

De school is drie jaar geleden van start gegaan en sindsdien droomt Chou ervan dat ze er ook heen mag. Maar acht maanden geleden is tante Keang bevallen van haar zevende gezonde kind: een jongetje met de naam Nam. De familie was blij, maar Chou kon die dag niet echt lachen, want ze wist dat ze ook voor deze baby zou moeten zorgen. Haar oudste nicht Cheung is getrouwd en heeft nu zelf een gezin, en de op één na oudste, Hong, heeft het druk met voor Amah zorgen, dus Chou moet voor de kleine kinderen zorgen en het huishouden doen. Maar Chou wordt al snel verliefd op Nam, met zijn lieve karakter en behoeftigheid. Als verzorgster van de kinderen moet Chou Nam overal mee naartoe nemen terwijl tante Keang op het land werkt. Ze is dol op hem, maar doordat hij tegen haar aan gebonden zit gaat haar werk langzamer en heeft ze geen tijd om naar school te gaan. Geheel onverwacht besluit tante Keang dan dat Chou wel naar school kan als ze de kleine Nam meeneemt. Sindsdien is Chou dolgelukkig.

'Je hoeft vandaag de kleren niet te wassen. Dat doe ik wel als ik van het veld terugkom. Ga maar water halen, dan pas ik ondertussen op de kinderen,' zegt tante Keang.

'Dank u wel, Tweede Tante.' Chou kijkt vol verwondering toe terwijl tante Keang haar pasgeboren zoontje met één arm oppakt en tegelijkertijd de hand van een ander klein kind vastpakt dat als een kuiken naast haar meeholt.

Chou spant snel de ossen voor de kar en gaat naar de poel om water te halen. Als ze terugkomt, laat tante Keang Nam bij haar achter en gaat terug naar het veld. Nam slaapt een uurtje en Chou wast de grote stapel vuile kleren en luiers. Daarna laat ze hem in zijn hangmatje liggen huilen, terwijl zij hout voor het vuur hakt. Tegen de tijd dat Kim en de neefjes rond half twaalf terugkomen heeft Chou rijst gekookt en prei en bamboescheuten met vis voor de lunch geroerbakt. Na het eten gaan tante Keang en oom Leang in hun hangmat rusten en doen de jongelui verder het huishouden. Terwijl Chou de zwarte pannen en de borden schoonschrobt, houdt ze Nam in de gaten. Zo meteen is het haar beurt om naar school te gaan. Omdat er meer leerlingen dan leraren of scholen zijn, worden er twee keer per dag Khmer-lessen gegeven: de ochtendlessen duren van zeven uur tot elf uur en de middaglessen van een uur tot vijf uur.

'Hou op!' roept Chou plotseling uit de keuken, waardoor de familie opschrikt. 'Hou op, je verspilt mijn water!' Chou rent naar Kim toe, die een beetje dommig naast een modderige oude fiets staat. 'Je verspilt mijn water!' Chou grist hem de kan uit de hand en gooit het water terug in het vat.

'Ben je gek geworden? Wat doe je?' Kim deinst achteruit voor de geheven vuisten van Chou.

'Je gebruikt mijn water toch niet om je fiets schoon te maken? Ga er maar mee naar de plas! Ik ga vandaag naar school en ik heb geen tijd om nog meer te halen!' Chou kijkt hem boos aan, met uitpuilende ogen.

'Oké, oké,' zegt Kim. Hij bloost van schaamte en fietst snel weg. Als haar bloeddruk weer gedaald is, pakt Chou een doek en rent naar Kim toe.

Net als bij veel Cambodjanen heeft Chou onder het vier jaar durende bewind van de Rode Khmer geen onderwijs meer gehad. Na de Rode Khmer waren er maar weinig leraren over, aangezien Pol Pot een heleboel van hen had laten vermoorden. De leraren die het hadden overleefd kozen ervoor om in grote steden als Phnom Penh en Siem Reap les te geven. De school hier in het dorp is de enige in de wijde omtrek en bedient alle kinderen uit de omliggende dorpen. In families zoals de hare, waar veel kinderen zijn, krijgen meestal de jongens toestemming om naar school te gaan, terwijl de meisjes thuisblijven om het huishouden te doen en voor de andere kinderen te zorgen.

'Kim, neem dit maar om je fiets schoon te maken.' Chou geeft hem bij wijze van verontschuldiging de lap.

'Doe je best op school,' antwoordt Kim met een glimlach, en hij pakt de lap van haar aan.

Als hij wegloopt, moet Chou denken aan alle keren dat Kim er voor haar geweest is. Als ze even vrij hebben schuimen Kim en de neven vaak de waterpoelen en velden af om groene tamarinde, mango's en andere vruchten te zoeken, die ze dan voor wat extra geld kunnen verkopen. Maar voor ze ermee naar de markt kunnen gaan, verstoppen de jongens hun koopwaar onder de plank. Soms, als ze niet kijken, pikt

Chou er iets van en dan verkoopt ze het voor minder geld terug aan de jongens. Chou moet dan gniffelen en vindt zichzelf heel slim en ondeugend. Als de jongens haar het geld overhandigen, sluiten haar vingers zich snel als een ijzeren klauw om de biljetten heen, voor ze ze haar weer kunnen afpakken. Ze rent met een brede glimlach weg, want ze weet dat Kim weet dat ze van hen gepikt heeft en dat hij er met geen woord van zal reppen.

Kim bewaart Chous geheim, maar hij helpt haar ook met leren lezen en schrijven. 's Avonds, als de jongens klaar zijn met hun karweitjes, mogen Kim en de neven meestal één kaars branden om te studeren en hun huiswerk te maken. Terwijl het kaarslicht op hun gezicht flakkert, wiegt Chou de baby in een hangmat naast hen en als de jongens liedjes over het Khmer-alfabet zingen, zingt zij met hen mee. De jongens leren hoe ze van de klinkers en medeklinkers woorden moeten vormen, en Chou zegt ze die woorden na. Soms is Kim zo op zijn werk geconcentreerd dat hij minutenlang niet merkt dat Chou achter hem staat en over zijn schouder meekijkt. Als hij het niet al te druk heeft, maakt Kim tijd vrij om haar te leren wat hij zelf net geleerd heeft. Maar hij wuift Chou ook wel eens geïrriteerd weg, alsof ze een lastige vlieg is. Maar vandaag gaat Chou zelf naar school en mag ze zelf lessen maken.

'Tante Keang, ik ga nu naar school!' roept Chou, en ze pakt Nam op.

'Toe maar,' antwoordt tante Keang. Chou pakt snel een paar kroma's, een bal rijst die in bananenblad gewikkeld is en haar tas van blauwe stof, en dan gaat ze er snel vandoor, voordat haar schaduw te lang wordt.

Het is maar een klein stukje lopen. Onderweg zet Chou Nam nu eens op de ene, dan weer op de andere heup. Met haar vrije hand houdt ze de verschoten tas vast, met daarin de paar vellen papier die Kim van zijn zuurverdiende geld voor haar heeft gekocht. Tussen de lege vellen zitten de gebruikte en weggegooide proefwerken van de jongens. Als Chou wilde leren, gebruikte ze vaak die oude proefwerken en dan schreef ze de vragen over op een leeg vel, zodat ze hetzelfde proefwerk kon maken. Als ze een antwoord verkeerd had, gaf ze zichzelf een standje als een echte onderwijzer, en dan leerde ze nog harder. Als ze een goed cijfer had gehaald, liet ze het proefwerk trots aan Kim zien en dan gaf hij haar nog meer oud papier en lesmateriaal.

Chou zet er stevig de pas in, blijft op het pad en kijkt goed langs de kant van de weg, waar dichte roodachtiggroene struiken staan, bedekt met fijn oranje stof. Daarboven bieden de groene tamarindebomen, zwaar beladen met vruchten, schaduw tegen de brandende zon. In de verte waaien er stofwolken in de wind op. Chou ziet al voor zich hoe papa uit de verte trots naar haar glimlacht en mama in haar handen klapt omdat ze zo moedig is.

'Mama, papa,' roept ze zacht. 'Ik ben een braaf meisje. Ik kan hard werken. Kim is een heel goede leerling. Tweede Broer is gelukkig met zijn nieuwe gezin. En Oudste Broer en Loung zijn veilig en maken het goed. Jullie hoeven je geen zorgen meer om ons te maken.' Terwijl ze dat zegt, stromen de tranen over haar gezicht. Door een waas ziet ze dat de gezichten van mama en papa, elke keer dat ze naar haar kijken, betrekken van bezorgdheid. Waar hun geest ook mag zijn, ze wil niets liever dan hun zorgen wegnemen. 'Mama, papa. Ik mis jullie elke dag heel erg. Maar jullie hoeven je niet zo'n zorgen over me te maken.' Ze trekt haar neus op, veegt haar ogen met haar onderarm af en loopt verder.

Als ze bij school aankomt, loopt Chou naar de verste hoek van het muurloze gebouwtje met rieten dak en gaat op een van de houten banken zitten. Ze legt haar tas op een ruwhouten tafel, wikkelt Nam rustig los en legt hem op de aarden vloer.

Om haar heen zitten leerlingen in de leeftijd van veertien tot achttien. Ze leren lezen en schrijven. Chou kijkt het vertrek rond en ziet dat zij de enige is die een baby heeft meegenomen. Terwijl de anderen hun potlood en papier tevoorschijn halen kan Chou haar opwinding bijna niet de baas, want dit is, op haar zeventiende, de eerste officiële school waar ze sinds de machtsovername van de Rode Khmer naartoe gaat. Wanneer de leraar binnenkomt, ziet Chou tot haar verbazing dat het een knappe man van in de twintig is. Hij is niet veel ouder dan zij, maar zijn schone witte overhemd, blauwe broek en lerarenstatus verlenen hem het gezag van iemand die veel ouder is. Ze gaat keurig rechtop zitten, maar heeft het gevoel dat ze een gekooide alligator is die net in het water is losgelaten.

'Ik zie dat we vandaag een nieuwe leerling hebben,' verkondigt de leraar. 'Juffrouw, vertel de klas maar hoe je heet.'

'Ik heet Chou Ung.' Chou staat op.

'Ben je al eerder naar school geweest?'

'Ja, *lork kru*.' Chou noemt hem lork kru, dat in het Khmer 'heer meester' betekent. Ze vertelt hem niet dat het tien jaar geleden is dat ze voor het laatst naar school is geweest.

'Kun je lezen en schrijven?' vraagt de leraar.

'Ja, meester,' antwoordt Chou, en ze hoopt maar dat hij haar niet vraagt om bij wijze van test iets op het bord te komen schrijven.

'Mooi,' zegt de leraar. Dan kijkt hij naar Nam, die naast haar ligt, en vraagt: 'Is hij van jou?'

'Nee, lork kru. Neemt u me niet kwalijk, lork kru. Hij is mijn neefje. Mijn tante moet elke dag hard werken en ik ben de enige die op de baby kan passen. Ik wil heel graag naar school, lork kru. Ik...'

'Genoeg,' zegt de leraar, en hij legt haar het zwijgen op. Hij draait zich om naar het bord en schrijft de les voor die dag op.

Een paar uur lang zit Chou opgewonden woorden te schrijven op het vel papier dat ze van Kim gekregen heeft, en Nam ligt rustig te spelen. Als de baby begint te morren, pakt Chou hem op en laat hem op haar schoot op en neer wippen.

'Ssst, ssst,' sust ze hem als hij begint te huilen.

'Chou,' roept de leraar. Chou doet even haar ogen dicht en zegt in stilte een gebedje.

'Neem me niet kwalijk, lork kru,' zegt Chou, en ze slaat haar ogen op om de leraar aan te kijken.

'Zorg dat de baby stil blijft,' waarschuwt hij haar.

'Ja, dank u wel,' antwoordt Chou. Een paar minuten lang probeert ze de baby stil te krijgen, maar zonder succes. Het jongetje is wakker en pruttelt. Even later merkt Chou dat haar mouwen en schoot nat zijn. Nam lacht tevreden in zijn draagdoek. Vanachter zijn bureau kijkt de leraar boos naar Chou.

'Het spijt me, lork kru.' Chou buigt haar hoofd en loopt met haar rug diep naar de grond gebogen, om de leraar respect te betuigen, naar buiten. Terwijl de andere leerlingen verder werken, zet Chou Nam op de grond en wringt zijn natte doek uit en hangt die aan een boomtak te drogen. Met één oog op de leraar en één op Nam kauwt Chou de rijst in haar mond fijn, zodat ze de baby de vermalen pasta kan laten eten. Als hij gegeten heeft, legt Chou hem in een kroma en bindt die diagonaal over haar borst. Nam heeft zijn buikje dik gegeten, is slaperig, gaapt en wiebelt wat in zijn doek. Chou klopt hem zachtjes op zijn billetjes. Als hij zich begint te roeren tegen haar borst kalmeert Chou hem door een vinger in zijn mondje te steken. Nam houdt haar vinger stevig in zijn mond en zuigt erop alsof het een tepel is. Eindelijk valt hij, heel langzaam, in slaap.

Als Chou en Nam thuiskomen van school, zijn ze net op tijd om Hongs kennismakingsbezoek mee te maken.

'Zijn ze er al?' vraagt Chou aan Kim, die in z'n eentje buiten onder een boom zit.

'Ja, ze zijn er al een half uur.'

Chou weet dat Kim het moeilijk vindt om te kijken en dat hij daarom alleen buiten zit. Bij een kennismakingsbezoek komen de aanstaande bruidegom en de oudere leden van zijn familie voor een officieel bezoek naar de aanstaande bruid en haar familie om te kijken of er een huwelijk tussen hen kan plaatsvinden. Voor veel families is dit ook het moment waarop de twee families elkaar kunnen leren kennen, om te zien of ze elkaar liggen en of hun kinderen elkaar mogen. Als dat allemaal gebeurd is, bespreken ze de bruidsschat, de huwelijksfeesten en waar hun kinderen na de trouwerij gaan wonen.

'Ben je al binnen geweest?' vraagt Chou vriendelijk aan Kim.

'Een paar minuten, maar het is heel warm binnen, dus ik ben een frisse neus gaan halen.'

Chou weet dat dit niet helemaal waar is. Want ook al praat Kim niet meer over Huy-Eng, Chou weet dat hij nog steeds aan haar denkt. Het is nu een jaar geleden dat Kim Huy-Eng in een mangoboom zag klimmen. De andere jongens plaagden haar omdat ze zich als een jongen gedroeg, maar Kim was onder de indruk van haar snelheid en behendigheid, zoals ze op de heen en weer zwaaiende takken zat om de vruchten te plukken. Hij was toen achttien en Huy-Eng was een tenger en knap meisje van zestien. In de maanden daarop sprak hij niet over zijn gevoelens, maar Chou zag zijn gezicht als een lotusbloem opengaan zodra zij in de buurt was. De familie van Huy-Eng runde een kraampje op de markt waar ze sojasaus en kruiden verkocht, en elke dag na school en na zijn werk was Kim daar in de buurt te vinden, kletsend met haar elf oudere broers en zussen.

Toen Kim negentien werd, vroeg hij Amah, als hoofd van de familie, of ze hem wilde helpen om de familie van Huy-Eng te benaderen en om haar hand te vragen. Maar Amah weigerde en zei dat Huy-Eng veel te koppig en levenslustig was. Ze bood wel aan om een huwelijk tussen hem en de oudere, wat meer bescheiden zus van Huy-Eng te regelen. Kim betuigde Amah het respect dat zij als hoofd van de familie verdiende en boog diep voor haar toen hij het vertrek verliet. Maar zijn ogen schoten vuur en zijn handen waren tot vuisten gebald. De naam van Huy-Eng viel nooit meer tussen Kim en Amah, en in de paar maanden daarna kwamen er heel veel andere dorpelingen naar de hut om Kim hun dochter als vrouw aan te bieden. Maar Kim weigerde hen allemaal. Toen dit Huy-Eng ter ore kwam, vertelde ze tegen mensen die Kim kenden dat ze bewondering had voor zijn vriendelijkheid en zachtmoedigheid. Huy-Eng liet hem ook weten dat zij en haar familie, als hun een aanzoek namens Kim gedaan zou worden, daarop in zouden gaan. Maar zolang Kim Amah er niet van weet te overtuigen dat Huy-Eng de ware voor hem is, kan hij alleen uit de verte naar haar kijken en ervan dromen dat ze ooit man en vrouw zullen zijn.

Chou realiseert zich dat Nam en zij vies zijn, dus ze laat Kim alleen met zijn stilzwijgen en gaat met de baby naar het ronde petroleumvat waar ze het water in bewaren. Ze gaat op haar hurken zitten en trekt een pluk nat kokoshaar van een bruine kokosnoot die naast het vat ligt. Ze giet een paar lepels benzine uit een witte plastic fles in een kom om het haar in te drenken. Als het door en door nat is, wrijft ze hiermee het aangekoekte zwarte vuil van Nams beentjes en voetjes. Ze spoelt hem af en doet dan bij zichzelf hetzelfde, terwijl ze ervan droomt dat ze ooit rijk genoeg zullen zijn om zich weer luxeartikelen als zeep te kunnen veroorloven.

Als ze allebei schoon zijn, geeft Chou Nam aan Kim. Ze strijkt de kreukels in haar broek glad, pakt haar golvende haar bijeen, bindt het in een strakke knot, die ze met een stokje vastzet, en strijkt dan nog de losse pieken achter haar oren. Ze pakt een groene kokosnoot van de grond en hakt de bovenkant er met een groot zilverkleurig hakmes af. Dan slaat ze de hoek van haar mes drie keer in de harde schaal, waardoor er een driehoekje ontstaat, dat ze er met haar vingers uit kan plukken. Ze zet een grote blikken kom onder het gat, houdt de vrucht scheef en vangt het sap op. Als de vrucht leeg is, gaat ze met de kom naar Kim. Wanneer het sap door zijn keel glijdt, ziet Chou zijn adamsappel op- en neergaan.

Als Kim uitgedronken is, laat Chou Nam bij hem en gaat de hut binnen. Daar zitten de aanstaande bruidegom en zijn familie, met hun mooiste kleren aan, op de houten bankjes, tegenover de familie Ung. De mannen van de familie Ung hebben hun haar glad achterovergekamd en hebben een schoon lichtblauw overhemd aan dat in hun zwarte broek is gestopt. Naast hen zitten de dames, die hun gezicht met een laag poederachtige beige foundation hebben bedekt die twee tinten lichter is dan hun eigen huid, hun wenkbrauwen met houtskool donkerder hebben gemaakt en hun lippen met bessen rood hebben gekleurd. Aan weerskanten hebben de vrouwen hun mooiste, kleurigste sarong en blouse aan. De aanstaande bruid draagt een zachte, frisse kleur ten teken van haar reinheid.

'Chou, kom eens hier,' zegt tante Keang, en ze gebaart haar dat ze bij de familie moet komen zitten. 'Dit is mijn nichtje Chou. Zij woont bij ons, samen met haar broer Kim.'

'*Chump reap sur*,' zegt Chou, terwijl ze naar de familie van de bruidegom buigt.

'Hallo,' begroet de familie haar.

'We denken dat ze goed bij elkaar passen,' gaat de familie van de bruidegom beleefd verder. Voor ze zich aan elkaar kwamen voorstellen heeft de familie van de bruidegom al grondig geïnformeerd naar de geschiedenis van de familie van de bruid, naar hun goede naam en naar haar teken van de Chinese dierenriem.

'Hong mag dan pas zeventien zijn, ze is heel slim en sterk,' prijst tante Keang haar dochter. 'En aangezien allebei onze families al jarenlang in dezelfde provincie wonen, weten we dat jullie familie een goede naam heeft. En we weten ook dat jullie zoon een goed mens is. En jullie weten dat onze Hong een harde werker is, en heel trouw. Toen ze zes jaar was, ging ze bij haar oma wonen. Onder de Rode Khmer heeft ze voor haar oma gezorgd, en dat doet ze tot op de dag van vandaag. Ze heeft een heel goed hart. We weten dat jullie zoon ook een harde werker is en trouw is aan zijn familie.' En zo geeft tante Keang haar zegen.

Terwijl de volwassenen praten, zitten de aanstaande verloofden verlegen tegenover elkaar en nemen elkaar op. Chou ziet vanwaar zij zit dat Hong haar ogen neerslaat en haar mond dichthoudt, terwijl de twee families een trouwdatum kiezen, het huwelijksfeest, het eten en de bruidsschat bespreken, en of het jonge stel bij de familie Ung of bij die van de bruidegom gaat wonen.

Chou glimlacht en is blij dat Hong met een man uit het dorp trouwt. Ze denkt aan Cheung, die met iemand van buiten het dorp is getrouwd. Nu zien ze haar nog maar heel weinig. Doordat Cheung ver weg woont is het moeilijker voor haar familie om haar te helpen als haar man haar slaat. Maar vooralsnog is haar familie blij dat haar huwelijk goed uitpakt en dat haar echtgenoot een aardige man en een zachtmoedige vader is.

Chou luistert hoe Hong ingetogen met het voorgenomen huwelijk instemt. Chou weet dat ze zelf nooit vraagtekens bij de man zal zetten die oom Leang en tante Keang voor haar kiezen als zijzelf eraan toe is om te trouwen. Chou heeft gehoord dat meisjes in de stad soms tegen hun ouders ingaan en zelf een echtgenoot kiezen. Chou begrijpt gewoonweg niet hoe iemand van zestien of achttien weet welke man een goede echtgenoot zal zijn. Als een meisje te lang weigert de keuze van haar ouders te aanvaarden, kan men haar kieskeurig en verwend gaan vinden en dan kijken de mannen op een gegeven moment niet meer naar haar om. Als een meisje vijfentwintig is en nog steeds niet getrouwd is, zullen de dorpelingen haar verwijten dat ze een ouwe vrijster is en zullen ze meewarig naar haar kijken. Chou weet dat zij die fout niet zal maken.

Maar goed, als zij aan de beurt is om te gaan trouwen, hoopt ze toch dat oom Leang en tante Keang iemand uit het dorp zullen kiezen. Daarom zorgt Chou er heel goed voor dat ze nooit te ver van huis gaat en dat ze alleen op plaatsen komt waar ook mensen uit de buurt komen. Ze is al veel vriendinnen kwijtgeraakt die naar Phnom Penh en andere steden waren geweest en daar de aandacht van andere mannen hadden getrokken. Voor je het wist zaten die man en zijn familie bij jou thuis thee te drinken. Als beide families het na de thee over de huwelijksvoorwaarden eens waren geworden, namen ze binnen twee weken tot een paar maanden afscheid.

'Dank je wel,' zegt de moeder van de bruidegom wanneer Hong thee inschenkt en iedereen zedig een witterijstcakeje aanbiedt. 'Wat heb je een mooie schone handen, jonge dochter.'

'Ze is een heel harde werker, maar ze zorgt altijd dat haar handen schoon zijn,' zegt tante Keang, en ze kijkt stralend naar haar dochter.

Chou kijkt ook naar Hongs handen, die op elkaar op haar schoot liggen, met de handpalmen omlaag. Zulke schone handen heeft Chou nog nooit gezien, zoner enig vuil in de knokkels of de plooien, met schoongeboende nagels en opgeduwde nagelriemen, zodat er gezonde, witte halvemaantjes te zien zijn.

Als de twee families het eens zijn over het huwelijk en de bruidsschat, besluiten ze dat Hong over twee maanden zal trouwen en dan bij haar man gaat wonen. Als de familie van de bruidegom weg is, gaat Chou naar Hong toe, die bezig is hun mooie tafelkleed op te vouwen.

'Vind je hem leuk?' vraagt Chou aan haar nicht.

'Hij is een heel aardige man en hij komt uit een goede familie,' antwoordt Hong.

'Denk je dat je hem leuk zult vinden?'

'Ja, ik vind hem leuk. Maar ik ken hem niet. Als we getrouwd zijn en kinderen hebben, vind ik hem nog leuker.' Chou merkt dat Hong helemaal niet gezegd heeft of ze haar toekomstige echtgenoot knap vindt. Dan wordt Hong plotseling heel stil. Chou voelt dat haar nicht zich door haar vragen misschien zorgen maakt en gaat weer aan het werk.

De volgende dag gaat Chou weer naar school, met Nam op haar rug. Maar die dag weigert hij in slaap te vallen en zet hij het op een brullen, waardoor hij de hele klas stoort. Chou laat hem de hele middag op haar knieën op en neer wippen, gaat met hem naar buiten om met hem te spelen, loopt over het schoolterrein, geeft hem zachte rijstpap te eten, wringt zijn natte onderkleding uit, trekt gezichten naar hem – alles om hem stil te krijgen, zodat ze op school kan blijven. Maar wat ze ook doet, Nam brult, leidt de andere leerlingen af en verstoort de les. Na het eerste uur vraagt de leraar Chou niet meer om hem stil te krijgen. Hij kijkt ook niet meer boos naar haar, spreekt haar niet aan en kijkt haar kant niet meer op. Hij behandelt haar alsof ze al niet meer in de klas zit. Na de middaglessen vertelt hij haar rustig dat ze niet meer op school mag komen. Hoe ze ook smeekt en bidt, hij zegt dat ze pas weer mag komen als ze de baby thuislaat. Chou bindt Nam bedroefd in haar kroma op haar rug en schuifelt met neergeslagen ogen het schoolterrein af. Er lopen drie jongere meisjes van school uit een dorp in de buurt achter haar aan.

'Chou!' roept een van de meisje voor de grap, zonder te weten dat Chou verzocht is om van school te gaan. 'Wat heb je een grote ogen.

Wij moeten maar heel hard leren met onze kleine oogjes, anders wordt Chou nog beter op school dan wij!'

Als Chou dit hoort draait ze zich om en kijkt het meisje aan. De baby op haar rug begint te bewegen en rekt zijn armpjes en beentjes uit. Chou steekt snel haar hand in haar zak en steekt het meisje met haar potlood in haar hand. Het meisje hapt geschrokken naar adem. Haar hand bloedt.

'Ben je gek geworden?' gilt het meisje, terwijl ze haar hand omhooghoudt.

Chou loopt weg. De baby voelt zwaar op haar rug. Nu ze haar woede heeft gekoeld voelt ze zich een stuk beter, maar ze is nog steeds boos. Dat ze van school moet betekent voor haar veel meer dan dat ze alleen maar niet samen met de jongens kan studeren, want Chou weet dat meisjes die niet op school zitten vaak eerder worden uitgehuwelijkt dan andere. En nu ze ook nog ongesteld is geworden zal iedereen snel zien dat haar lichaam klaar is om kinderen op de wereld te zetten. Terwijl Nam op haar rug op en neer wipt, schopt Chou met haar voeten in het stof en berust ze erin dat ze de wereld van de meisjes achter zich moet laten.

18
Sweet Sixteen

April 1986

'En, heeft Chris al iets over het briefje gezegd?' vraagt Beth, doelend op het briefje dat ik afgelopen week in het kluisje van Chris heb gestopt.

'Nee,' antwoord ik nors. Ik krijg het al warm als ik Chris' naam alleen maar hoor, ook al is de stoep waarover ik naar school loop ijskoud. 'Ik heb hem de hele week niet gezien. Ik ontloop hem.'

'Ik hou er niet van om "ik heb het je nog zo gezegd" te zeggen, maar ik heb je bezworen om dat briefje niet te schrijven en niet aan hem te geven.'

'Ja,' zeg ik, en ik haal mijn schouders op. Wat Beth ook zegt, als het om Chris gaat zit mijn hoofd vol aardappelpuree.

Achteraf gezien was het stom om Chris dat briefje te schrijven waarin ik zeg dat ik zo'n bewondering heb voor zijn prestaties op het basketbalveld en dat ik verliefd op hem ben. Maar ik was net terug uit Montréal, waar we de week ervoor waren geweest, en ik blaakte nog steeds van zelfvertrouwen door alle complimentjes die ik van de vriendinnen van Eang had gekregen over mijn uiterlijk. In de Cambodjaanse en Chinese gemeenschappen in Montréal ben ik populair, mooi en grappig. Tijdens het Cambodjaanse Nieuwjaarsfeest eerder die maand hadden er een heleboel Aziatische jongens zelfs in de rij gestaan om me ten dans te vragen. Dus toen ik weer naar school ging en Chris naar me glimlachte, dacht ik dat hij me met andere ogen bekeek. Vervolgens heb ik in mijn benevelde toestand, veroorzaakt door nachtenlang niet slapen, mijn briefje onder het deurtje van zijn kluis door geschoven.

'Nou, als we ervan uitgaan dat hij het gevonden en gelezen heeft

– hoewel er een kans bestaat dat hij het gewoon samen met alle troep heeft weggegooid – is hij toch wel zo aardig om je er niet belachelijk mee te maken. En hij heeft het ook niet op het mededelingenbord geprikt, zodat iedereen het kon zien,' ratelt Beth door. Ik knik instemmend.

'Wat erg dat ik dat gedaan heb. En wat erg dat jij het me hebt láten doen!' Ik kijk zogenaamd boos Beths kant op.

'Ik heb nog zo gezegd dat je het niet moest doen. Dus kijk maar niet zo nijdig. De jongens noemen jou in elk geval niet "stinkvis".' We moeten er allebei om lachen. Beth heet van haar achternaam Poole, en dat hebben de jongens op de een of andere manier in verband gebracht met dode vis die in een waterpoel drijft.

'Wat zijn jongens toch stom,' verkondig ik.

'Zeg dat wel! Wat kan ons het schelen wat ze denken?' Beth en ik blijven staan, kijken elkaar aan en glimlachen. Het kan ons wel degelijk iets schelen wat ze denken, maar dat willen we geen van beiden toegeven.

Als we bij school aankomen, gaan Beth en ik meteen naar de wc's. Beth frutselt aan haar haar en spuit hier en daar een lok vast, en ik verruil mijn lange zwarte broek en witte blouse voor een strakke, lange zwarte rok en strakke zwarte trui. Ik doe een stap achteruit en bekijk mezelf in de spiegel.

'Nee, dat zou Meng onder geen beding goedvinden,' zeg ik in de spiegel, en ik glimlach. 'Hij zou dit iets voor een begrafenis vinden en niet netjes genoeg voor school.' Om het geheel af te maken bind ik een roze sjaal met kwastjes om mijn heupen, als een zigeunerin. Dan maak ik mijn lange zwarte krullen los en doe ik grote zilveren ringen in mijn oren.

'Je ziet er mooi uit,' mompelt Beth, terwijl ze lippenstift opdoet.

'Jij ook.'

'Wat doe je dit weekend?' Beth drukt een tissue tegen haar lippen om de kleur wat af te vlakken.

'Pakken en verhuizen. Niks leuks,' zeg ik, terwijl ik aan mijn krullen blijf plukken.

'Zal ik komen helpen?' Beth trekt de tissue met de afdruk van haar mond er voorzichtig af en gooit hem in de afvalemmer.

'Nee, de vrienden van Meng komen helpen.'

'Klaar?'

'Nog één dag en dan is het lekker weekend.' Beth en ik kijken elkaar glimlachend aan en gaan dan naar ons lokaal. De rest van de dag slaag ik erin naar mijn lessen te gaan, een meetkundeproefwerk te maken, te lunchen, te zweten bij gym, en dat allemaal zonder Chris ook maar één keer tegen te komen of iemand over mijn briefje aan hem te horen lachen. Als de bel gaat voeg ik me bij de denderende horde eerlingen die de deur uit stormt.

De volgende twee dagen zijn Meng, Eang en ik de hele dag bezig ons leven in kleine kartonnen dozen te pakken. Tegen de tijd dat de familie McNulty en de familie van Li arriveren om de dozen in de truck van meneer McNulty te laden en ons naar ons nieuwe huis te verhuizen, is het grootste deel van ons leven van de afgelopen zes jaar bekeken, gesorteerd, opgevouwen, bewaard of weggegooid. Als zondag de zon ondergaat, is het groepje mensen klaar en gaat weer naar huis, zodat wij de laatste keer alleen kunnen reizen.

'Vaarwel kast,' fluister ik, en ik kijk naar de lege ruimte. 'Je hebt me veel geluk gebracht.' In mijn armen heb ik een doos met daarin het privéleven dat ik daar geleid heb: mijn foto's, kranten, tekeningen, gordijnen en kleerhangers. Beneden zet Meng de laatste paar dozen in de auto en Eang gespt Maria in haar stoeltje.

'Vaarwel kamer,' zeg ik ten afscheid. Ik zie mezelf als kind in de kale kamers, op- en neerspringend op de bank en me onder de lakens verstoppend voor de monsters.

Nu ik de flat zo in ogenschouw neem zien de kamers er klein en eenzaam uit, zonder alle spullen erin. Maar als ik weg wil gaan, realiseer ik me dat ik het hier zal missen. Dit was onze eerste flat in Amerika, en ook al was hij klein, toch was ik blij met mijn thuis. Pas toen ik een aflevering van *Happy Days* op de televisie zag, begon ik er anders over te denken. In dat programma ging Joanie op bezoek bij Chachi thuis, en terwijl ze op de bank televisie zaten te kijken, vroeg Joanie of ze Chachi's kamer mocht zien. Toen hij antwoordde dat ze daar al zaten, barstte het publiek in lachen uit. Op dat moment keek ik plotseling naar mijn bed in de open eetkamer en schaamde ik me. Ik had me niet gerealiseerd dat mensen ons arm zouden kunnen vinden doordat ik in de eetkamer sliep. Eang en Meng werkten, we hadden een dak boven ons hoofd, verwarming, een nieuwe auto, kleren en een koelkast vol eten. Maar toen ik het gelach op de televisie hoorde, werd ik me bewust van mijn kleren van het Leger des Heils en zag ik de Laura Ashley-jurken en poloshirts die de andere meisjes droegen.

Maar dat is nu allemaal voorbij. Ik laat de schaamte achter me en verhuis naar een huis waarin ik wél een eigen kamer heb. Een eigen kamer! Bij de gedachte alleen al voel ik belletjes op mijn huid en krijg ik een licht en fijn gevoel. Ik werp nog één blik op mijn kast, loop de kamer uit, de trap af en de parkeerplaats op.

'Kom op, we gaan!' roept Maria opgewonden. 'We gaan naar ons nieuwe huis!'

'Oké, we gaan!' roep ik, en ik stap achterin.

'Hé, Mup,' zeg ik tegen Tori, wat 'dikkerdje' in het Khmer betekent, en ik geef haar een kus op haar wang. Tori is acht maanden en zit tussen Maria en mij in in haar zitje. Ze reageert door nog meer te kwijlen. Eang zit voorin, draait zich om en veegt Tori's natte mondje met een oude luierdoek af.

'Gaan we nou, papa!' dringt Maria aan, en de auto begint zachtjes te rijden.

We rijden de oprit af en komen langs de begraafplaats. Ik bedank de geesten in stilte omdat ze me al die jaren met rust hebben gelaten. Aan de takken van de bomen zwaaien de groene lenteknoppen naar me. De zon werpt lichtbundels op de grafstenen, alsof hij mijn vertrek wil aankondigen.

Opgeruimd staat netjes, begraafplaats, denk ik bij mezelf. Ik hoop dat ik nooit meer naast je hoef te slapen.

'Dag huis!' roepen Maria en ik wanneer we het complex uit rijden.

Drie minuten en een halve kilometer verder komen we bij ons nieuwe huis met onze eigen oprit.

Ik kijk vol opwinding en hoop naar het doosvormige huis met een verdieping erop. Misschien word ik, nu we een eigen woning hebben, wel normaal, denk ik. Dan maak ik Maria snel los en samen lopen we ons nieuwe onderkomen binnen.

Maria zoekt zich een weg tussen alle meubels, dozen en tassen op de grond door en gaat naar boven. Ik ren achter haar aan en blijf boven aan de trap staan om snel even in de schone vierkante kamers te kijken die voor Meng en Eang en voor Maria zijn. Ze zijn schoon en steriel, met witte wanden en lichtblauw tapijt. Hun bed en ladekast staan al op hun plaats. Ik loop snel langs de badkamer naar mijn kamertje. Daar zit Maria op mijn bed.

'Hallo Kgo!' roept ze opgewekt. Haar stem galmt door de lege kamer.

'Dag lieverd,' zeg ik, en ik glimlach. Mijn kamer ligt op een hoek en baadt in het wegstervende zonlicht dat van drie kanten door vier ramen valt. Ik kijk naar buiten en zie de straat, het huis van de buren en onze achtertuin. En geen begraafplaats te bekennen!

'Mijn eigen kamer!' roep ik uit. 'Mijn eigen deur.' Ik doe de deur open en weer dicht.

'Wat is het hier groot!' kraait Maria, en ze doet mijn kastdeur open.

'Ja,' lach ik, en ik loop erin om te kijken of ik erin pas. Jawel hoor! Ik sta midden in de kamer en draai rond tot mijn hoofd er duizelig van wordt. Ik laat me op de grond vallen en dagdroom over dat ik me alleen in mijn kamer kan aankleden, dat ik met Li kan telefoneren en een privégesprek kan voeren, en dat ik naar cassettes van Bob Marley kan luisteren zonder dat Eang roept: 'Zet die herrie af!' Als ik Beth meevraag, kan ik met haar naar mijn eigen kamer!

'Hé, lieverd, wil je helpen uitpakken?' vraag ik aan Maria, die boven op me ligt.

'Goed.' Maria springt van me af en rent tussen de zonvlekken door. Ik zie hoe het zachte licht op haar haar en armen danst. Ze lijkt wel een engel.

Een uur lang zijn Maria en ik bezig met mijn kamer inrichten, terwijl Meng en Eang beneden de boel op orde brengen. Ik hoor kartonnen dozen die opengescheurd worden, gerinkel van bestek, gekletter van potten en pannen, en deuren die open- en dichtgaan. Maar dan is het plotseling stil.

'Blijf jij maar hier,' zeg ik tegen Maria. 'Ik ga even bij mama en papa kijken, goed?'

'Oké.'

Ik laat Maria met mijn poppen spelend achter en ga op zoek naar Meng en Eang. In de keuken staat de koelkast rustig te snorren en in de eetkamer tikt de klok de minuten weg. In de woonkamer liggen Meng en Eang op de bank te slapen, met hun voeten tegen elkaars gezicht. Ze liggen op hun rug en het lijkt wel alsof hun lichaam door de dikke kussens wordt opgeslokt. Naast hen ligt Tori op haar buik in haar box te slapen. Meng en Eang zien er in het licht zo bleek uit dat mijn adem ervan stokt. Als ze nu eens dood zijn? Ik raak in paniek en loop snel naar hen toe. Als ze nu eens dood zijn en ik hier alleen achterblijf? Wat moet ik dan doen? Waar moet ik dan naartoe? Ik kniel vlak naast Mengs gezicht neer. Ik leg mijn wijsvinger voorzichtig onder zijn neus om te kijken of hij nog ademt. Als zijn neusvleugels een flauw zuchtje lucht uitblazen, dat koel aanvoelt op de huid van mijn hand, haal ik opgelucht adem. Hij leeft! roep ik in gedachten. Meng wordt plotseling wakker en ziet mij voordat ik mijn vinger kan terugtrekken.

'Wat doe je?' vraagt hij.

'Kijken of je nog ademhaalt,' antwoord ik nonchalant. Hij fronst zijn wenkbrauwen en moet dan lachen.

'Eang en ik hebben samen een blikje bier gedronken,' legt hij uit, en hij wijst naar het lege blikje op de salontafel.

'Dus jullie zijn dronken,' zeg ik met een glimlach, en dan valt hij weer in slaap. Ik pak het blikje en gooi het in de vuilnisbak. Meng en Eang drinken zelden alcohol, maar als ze het doen is één blikje bier genoeg om hen onder zeil te brengen. Ik loop weer naar boven. Met punaises prikken we tekeningen van Mickey Mouse, Donald Duck en de Jetsons aan mijn muren en dan breng ik Maria naar de woonkamer, waar ze naast haar slapende ouders wat kan spelen. Ik ga verder met dozen uitpakken en houd Meng en Eang in de gaten, die langzaam weer tot leven komen.

Na het eten en na de wastafels en vloer in de badkamer geschrobd te hebben, maakt het gezin zich klaar om eens vroeg onder de wol te gaan. Meng en Eang slapen met Tori bij zich in bed en Maria kruipt naast haar teddybeer in een vouwbedje in de hoek van de kamer. In mijn kamer hang ik mijn jurken op, vouw mijn T-shirts en broeken en leg ze in laden. Als de rode cijfertjes van de digitale klok aangeven dat het 23.00 uur is, ben ik klaar met alles en ga ik midden in mijn kamer staan en inspecteer mijn werk.

Ik zie mezelf in de hoge spiegel op de deur. 'God, wat heb ik een hekel aan mijn lichaam,' zeg ik hardop. Onder het wijde hemd en de lange broek zie ik een meisje dat broodmager is en totaal geen rondingen heeft. Ik loop naar de spiegel toe, trek mijn hemd strak over mijn borst en kreun. Mijn borsten doen pijn en zijn gevoelig.

'Ik haat ze.' Mijn biecht wordt gedempt door het dikke kleed. 'Ik moet, moet, moet grotere borsten krijgen,' zing ik zachtjes. Dan ga ik met mijn handen over mijn rommelende en opgezette buik.

'Ik vind mezelf lelijk,' fluister ik. De woorden hangen als een schuldbekentenis in de lucht.

Ik loop naar de andere kant van de kamer en laat me op mijn brede bed vallen. Buiten trekt een koudefront over Vermont dat alles wat het tegenkomt doet bevriezen. Heel ver van de bijtende winterkou werpt de heldere maan zijn verwrongen weerspiegeling op de ijspegels. Ik lig op mijn buik met mijn gezicht omlaag en de wind fluit en buldert als een boos dier dat tegen de muren beukt en probeert binnen te komen. Ik heb twee paar sokken aan, maar mijn koude tenen krullen zich op en wensen dat ze varkentjes met een dekentje om zijn. De kou bijt op mijn huid en maakt mijn lichaam overal waar hij me raakt gevoelloos – op mijn voeten, op mijn zachte wreven en rond mijn ontblote enkels. Zonder te kijken knip ik het lampje uit. Vanochtend was ik nog zo blij met alles, maar nu is mijn stemming inktzwart.

Alles gaat fantastisch, probeer ik mezelf te overtuigen. En dat is ook zo. Na jaren van geploeter gaat het ons gezin eindelijk goed.

Een half jaar geleden trok Meng zijn pak, net van de stomerij, aan en Eang haar mooiste jurk, en toen zijn we met z'n allen naar het gerechtshof gegaan. Daar werden Meng en Eang beëdigd als burgers, samen met een zaal vol andere nieuwe Amerikanen. Er werd gejuicht en geapplaudisseerd.

De juichstemming was nog niet voorbij of Meng verkondigde al dat het tijd was om een huis te kopen. Toen hij de week daarna van de bank thuiskwam met het bericht dat hij goedgekeurd was voor een hypotheek, keek hij alsof hij een brandend peertje had ingeslikt. De maanden daarna ploos hij de krantenadvertenties uit, nam hij contact op met makelaars en reed hij de buurt rond op zoek naar bordjes met TE KOOP. Tijdens het eten vertelde hij opgewonden dat hij een huis zocht dat groot genoeg was voor ons allemaal, en ook voor Kim en Chou, als die zouden komen. Met ons eerste eigen huis leven we in de Amerikaanse droom, legde hij uit, en over dertig jaar is een stukje van die droom van ons.

Alles gaat fantastisch, herhaal ik voor mezelf. Ik weet dat ik geen enkele reden heb om verdrietig te zijn, maar ondanks de glanzende witte nieuwe verf in mijn kamer voel ik me vanbinnen somber.

Alles gaat helemaal niet fantastisch. Ik haat mezelf. Door die gedachte gaan de gespannen spieren in mijn nek nog strakker staan. Ik doe mijn ogen dicht, knijp in mijn neus en blaas, in een poging de duistere gedachten naar buiten te persen. Heel even is mijn hoofd leeg en hoor ik alleen mijn bonzende hart tegen mijn trommelvliezen slaan. Maar zodra ik mijn neus loslaat, stroomt het verdriet mijn neusgaten weer in en gaat dan zó naar mijn hersenen.

Waarom kan ik niet normaal zijn? Ik draai me wild om in bed en schop de dekens eraf. In gedachten zie ik hoe de Vietnamese soldaat zich weer over me heen buigt, me met één hand in mijn nek grijpt en de andere over mijn mond en het grootste deel van mijn gezicht legt. Hij drukt mijn hoofd naar de grond en fluistert: 'Ssst, ssst', maar er kruipt een kreet omhoog in mijn keel. Als hij mijn broek tot onder mijn heupen omlaagtrekt, explodeert die kreet. Ik schuif op mijn billen om bij hem weg te komen, maar hij grijpt mijn benen en dijen beet. Met een golf van haat wurm ik me los uit zijn greep en schop met mijn voeten tegen zijn borst. Hij hapt naar adem van de pijn, ik schop hem in zijn kruis en ren weg. Maar elke keer dat mijn lichaam bloedt en verandert, eens in de maand, komt de soldaat terug. In mijn slaap zweeft hij boven me en dan trekt de oorlog mijn lichaam binnen als wormen die zich in een lijk nestelen.

Als de slaap uitblijft, sta ik op, ga naar de badkamer en laat het bad voor mezelf vollopen. Als het vol is, laat ik me er langzaam in zakken. Het warme water kabbelt tegen mijn lichaam, ik pak een handdoekje en maak dat nat. Dan vouw ik het drijfnatte handdoekje dubbel en leg het op mijn gezicht om te kijken of ik dan stik. De laatste tijd wil ik heel graag weten hoe het voelt om naar adem te snakken. Die gedachte bezorgt me de rillingen. Terwijl mijn lichaam in bad begint af te koelen, vraag ik me af hoe het zou zijn om te verdrinken. Ik leg nog een nat handdoekje op mijn gezicht en zuig met elke ademhaling meer water in. Als het ademhalen moeilijker wordt, probeer ik me voor te stellen dat ik levend begraven word. Ik gedachten lig ik in een massagraf, waar heel veel Cambodjanen in geknuppeld zijn, van wie velen niet eens dood waren toen ze begraven werden. Mijn longen branden van het gebrek aan zuurstof en ik zie aarde en lijken die tegen me aan drukken. Ik moet van mezelf in het graf blijven en snik om degenen die niet wisten te ontkomen. Dan mag ik eindelijk van mezelf de handdoekjes weghalen. Als ik uit bad stap is het water koud. Ik ga weer naar bed.

Ik droom dat ik weer vlucht voor de Vietnamese en Rode Khmer-soldaten. Ik weet dat ze, als ze me te pakken krijgen, me zullen verkrachten en vermoorden. Ik gil en probeer te zeggen dat ik een jongen ben. Ik sla mijn armen voor mijn borst en heupen om mijn nieuwe lichaam te verbergen. Verlamd van angst kijk ik plotseling omlaag en zie dat er allemaal bloed op de binnenkant van mijn dijen zit.

'Help me!' roep ik, maar niemand geeft antwoord. Het bloed stroomt over mijn benen en trekt in de grond tussen mijn tenen. Ik buk me en probeer mezelf met mijn handen schoon te vegen, maar het eind van het liedje is dat het bloed alleen maar overal op mijn dijen komt te zitten. Het is zo veel bloed! Ik blijf staan en ga op mijn hurken zitten. Ik graaf met trillende vingers in de zachte aarde en wrijf die over mijn bebloede tenen. Maar het bloed gaat niet weg – nee, het koekt aan en blijft als lijm op mijn huid zitten. Ik weet dat de soldaten ergens in het dichte woud op me wachten. Ik weet ook dat ik, als ze me verkrachten, zelfmoord pleeg. Ik wil me omdraaien en de soldaten doodmaken, zoals ik al zo vaak in mijn dromen heb gedaan, maar ik weet niet of ik daar de kracht nog voor heb. Mijn vagina blijft bloeden en maakt me zwak. Ik worstel met mijn kussen, mijn benen schoppen naar de deken. Plotseling word ik wakker en merk ik dat ik in mijn eigen bed lig te zweten. Ik krul me op in de foetushouding en huil om mijn moeder.

Als de wekker gaat en de schoolweek kan beginnen, ben ik al moe. Ik kom uit bed, maar mijn armen en benen zijn zwak en beverig. Ik buig en strek mijn rug, die pijn doet, maar de pijnscheuten trekken nog steeds door mijn benen, tot in mijn kuiten. Als ik de deken terugsla, zie ik een plasje bloed op het laken. Ik haal de lakens af en leg nieuwe op het bed. Dan ga ik naar school. Onderweg naar Beth – een nieuwe route – ban ik de beelden van het bloed uit mijn gedachten en vraag ik me af hoe ik mijn meetkundeproefwerk van afgelopen vrijdag gemaakt heb.

19
Een boerenprinses

Juli 1986

'Chou, je weet dat ik je als mijn eigen dochter beschouw,' zegt tante Keang zacht, terwijl ze Chou helpt de klamboes op te vouwen. 'En ik heb van je gehouden alsof je mijn dochter was.' Chou glimlacht, maar haar handen werken door. Ze zijn alleen in de hut. De rest van de familie zit buiten en waait zichzelf koelte toe ter verlichting van de drukkende hitte.

'Chou, het is tijd dat je gaat trouwen,' kondigt tante Keang vriendelijk aan. Chou houdt op met vouwen en kijkt tante Keang met dichtgeknepen keel aan.

Chou is al maanden geleden achttien geworden, dus het verbaast haar niet dat oom Leang en tante Keang besloten hebben dat ze moet trouwen. Veel vriendinnen van haar zijn al op hun zestiende of zeventiende getrouwd. Maar toch krijgt ze er een warm gezicht van en trillen haar handen. Nu papa en mama er niet meer zijn, weet Chou dat het de taak van tante Keang en oom Leang is om een man voor haar te zoeken. Ze doet haar best om haar handen stil te houden, maar een stemmetje vanbinnen zegt dat ze geen 'nee' kan zeggen, zelfs niet als ze dat eigenlijk wil. Geen enkel meisje uit hun gemeenschap heeft ooit geweigerd om uitgehuwelijkt te worden of heeft de keuze van haar familie afgewezen. Als een meisje de man die haar ouders voor haar hebben uitgekozen weigert, is dat een teken van groot gebrek aan respect. Je laat de wereld dan weten dat je het oordeel van je ouders niet vertrouwt, en dat betekent voor hen gezichtsverlies. Maar in het dorp praat niemand over zulke meisjes. Hun naam wordt alleen genoemd als er geroddeld wordt of als er geruchten worden doorverteld, die zich als een besmettelijke ziekte door het dorp verspeiden. Elke toehoorder hapt geschrokken naar adem.

Dit stigma is er de reden van dat mama's schandaal, zelfs vijfendertig jaar nadat ze zich tegen haar ouders verzette en wegliep om met papa te trouwen, mensen nog steeds het zwijgen kan opleggen. Chou heeft van mama's jeugdvriendinnen gehoord dat Amah, toen mama Amahs keuze weigerde en er met papa vandoor ging, niet meer met haar sprak. Chou vindt het verschrikkelijk dat mama nog steeds veroordeeld wordt. De vriendinnen hebben verteld dat mama aan Amahs voeten heeft liggen huilen en om vergeving heeft gesmeekt. 'Mama en papa hielden van elkaar,' wil ze roepen. Ze waren dol op elkaar en op hun familie. Maar pas toen ze kinderen hadden, wilde de familie het hun vergeven. Chou levert een innerlijke strijd, maar vanbuiten is ze kalm en stil. Door mama's verhaal krijgt Chou heel even de neiging om te zeggen dat ze er nog helemaal niet aan toe is om te trouwen. Maar voor ze het kan zeggen, klemt ze haar mond stevig dicht.

'Chou, je oom, je oma en ik hebben hier nu maanden over nagedacht,' gaat tante Keang verder, en ze pakt Chous hand.

'We hebben iemand gezocht met een goede achtergrond, een goed sterrenbeeld, die geld kan verdienen en die hard zal werken om zijn gezin te verzorgen. We hebben iemand gezocht die vriendelijk en zachtmoedig is en die een goede vader zal zijn. Dat hebben we allemaal in overweging genomen en toen hebben we afgesproken dat jij met Pheng gaat trouwen.' Tante Keang kijkt of er een reactie op Chous gezicht te bespeuren valt, maar Chou staart alleen maar naar haar handen, terwijl de tranen op haar schoot druppen. Chou haalt diep adem; ze is opgelucht dat ze in elk geval met een man gaat trouwen die ze kent. Ze is niet in staat haar emoties kenbaar te maken, maar ze is blij dat tante Keang iemand van haar leeftijd en uit hetzelfde dorp gekozen heeft. Ze heeft haar vriendinnen wel giechelend horen zeggen dat Pheng lang en knap is. Ze weet dat hij vriendelijk en zachtmoedig is.

'Ik denk dat je vader en moeder er wel mee zouden instemmen,' zegt tante Keang, en dan sterft haar stem weg.

Chous gezicht wordt warm als ze papa's en mama's naam hoort noemen. Chou heeft haar best gedaan om aan hun verwachtingen van haar als dochter te voldoen. Al die ochtenden dat ze bij het wakker worden al veel te moe was om geduld te hebben met de huilende kinderen, heeft ze zichzelf ervan weerhouden om tegen hen te schreeuwen, omdat mama dat nooit goedgevonden zou hebben. Als ze boos wordt omdat ze nog zo veel werk te doen heeft, terwijl de andere nichten en neven onder de boom liggen te slapen, dwingt ze zichzelf rustig te blijven en niet te klagen. Soms verlangt ze er hevig naar haar onderdanigheid van zich af te werpen, te schreeuwen, te klagen en in opstand te komen tegen de regels van tante Keang, of tegen de neven die te veel borden vuilmaken, of zelfs tegen Kim, die wel naar school mag, terwijl zij thuis moet blijven. Maar nee, als de frustratie stijgt, slikt ze die weg en duwt ze haar naar beneden, haar buik in. Als haar buik samentrekt, denkt ze aan wat mama gezegd heeft: 'Een goede vrouw is neutraal, roddelt niet, schreeuwt nooit, klaagt nooit, krijgt nooit een woedeaanval en gaat op in de menigte.' Ze heeft gezegd dat een goede vrouw als warm water is, niet als koud water, waar je van schrikt, en niet als heet water, waar je je aan brandt.

'Dank u wel, tante,' weet Chou te fluisteren.

'Chou, niet huilen. Wees blij,' zegt tante Keang. 'Hij is vast een goede man voor jou en een goede vader voor jullie kinderen,' verzekert ze Chou, en ze knijpt in haar hand. Eindelijk kijkt Chou op en ze veegt haar ogen af. In een waas ziet Chou mama met een brede glimlach samen met papa het dorp uit lopen. Ze wou dat ze achter hen aan kon, maar berust in haar lot.

Drie maanden later, in de nacht voor haar bruiloft, droomt Chou dat mama en papa samen zijn. Ze zitten naast elkaar aan de keukentafel in Phnom Penh. Naast papa zit Keav, die Geak op haar schoot op en neer laat wippen. Ze zien er allemaal heel jong en mooi uit. Chou leunt buiten tegen de muur, kijkt naar binnen en huilt. De droom is heel echt, maar diep in haar hart weet ze toch altijd dat zij niet meer op aarde zijn.

'Mama, papa, vandaag is mijn trouwdag,' zegt ze, en ze loopt naar hen toe en gaat achter hun stoelen staan, maar ze reageren niet. Sinds tante Keang haar drie maanden geleden heeft verteld dat ze gaat trouwen, heeft Chou gemerkt dat ze steeds meer met mama en papa praat. Ze hunkert ernaar om mama's arm om haar schouders te voelen en papa's handen op haar hoofd. 'Oudste Zus, ik ga vandaag trouwen,' roept ze tegen Keav en Geak.

De woorden 'vandaag is mijn trouwdag' klinken in haar hoofd.

Boven haar hangen zwarte vliegjes, bruine kevers en heel kleine sprinkhaantjes tegen de klamboe, met hun pootjes vast in de draden. Ze kijkt er met haar wazige rode ogen naar die prikken doordat ze te kort geslapen heeft. Ze gaat zitten, haar hoofd tolt en ze voelt zich duizelig. Ze slaat een paar keer tegen het net om de insecten te bevrijden en ze te dwingen weg te vliegen. Ze zwaait snel haar benen over het plankenbed, wikkelt haar sarong strak om haar middel en loopt naar buiten.

Het is nog donker. De sterren stralen, er staat maar een beetje wind en het is koel. Als Chou haar handen in hun grote ronde watervat steekt, huivert de glimlachende maan in het oppervlak. Het gras en de planten die de hele dag platgetrapt zijn, komen langzaam weer bij dankzij de ochtenddauw. Maar het is nog te vroeg om iets te zien. Chou weet niet hoe laat het is. Ze weet alleen dat het zo vroeg is dat zelfs de ossen, honden en hanen nog slapen. Als Chou haar gezicht gewassen heeft, giet ze de rest van het water in haar hand en plenst het in haar nek en op haar armen. De rillingen lopen haar over de rug en ze krijgt kippenvel. Haar knieën voelen slap van de zenuwen. Ze hapt naar adem en houdt het watervat vast om overeind te blijven.

Als ze klaar is en weer kalm, loopt ze terug naar de hut. Ze hoort dat tante Keang en de oudere nichtjes wakker worden; ze hoort de echo's van hun gegaap en gehoest. In het web van klamboes slapen de jonge kinderen, die gewend zijn aan harde geluiden, gewoon door.

'Chou!' roept een zachte stem van buiten. Terwijl Chou naar de andere kant loopt, komt tante Keang uit bed en gaat naar buiten om haar gezicht te wassen. Als Chou de deur opendoet, ziet ze haar buurvrouw, een vriendin en twee verre nichten staan. Meestal wordt een bruiloftsfeest 's avonds gehouden, maar omdat de wegen na het donker niet meer veilig zijn, heeft tante Keang besloten de receptie 's middags te houden. Zo kunnen de gasten van buiten het dorp ook bij de festiviteiten aanwezig zijn en teruggaan naar hun dorp zonder bang te hoeven zijn dat ze 's nachts op een landmijn stappen of door soldaten van de Rode Khmer worden ontvoerd. Een bruiloft vroeg op de dag betekent echter minder voorbereidingstijd, dus heeft tante Keang veel mensen uit de gemeenschap gevraagd te komen helpen.

'Nichtjes, zusjes, kom binnen,' zegt Chou.

'Chou, vandaag is je trouwdag!' zegt haar vriendin dweperig. 'Waarom ben je zo vroeg op? Je moet nog wat langer slapen. Dit is de enige dag dat je een prinses kunt zijn!'

'Zusjes,' antwoordt nicht Hong, 'in het dorp kan een arme vrouw als Chou alleen een boerenprinses zijn. Dat betekent dat we zelfs op onze trouwdag moeten werken.'

'Maar een boerenprinses is nog steeds een prinses!' Tante Keang komt binnen en begroet de gasten. 'Fijn dat jullie gekomen zijn.' Ze neemt ieders hand in de hare en gaat hun dan voor naar de keuken. 'Jullie hebben een goed hart en een vrijgevige geest.'

'U hoeft ons niet te bedanken, tante Keang,' zegt haar vriendin. 'We zijn allemaal familie; het is vanzelfsprekend dat we helpen.'

'Vandaag is je trouwdag,' zegt een van de nichtjes weer, en ze raakt Chous arm aan. 'We zijn heel blij voor je. Je oom en tante hebben een heel goede man voor je gekozen. Opdat je gezegend mag worden met veel geluk en veel gezonde kinderen.' De woorden dringen door tot in Chous hart, waardoor het sneller gaat slaan. Haar oren suizen ervan.

In het donker staan haar ogen even angstig. Na vandaag is ze geen meisje meer, maar een vrouw, en een echtgenote. Ze weet niet goed of ze daar al aan toe is, maar ze aanvaardt haar lot in deze wereld.

'Als de zon opkomt, komt de kok de gerechten bereiden,' zegt tante Keang. 'Laten we eerst maar de ingrediënten klaarmaken: groenten snijden, fruit wassen, vlees in plakjes snijden, noedels maken, tafels dekken.'

Ze brengt iedereen naar zijn werkplek en vertelt de vrouwen dat de mannen zodra het licht genoeg is hout, bladeren en touwen gaan halen om de tent te maken. Terwijl de vrouwen helpen met koken en schoonmaken, doen de mannen het zware werk: hout hakken en water halen. Als ze daarmee klaar zijn, gaan ze het dorp in om bij vrienden en buren stoelen en tafels voor het feest te lenen.

'Tante Keang, hoeveel mensen hebt u uitgenodigd?'

Terwijl tante Keang vertelt dat er vierhonderd vrienden, familieleden en andere gasten op haar bruiloft verwacht worden, luistert Chou aandachtig. De vrouwen happen naar adem. Tante Keang legt uit dat ze, omdat papa en mama zo bekend en geliefd in het dorp waren, een grote bruiloft voor Chou wil geven, ter ere van hen. De vrouwen knikken. Tante Keang somt de acht gerechten op die er tijdens de receptie op tafel zullen komen.

'Jonge-kippensoep om het nieuwe echtpaar gezonde kinderen toe te wensen, gebakken gemengde groenten, gestoomde vis met bamboescheuten, gebakken rijst, garnalen lo mein, geroosterde hele kip, lotussnoepjes en rijsttaartjes,' besluit tante Keang, en ze gaat de vrouwen voor de keuken in.

Chou leunt tegen de deurpost en wordt doodsbang bij de gedachte dat ze vierhonderd mensen moet ontvangen. Ze is er niet aan gewend het middelpunt van de belangstelling te zijn. Er arriveren nog meer vrouwen die komen helpen, en haar zorgen verdwijnen naar de achtergrond. Tante Keang zet ze meteen aan het werk. Chou wast borden, messen en snijplanken af. Hong is met een vriendin roze lotusbloemen aan het wassen, voor de tafeldecoraties. Ze wrijven met hun vingers de aarde en modder van de bladeren. Onderwijl kletsen, lachen en roddelen ze. Vlak bij hen zitten nog twee vrouwen op een krukje; ze zijn druk bezig om bosuitjes en knoflook fijn te hakken. Naast hen is een vrouw aanmaakhout aan het hakken voor het vuur om water te koken. Als het water heet genoeg is, pakt tante Keang een kip van een stapel van wel vijftig stuks en houdt hem ondersteboven aan zijn poten boven het hete water. De kop is eraf gehakt en het bloed is eruit gelopen. Tante Keang dompelt hem onder in de pan. Na een paar minuten haalt ze hem eruit en doet ze hetzelfde met de volgende kip, tot ze ze allemaal gehad heeft. Chou pakt de hete, natte kippen van haar aan en geeft ze door aan een groep vrouwen die in een kring zitten. Tussen het lachen en giechelen door plukken ze de kippen. Chou loopt weg en gaat in een grote pan met witte rijstsoep roeren. Dan pakt ze een metalen spatel en draait de stukken gedroogde gezouten vis in een koekenpan om. Als alles klaar is, schept ze de soep in kommen en brengt een blad met soep, lepels en vis naar de vrouwen.

Als het licht wordt en de hanen kraaien, worden de jonge kinderen langzaam wakker en wrijven de slaap uit hun ogen. Tegen de tijd dat hun mondjes opengaan om het eerste geluid van de dag te maken, hebben de vrouwen de aardappels al geschild, de tomaten in plakjes gesneden, de wortels in de vorm van vleermuizen, hebben ze van watermeloen bloemen gesneden, verse noedels gemaakt, vis ontschubd en kip in stukken gehakt. Als de jonge mondjes trillen en om melk roepen keert de eerste ploeg vrouwen terug naar hun hut om voor hun eigen kinderen te zorgen en wordt hun plaats ingenomen door hun jongere zussen, die nog geen kinderen hebben.

Chou brengt de mannen aan een tafel buiten hun ontbijt. Ze zorgt ervoor dat ze oom Leang als eerste bedient, en dan Kim en de anderen. Voor ze weer naar binnen gaat, draait Chou zich om en kijkt even naar Kim. Sinds tante Keang gezegd heeft dat Chou gaat trouwen, is er een ongemakkelijke afstand tussen Kim en haar ontstaan. Chou vraagt zich af of Kim boos is dat ze de keuze van tante Keang zonder slag of stoot heeft aanvaard. Chou heeft nooit de moed kunnen opbrengen om hem ernaar te vragen, zo bang is ze voor zijn antwoord. Terwijl Kim eet, kijkt Chou naar zijn gezicht, en het valt haar op hoe erg hij op mama lijkt. Net als zij heeft hij wél de moed opgebracht om tegen de familie in opstand te komen.

Binnen vegen Chou en de nichtjes de vloer van de hut en de plankenbedden, versieren het vertrek met wilde bloemen, zetten de stoelen recht en maken de wierookkom schoon. Ze vervangen de rode aardewerken kom op het altaar door een glanzende koperen met drakenpatronen erop. Dan zetten ze nieuwe rode kaarsen voor de oude in de plaats. Daarna hangen ze Chinese bruiloftskarakters van rood papier aan de muren en boven alle deuren, voor gezondheid en rijkdom.

De vrouwen werken gestaag door en maken de hut mooi. Even later horen ze motoren brullen: daar zijn Khouy en andere mannen van de familie, die de tent komen helpen opbouwen. Als ze met genoeg zijn, rijden de mannen met hun ossenwagens en motoren weg om de spullen te gaan halen die ze nodig hebben. Als de ochtenddauw in de felle zonnestralen is opgedroogd, komen de mannen terug met houten palen, palmbladeren en bamboetouw om de tent op te bouwen. Het is een en al bedrijvigheid. De mannen hijsen de palen op hun plaats en zetten het staketsel op. Chou loopt naar buiten om te kijken en ziet glimlachend hoe Khouy de leiding neemt en aanwijzingen geeft, terwijl hij aan de zijlijn staat te roken. De anderen naaien de palmbladeren voor het dak aan elkaar en Kim klimt helemaal tot boven in de tent om de onderdelen van het frame aan elkaar vast te maken. Beneden loopt oom Leang van het ene groepje naar het andere en strooit tussen trekjes van zijn sigaret en slokken kokosmelk door instructies rond. Overal zijn neven, buren en vrienden bezig met palen in de grond slaan en stijlen vastmaken om de tent te stabiliseren. Chou ziet dat Pheng in de hoek van de tent een klos met dik nylontouw staat op te winden. Ze verstopt zich snel in de schaduw, maar realiseert zich dat ze helemaal geen vlinders in haar buik voelt bij het zien van haar bruidegom. Als ze aan het huwelijksbed denkt, wordt ze misselijk en weet ze niet waar ze het zoeken moet. Tante Keang noch haar getrouwde vriendinnen hebben ook maar iets verteld en ze hebben haar ook geen advies gegeven over wat ze in haar huwelijksnacht moet doen.

Heel even benijdt ze de vrouwen die zelf hun man uitkiezen, maar die opstandige gedachte zet ze van zich af. Bovendien weet ze dat ze jong en ongeschoold is; zelfs als ze zelf een man zou willen kiezen, zou ze niet weten waar ze op moest letten. Dus trouwt ze met de man die voor haar gekozen is en hoopt ze dat ze op een dag van hem zal houden. Haar getrouwde vriendinnen stellen haar gerust en zeggen dat de liefde na de geboorte van hun eerste kind zal opbloeien. Ze hoopt maar dat ze gelijk hebben, en ze vraagt zich af of Pheng haar zelf gekozen heeft of dat zijn ouders hem gedwongen hebben met haar te trouwen. Maar vermoedelijk maakt dat niets uit.

'Mama, papa,' fluistert ze. 'Vandaag is mijn trouwdag.' Chou probeert als een vrouw te klinken, en daarblij klinkt haar stem zacht en ferm. 'Papa, bedankt dat je voor me hebt gezorgd. Mama, je hoeft je geen zorgen meer om me te maken. Alles komt goed.' Ze stelt zich voor dat ze samen met Pheng voor hen neerknielt om van hen de zegen te ontvangen.

'Chou,' zegt Hong, en ze legt haar hand op Chous schouder. 'Je moet je gaan klaarmaken. De gasten kunnen elk ogenblik komen.'

Hong gaat met Chou een provisorisch kamertje in, afgeschermd met roodkatoenen gordijnen. De meisjes houden op met werken en lopen er snel naartoe om de jurk te bekijken die op het plankenbed uitgespreid ligt. Ze gillen van opwinding en een parade van handen begeleidt haar naar een stoel.

'Chou, vandaag maak ik een mooie prinses van je,' zegt de kleedster, met haar handen vol met een schaar en goudkleurige goedkope sieraden.

'Ik ben maar een boerenprinses,' zegt Chou lachend, en ze gaat zitten. Op haar troon voelt Chou hoe haar vermoeide lichaam zich ontspant. Kon ze maar even een dutje doen. Maar de kleedster houdt haar wakker door met een pincet kleine haartjes uit haar dikke zwarte wenkbrauwen en slapen te trekken. Als de kleedster een roze-wittige foundation op haar gezicht smeert, waardoor ze twee tinten blanker wordt, is Chous voorhoofd nog steeds gevoelloos. De kleedster brengt donkere houtskool op haar wenkbrauwen en oogleden aan en smeert dan rode lipstick op Chous wangen en lippen. Als ze klaar is ziet Chou eruit als een Chinese pop van roze plastic.

'Nu nog prinsessenhaar,' zegt de kleedster tegen de groep. Vervolgens toupeert ze Chous krullende haar en bindt het boven op haar hoofd in één grote knot samen, die ze met dertig grote zwarte haarspelden vastzet die in Chous hoofdhuid prikken. Het meisje hapt naar adem en de vrouw zet een goudkleurige tiara met schittersteentjes voor de knot en zet die met nog eens twintig prikkende haarspelden vast. Als ze klaar is, breekt ze drie eieren, waarvan ze de dooier van het eiwit scheidt. Eén meisje loopt met de dooiers naar de keuken, zodat de kok ze door het gele cakebeslag kan mengen, en de kleedster mengt de eiwitten met limoensap in een kom. Met dit mengsel bestrijkt ze de pieken van Chous haar, zodat het kapsel op zijn plaats blijft.

'Wat zie je er mooi uit!' zeggen de meisjes.

Chou komt wankel overeind, maar ze straalt en lijkt op de gouden dansgodin Apsara. Heel even is Chou de oorlog, haar vieze handen en het feit dat Meng en Loung er niet zijn vergeten. Ze voelt zich mooi in haar gehuurde, strakke glanzend gouden jurk en met haar fonkelende glitteroorbellen in. Als ze ronddraait, dansen de dikke gouden armbanden en polsbanden met haar mee.

'Je lijkt wel een prinses!' roepen de meisjes in koor.

'Ik bén ook een prinses,' zegt een nieuwe speelse Chou lachend.

Wanneer de gasten binnendruppelen, komt Chou tussen de opengeschoven rode gordijnen tevoorschijn. De aanwezigen vallen stil. Er zitten dertig à veertig naaste familieleden en goede bekenden, allemaal met hun mooiste, kleurigste kanten hemd en sarong aan. Chou voelt dat aller ogen op haar zijn gericht, dat de mannen haar uiterlijk keuren en de vrouwen kijken of alles tot in de details in orde is. Chou buigt bescheiden haar hoofd.

'Chou is mooi,' verkondigt Amah tegen iedereen.

Chou kijkt op en ziet dat Kim en Khouy stralend en trots als een pauw naar haar kijken. Als Hong Chou naar de tent brengt, voelt ze dat haar gezicht onder de roze make-up rood wordt. Onder de ingang van de met bladeren bedekte tent staat Pheng op haar te wachten, met een blauw pak en een wit overhemd aan, een zwarte das en een grote bloem van rode stof op zijn borstzakje gespeld.

Chou gaat verlegen bij hem staan, haar hoofd gebogen en haar armen langs haar lichaam. De vrienden arriveren, een voor een, jong en oud, te voet, op de fiets, per wagen of met de motor, en ze worden door de jonge bruid en bruidegom begroet. Zodra de gasten langs het paar zijn, gaan ze naar binnen, waar ze gaan zitten op een plastic stoel met hoge rug aan een tafel die versierd is met knalroze stof.

Gedurende de vele decennia van oorlog en vrede is de Cambodjaans-Chinese cultuur in veel opzichten veranderd, doordat mensen van verschillende cultuur en ras onderling trouwden. Voor de grote dag van Chou heeft de familie ervoor gekozen de traditionele Cambodjaanse ceremonie, die officieel drie dagen duurt, tot één middag in te korten.

Dan volgt de verkorte Chinees-Cambodjaanse huwelijksceremonie, die een uur duurt. Om de zegen in een Chinese theeceremonie te ontvangen moeten de bruid en bruidegom neerknielen voor twee oudere familieleden die op een stoel zitten en hun thee aanbieden. Na een slokje thee geven de oude mensen het paar een rode envelop met daarin een paar Cambodjaanse riel, kleine gouden sieraden en goede wensen voor geluk, rijkdom, veel zonen en goede gezondheid. Na de Chinese theeceremonie gaat het jonge paar naar een hoek van de tent, waar een rode deken is neergelegd en de Cambodjaanse ceremonie met het touwtje zal plaatsvinden. Tante Keang zegt dat Chou en Phen dicht bij elkaar moeten gaan zitten, met hun knieën dezelfde kant op. Twee oude vrouwen duwen hen omlaag, zodat ze met hun ellebogen op een groot rood kussen steunen. Terwijl ze daar zo zitten te bidden, met hun handen tegen elkaar, vragen familieleden of de gasten een rood touwtje om hun polsen willen binden en hun de zegen willen geven, opdat het een langdurig huwelijk mag zijn.

Aan het eind van de ochtend heeft het echtpaar de zegen van familie, vrienden, gasten en monniken ontvangen, en zijn ze in de ogen van hun gemeenschap officieel getrouwd. Het laatste ritueel bestaat eruit dat ze bij alle tafels langsgaan en alle gasten persoonlijk begroeten. Ondertussen wordt er eten en drinken geserveerd. Bij elke tafel brengen de gasten een toost uit op het geluk, de rijkdom, gezonde kinderen en een goede gezondheid. Terwijl Chou samen met haar gasten theedrinkt, kijkt ze gretig naar het eten, maar ze heeft nog geen tijd gehad om zelf iets te nemen. Vanuit haar ooghoek kijkt ze naar Pheng, die staat te zweten in zijn pak en bleek ziet van de honger. Ze hebben nog bijna niks tegen elkaar gezegd, maar toch toost Pheng met hun gasten op Chou en glimlacht hij vaak naar haar. Als ze de tent door lopen, merkt Chou dat Pheng kleine passen neemt, zodat zij niet hoeft te hollen.

Als de zon over de tent daalt en lange schaduwen werpt, hebben de gasten geknaagd, gebunkerd, geslurpt, gezogen, van alle acht gerechten genoten en zitten ze zich tevreden over de buik te wrijven. Dan verlaat de ene na de andere familie de tent en gaat iedereen weer langzaam terug naar huis.

Zodra de laatste gast naar buiten is, trekt Chou haar prinsessenjurk uit en haar boerenkleren weer aan. Dan eten Chou en Pheng snel het eten dat tante Keang voor hen apart heeft gehouden. Als ze klaar zijn, ruimen Chou en de vrouwen van de familie de tafels af, vegen de vloeren, wassen de borden af en maken de tafelkleden schoon. De mannen halen de tent uit elkaar en hakken de palen klein tot brandhout. Zodra Chou klaar is met afwassen, loopt ze rond om te kijken of ze nog iets kan doen. Als de avond valt is zelfs Khouy terug naar huis, samen met Kim en twee neven op zijn motorfiets.

'Neem me mee!' wil Chou roepen, maar ze houdt haar mond en duwt haar hielen in het zand. Chou en Pheng verlaten stilletjes het huis van oom Leang en tante Keang en lopen een paar meter naar hun nieuwe rietgedekte hut, die op het terrein van de familie gebouwd is. Met bonkend hart en zwetende handpalmen kijkt Chou hoe Pheng hun deur dichtdoet.

20
Schrijf op wat je weet

November 1986

'Loung, wakker worden!' Eang steekt haar hoofd om de deur van mijn kamer.

'Ik ben al wakker,' mopper ik in mijn kussen. Mijn haar is net een rommelige sjaal die in mijn gezicht hangt. De klok op het nachtkastje zegt dat het kwart voor zeven is, maar doordat de gordijnen dicht zijn is het nog pikkedonker in mijn kamer. Meestal spring ik zodra de wekker gaat mijn bed uit, maar vandaag heb ik al drie keer op de sluimerknop gedrukt.

'Voel je je wel lekker?' vraagt ze met bezorgde stem.

'Ja hoor,' mompel ik in mijn kussen.

Met slaperige ogen zie ik dat Eang op de rand van mijn bed gaat zitten en me aankijkt. Sinds ons ruzieachtige begin als schoonzusjes zijn Eang en ik inmiddels meer moeder en dochter geworden. In tegenstelling tot de moeder van Beth spreekt Eang haar liefde niet uit, maar laat ze die blijken door mijn lievelingsgerechten klaar te maken, mijn lades vol te leggen met warme sokken en altijd als ze boodschappen doet een zak chips met zout en azijn voor me mee te nemen. Ik doe mijn ogen dicht en voel hoe ze het haar uit mijn gezicht strijkt, met vingers zo licht als die van een moeder. Dan legt ze haar hand op mijn voorhoofd en wangen.

'Je bent niet warm,' zegt ze. 'Hup, eruit, anders kom je te laat op school.'

'Oké,' antwoord ik, en ze loopt mijn kamer uit.

Het is stil in huis. Ik ga zitten en strek mijn armen uit naar het plafond. Mijn lichaam wordt langzaam wakker en er loopt een vervelende pijn van mijn schouders over mijn ruggengraat naar mijn onderrug. Als ik opsta, schiet de pijn door mijn dijen en kuiten. Ik heb kramp in mijn lies en mijn bekken klopt alsof mijn benen uitgerekt en uit elkaar getrokken worden.

In de badkamer hangen de nare dromen van die nacht nog als donkere donderwolken boven mijn hoofd. Ik ben nu al een jaar ongesteld en elke maand komen de oorlog en soldaten dan weer langs. 's Nachts lig ik te woelen in bed om de soldaten, weerwolven, vampiers en andere monsters die me proberen te verkrachten en te vermoorden van me af te schudden. 's Ochtends zie ik in de spiegel een meisje met donkere angstogen, een asgrauwe huid en lippen die zo droog zijn dat er stukjes doorzichtige huid aan hangen, als gescheurd plastic in de bouw. Met duim en wijsvinger trek ik ik de dode huid er als een nijdnagel af. Hoe harder ik trek, hoe erger mijn lippen barsten en gaan bloeden. Maar dat vind ik niet erg. Ik poets mijn tanden, kleed me aan en ga de deur uit, naar school, terwijl de geesten me op de hielen zitten.

Ook op school laten de wolken me geen moment met rust. Terwijl ik naar mijn lokaal schuifel, worden de gangen op het ritme van de pijnscheuten in mijn hoofd licht en weer donker. De kinderen om me heen bewegen onophoudelijk hun mond, ze vormen keelklanken en maken onsamenhangende geluiden. Voor ze geeft een groepje jongens elkaar de high five, terwijl ze pronken met hun gemakkelijke glimlach en nonchalante gedrag. De meisjes drommen om de jongens heen, gooien hun hoofd in hun nek en lachen met hun mond zo wijd open dat ik hun roze tong kan zien. Ik staar de meisjes aan terwijl ze samen hun lokaal in lopen. Hun populariteit, schoonheid en zelfvertrouwen sprankelen als toverstof in het zonlicht. Ik wil naar hen toe rennen, hen bij de schouder pakken en heen en weer schudden tot hun geheimen als vruchten uit de boom vallen.

Als ik in de Engelse les van meneer Johnson arriveer, zie ik hem als een gigantische bruine beer door het lokaal heen en weer lopen, klaar om willekeurig welke nietsvermoedende leerling te grazen te nemen. Meneer Johnson loopt langs ons en kijkt ons vanachter zijn dikke bril met gefronste wenkbrauwen aan. De meisjes lachen en de jongens en hij gooien over en weer grapjes naar elkaar toe, alsof ze aan het frisbeeën zijn. De leerlingen weten maar al te goed dat meneer Johnson meer een teddybeer dan een grizzlybeer is. En deze zeer populaire beer staat erom bekend dat hij als een leerling jarig is, op zijn bureau springt om hem of haar een serenade te brengen.

'Jongens, allemaal rustig gaan zitten,' buldert meneer Johnson door het lokaal. 'We gaan vandaag heel hard werken.'

En met die woorden neemt meneer Johnson de klas mee op een literaire reis naar de wereld van Ernest Hemingway en *De oude man en de zee*. Terwijl de klas het boek bespreekt, zit ik te draaien op mijn stoel, voel ik het rood uit mijn lichaam stromen en dwalen mijn gedachten af naar mama. Ik kijk naar buiten, naar de strakblauwe lucht. De bladeren beginnen al bruin te worden. Nog even en ze sterven af en vallen op de grond, waar ze wegrotten.

Je moet voor hen leven, omdat zij zijn doodgegaan. Deze gedachte baant zich plotseling een weg naar het witte vel papier op mijn bureau. Ik leg mijn pen neer en sla mijn handen in elkaar. *Zijn ze voor mij doodgegaan? Zijn ze voor mij doodgegaan?* De vraag spookt als een donkere wolk door mijn hoofd. *Zou papa hebben kunnen ontsnappen als hij zich geen zorgen om mij had hoeven maken?* Onder mijn tafeltje bibberen mijn knieën en slaan tegen elkaar. De tranen springen me in de ogen. Ik zie mezelf op het gras onder de boom liggen, bedekt onder de gevallen bladeren.

Meneer Johnson praat verder en ik buig mijn hoofd en kijk naar de tekeningen die op mijn tafel zijn gekrast. In vervaagde zwarte inkt lees ik S HOUDT VAN L, daarna in blauw A . M, in een hartje gekrast. Voorzichtig schrijf ik er C IS OP L tussen. De rest van de les dagdroom ik over Chris. Mijn gedachten komen tot rust en ik denk niet meer aan papa.

'Goed, jongens. Omdat jullie zo je best hebben gedaan krijgen jullie nu je opstel terug.' Meneer Johnson deelt de opstellen langzaam uit en legt dat van mij net wanneer de bel gaat op mijn tafeltje. De andere leerlingen lopen snel het lokaal uit, maar ik zit verstijfd naar de 10 boven het opstel te kijken.

'Meneer Johnson, dit klopt vast niet!' roep ik uit terwijl ik opsta. Meneer Johnson loopt naar me toe en gaat op het tafeltje naast me zitten.

'Nee, het klopt wel,' zegt hij, en hij glimlacht. 'De opdracht luidde dat je een opstel moest schrijven over een belangrijke gebeurtenis die je leven heeft veranderd. En jouw opstel over je jeugd in Cambodja en over de Rode Khmer die jullie stad binnenviel, was fantastisch.' Dan kijkt meneer Johnson me aan en praat op zachte toon verder. 'Ik vind het heel erg dat je dat hebt moeten meemaken. Ik vind het heel erg voor je dat je zo veel naasten bent kwijtgeraakt.' Ik klem mijn tanden op elkaar en kijk naar de 10. Ik voel de ogen van meneer Johnson op mijn wangen branden.

'Dat is de eerste 10 die ik ooit gehaald heb!' verzucht ik, en ik dwing mezelf om te glimlachen, om dit ongemakkelijke moment voorbij te laten gaan. 'Ik weet niet beter of mijn opstellen zijn helemaal rood van de verbeteringen. Wat vreemd is dit.'

'Nou, het was een heel goed opstel. Maar ik zal je dit zeggen: je krijgt pas weer een 10 van me als je de grammatica beheerst. Er zitten heel veel grammaticafouten in je opstel, maar voor deze keer wilde ik je laten weten dat de inhoud soms zwaarder telt dan correcte grammatica.'

'Dank u wel, meneer Johnson.' Ik glimlach weer, maar nu niet meer geforceerd. Ik pak mijn boeken en stop ze in mijn rugzak.

'En Loung, je verhaal is beslist niet af. Als je er ooit over wilt schrijven, moet je het me maar laten weten, dan kan ik je misschien helpen.'

'Dank u wel.'

'Goed, ga nu maar vlug naar je volgende les.'

Als ik het lokaal van meneer Johnson uit loop, voel ik me licht. Ik heb een afspraak met de dekaan. Heel even zijn alle wolken verdwenen. De gang baadt in zonlicht. Op de tegelvloer tik ik met mijn voeten het ritme van 'I'm So Excited!' van de Pointer Sisters – een liedje dat ik maar niet uit mijn hoofd krijg. Bij het kluisje van Beth zie ik dat de jongens uit de tweede klas naar haar ongelooflijk mooie, bruine benen onder haar minirok kijken.

'Beth, je hebt aanbidders,' zeg ik, en ik gebaar naar de jongens.

'Ach ja, ze mogen er alleen maar naar kijken, maar aanraken niet!' Ze doet haar kluisje dicht en lacht. Beth is vijftien en een tint lichter blond dan toen we op de basisschool zaten.

'Hé, ik heb net mijn eerste 10 gekregen, van meneer Johnson!' vertel ik opgewonden.

'Wat goed zeg! Ik vind hem een fantastische leraar.'

'Zeg dat wel,' antwoord ik. 'Heb je zin om na school naar mij te komen?'

'Nee, ik kan niet; ik ga iets met mijn moeder doen.'

En in één klap dalen de wolken met de kracht van een met een gespannen elastiekje weggeschoten knikker weer op me neer. *Vertel me alsjeblieft hoe het is om een moeder te hebben*, wil ik zeggen, maar dat doe ik niet.

'Tot straks,' zwaait Beth, en ze rent naar haar lokaal.

De lucht boven mijn hoofd wordt donkerder. Onderweg naar mevrouw Berringer, de dekaan, probeer ik hem weg te duwen, van me af te schudden. Toen ik voor de eerste keer ongesteld werd, ging ik voor het eerst naar mevrouw Berringer. Elke twee maanden maak ik een afspraak en dan neem ik me voor om haar te vragen naar de rugpijn, de spierpijn en de nachtmerries. Maar als ik in haar stoel zit is mijn ongesteldheid meestal al over, voelt mijn lichaam goed en zijn de duistere gedachten vergeten. Vandaag heb ik ze wel, en ze worden alleen maar erger. Als ik bij mevrouw Berringer aanklop, worden de wolken kleiner en zoemen ze zachtjes als een elektrische storm met een laag wattage boven mijn hoofd.

'Kom binnen, Loung,' zegt mevrouw Berringer, en ze gebaart naar de bank in haar werkkamer. Ze doet de deur met een klikje dicht en dan zijn we alleen.

Ik ga op de bank zitten en zink weg in de kussens. De bank is te hoog voor mij; mijn voeten bungelen in de lucht. Ik vind het vervelend als ik de grond niet met mijn voeten raak. Ik zwaai ze heen en weer en schop alsof ik in water lig en niet wil verdrinken.

'Hoe gaat het met je?'

Mijn gezicht kraakt, alsof ik een moddermasker op heb, en ik zeg: 'Goed wel, geloof ik.'

'Is er iets waar je over zou willen praten?'

Ik mag mevrouw Berringer graag. Ze heeft een vriendelijk en moederlijk gezicht, dat me aan de moeder van Beth doet denken. Toch kan ik niet met haar praten. Mijn verdriet is zo oneindig groot dat ik bang ben dat het me als een zwart gat zal opslokken. Ik ben bang dat ik, als ik me laat gaan en ga huilen, nooit meer kan ophouden. En dus zit ik maar met mijn handen gevouwen en zoek ik naar woorden.

'Nou, ik vind grammatica heel moeilijk,' zeg ik dan maar. Plotseling voelen mijn ogen moe en zijn mijn neusgaten nat vanbinnen. Ik wend mijn hoofd van haar blik af en kijk naar haar boekenkast.

'We kunnen wel bijles voor je regelen.' Mevrouw Berringer schrijft iets in haar notitieblok. En dan is het moment alweer voorbij. 'Ik zal met een paar leraren praten en kijken wat we kunnen doen.'

'En ik ben ook boos dat Shelby een briefje aan Nicole heeft geschreven waarin ze zegt dat ik stom ben. Ik begrijp het niet. Ik ben niet eens bevriend met haar, maar toch vertelt ze lelijke dingen over me.' De woorden stromen naar buiten en ik wou dat ik mijn handen erover kon leggen en ze weer naar binnen kon duwen. Ik wil mevrouw Berringer vertellen dat ik vreselijk veel pijn vanbinnen voel, dat ik het grootste deel van de tijd eenzaam ben en heel vaak bang. Help me alstublieft, wil ik haar smeken. Maar ik doe het niet. Ik weet niet hoe ik mijn mond de woorden die ik wil zeggen moet laten vormen.

En dus ratel ik een half uur lang door over niets. Mevrouw Berringer kijkt naar me en zegt zelf niet veel. Als ik denk dat ze geïrriteerd raakt omdat ik haar tijd met al die onzin verspil, ga ik sneller praten. Mijn mond blijft bewegen, en boven mijn hoofd verspreiden de zwarte wolken zich door de kamer. Achter mevrouw Berringer zie ik de beelden van mijn droom van vannacht als een stomme film in Technicolor op de muur geprojecteerd. Daarin ren ik tussen bomen door, mijn lange haar zit verstrikt om mijn hals en mijn adem gaat snel en oppervlakkig. Er zit een man achter me aan; ik kan hem niet zien, maar ik weet dat hij er is. Plotseling ren ik een huis binnen en pak een mes van de keukentafel. De man komt binnen en de deur kraakt achter hem. Ik grijp hem van achteren beet en terwijl ik met de ene hand zijn keel vastpak, snijd ik die met het mes in de andere hand door. Maar het mes gaat niet door zijn huid. Ik zie dat de rand niet scherp is; ik heb een botermes gepakt. Ik laat niet los maar zaag heen en weer over zijn keel, en kom onder zijn bloed te zitten. Daar waar zijn bloed op mijn armen komt, brandt de huid. Door deze gedachte klontert de gal in mijn maag tot een dikke, grijze, giftige smurrie samen. De gal komt omhoog, ik zet mijn tanden op elkaar, neem een grote hap lucht en hou de ranzige smaak in mijn keel tegen. Als mevrouw Berringer me recht aankijkt, word ik nog banger dat ze me zal vragen of er iets is en dus ga ik nog sneller praten. Terwijl ik doorratel, wordt het bedompt en warm in de kamer, maar mijn huid voelt vochtig en koud aan.

'Goed, je tijd zit erop,' kondigt mevrouw Berringer aan.

'Bedankt dat u naar me hebt geluisterd,' zeg ik, en ik blijf glimlachen.

'Je bent altijd welkom. En kom nog even langs over die bijlessen.'

'Dat zal ik doen. Nogmaals bedankt.'

Ik pak mijn spullen, loop haar kamer uit en ga naar de wc's. Ik loop snel en ga zelfs rennen wanneer ik moet kokhalzen en mijn maag samentrekt. Ik doe vlug de deur van een hokje open, gooi mijn tas op de grond en kniel neer voor de wc. Uit mijn binnenste borrelt een giftige emotie omhoog, en ik moet kokhalzen. Het gif golft uit mijn ingewanden omhoog naar mijn keel, brandt in mijn slokdarm en blijft daar steken. Mijn middenrif trekt nog één keer samen en dan komt het gif naar buiten en gutst over de rand van de pot heen. Het smaakt naar bedorven voedsel en ranzig vocht. Dan komt de oorlog, warm en snel, tussen het geboer en gehik door. Daarna volgen nog meer braakgolven, totdat ik alleen nog maar zuur water uitspuug.

Als de laatste bel gaat, tref ik Beth bij haar kluisje. Terwijl ze haar spullen pakt, zie ik dat Chris zijn arm om Nancy heen slaat – een van de populairste meisjes van school. Mijn hart gaat meteen sneller slaan, alsof we met gym vijf kilometer hebben hardgelopen.

'Kom, we gaan,' zegt Beth, waarmee ze mijn gedachten onderbreekt. 'Jij bent toch mooier dan zij!'

'Geloof je het zelf?' Ik doe alsof ik mijn vinger in mijn mond wil steken en maak een verstikt geluid van zogenaamde walging om Beths complimentje. 'Mag ik even een teiltje?' zeg ik lachend.

Onderweg naar huis is mijn stemming weer oké. De zon schijnt, er staat een windje en er valt geen geest te bekennen. Beth en ik kletsen over wat we meegemaakt hebben, maar ik vertel haar niet over mijn nachtmerries of dat ik moest overgeven. Tussen de verhalen over school en jongens door rollen de wolken langzaam weg en lossen op in de atmosfeer.

Als ik om drie uur thuiskom, gaan Eang en Meng snel naar hun werk.

'Hallo lieverd,' zeg ik, en ik pak Tori op en druk haar stevig tegen me aan. Met mijn andere arm pak ik Maria en draai haar in het rond.

'Joehoe!' Ze gilt het uit van pret. 'Nog een keer, nog een keer!'

'Nee, schat, dan krijg ik hoofdpijn. Kom, we gaan filmsterretje spelen.'

'Oké,' juicht Maria en ze rent de trap op om mijn make-upspullen te halen. Een uur lang bind ik kleurige strikken en linten in het haar van

Maria en Tori; ik kleur hun wangen rood, teken wenkbrauwen, maak hun oogleden felblauw en doe donkere lippenstift bij hen op. Ik trek ze een mooie jurk aan en maak dan met mijn Nikon-camera foto's van ze. Daarna gaan we in het warme namiddaglicht op de schommel zitten en zuigen de geuren van de bloementuin van Eang in ons op. Om zes uur kook ik eten voor ze. De zon gaat dan al onder en werpt duistere schaduwen rond het huis. Om zeven uur doe ik de meisjes in bad. Buiten worden de schaduwen steeds langer en dompelen de wereld onder in een griezelige stilte. Als het acht uur is, liggen de meisjes in bed.

'Ik hou van je,' zeg ik tegen Maria.

'Ik hou miljoen keer van jou,' antwoordt ze.

'Ik miljard keer van jou.'

'Ik hou oneindig veel van jou.' Ze besluit met het zinnetje dat ik haar heb geleerd en valt met een lieve glimlach om haar lippen in slaap.

Ik loop de kamer uit en hoor dan weer de woorden die veel volwassenen tegen Meng en Eang zeggen als ze horen wat wij hebben meegemaakt. 'Ze mag van geluk spreken dat ze op zo'n jonge leeftijd de oorlog heeft meegemaakt,' zeggen ze meelevend. Ze denken dat ik door mijn leeftijd sneller zal genezen, dat ik het me niet zal herinneren. Ze hebben ongelijk. Ik herinner het me wel degelijk, maar ik beschik niet over de woorden om hun erover te vertellen. Het grootste deel van de tijd zwijg ik over de oorlog, maar de oorlog zwijgt niet tegen mij. Hij is altijd bij me, in het geronk van een laagvliegend vliegtuig, het geknetter van vuurwerk, het gehuil van een kind, het geneurie van een moeder, de handen van een vader en het gerommel in mijn buik. En ik heb er schoon genoeg van. Ik heb geen zin meer om te wachten tot de pijn over is. Ik wil hem uit mijn lichaam snijden.

Buiten wordt het donkerder, de wind jammert zachtjes en de bomen ruisen boos. De duisternis trekt in mijn lichaam als een virus dat in mijn buik groeit en zich snel naar mijn borst, longen, hart, armen, benen en hoofd verspreidt. Waar het virus ook komt, maakt het mijn spieren zwak. In mijn kamer druipen de zwarte schaduwen als bloed over de muren. Op tafel tikt de klok de seconden weg.

Ik lig in bed en doe mijn ogen dicht. Als ik ze weer opendoe, loop ik op een begraafplaats. De nachtmerrie trekt als een déjà vu aan me voorbij, met dezelfde open doodskist op mijn pad, met daarin hetzelfde dode meisje dat ligt te wachten. Ik word wakker en trap de deken van me af om te kijken of er bloed op de handdoek zit die ik in bed gelegd heb. Ik gooi de handdoek in de wasmand, neem twee pijnstillers en probeer de slaap weer te vatten.

Maar het meisje is nu altijd bij me en laat me zelfs als ik wakker ben niet met rust. Door haar ogen zie ik Keav moederziel alleen op een vies matje ver weg van haar familie doodgaan. Als ik mijn hoofd omdraai, slaan de soldaten mama weer in elkaar omdat ze geprobeerd heeft een kip te kopen om de hongerige Geak te eten te geven. Dan loop ik achter papa aan, die in een prachtige zonsondergang door de soldaten wordt weggevoerd en aan de rand van een massagraf moet gaan staan.

Ik kom uit bed en loop naar de badkamer, steunend tegen de muur. De muur is koud en onverbiddelijk.

'Ik ben gewoon zo verdrietig,' zeg ik eindelijk hardop, en door die woorden uit te spreken komt er iets in me los. Als je ongesteld wordt betekent dat dat je chemische huishouding verandert, houd ik mezelf voor. Ja, je chemische huishouding verandert.

Ik kijk in de spiegel en zie een meisje dat me aankijkt. Haar wimpers zijn nat, haar gezicht is angstaanjagend; ze lijkt op het dode meisje in mijn dromen. En weer stromen mijn tranen; ze breken als de golven van de oceaan en sleuren me mee naar beneden.

'Ik ben moe.' Moe, moe, moe... Ik pak een flesje pijnstillers uit het medicijnkastje. Ik stop er vier in mijn mond. De pijn is nog steeds niet weg. Ik strooi mijn hand ermee vol. De pillen dansen op mijn handpalm, glanzend wit en uitnodigend.

'Ik wil alleen maar slapen,' fluister ik. 'Ik mis jullie zo.' Het verdriet is een zwart gat diep vanbinnen; een vacuüm dat al het licht wegzuigt. 'Ik wil niet meer vluchten.'

Ik voel niets. Tegelijkertijd voel ik alles. Ik breng mijn hand naar mijn mond en slik de pillen door. De kalk blijft steken in mijn keel, maar ik pers ze erdoorheen. Ik kruip weer in bed en laat mijn lichaam in de matras zakken. Ik vraag me af hoe het voelt om in de aarde te zakken. Ik droom dat papa en mama ergens in Cambodja samen in de grond liggen te slapen. Ik doe mijn ogen dicht en wacht tot papa me komt halen. Tori huilt in haar ledikant, maar ik sla geen acht op haar.

'Meng en Eang zijn zo thuis,' fluister ik vanuit mijn kamer tegen haar. Maar Tori zet het nog harder op een brullen en wil aandacht van me. Haar gejammer maakt iets in me wakker.

Ik zie beelden van Maria die zich over me heen buigt. Terwijl ze over mijn wangen aait om me wakker te maken, trekt ze haar gezichtje in allerlei plooien. Naast haar kruipt Tori in een vieze luier over me heen en brult dat ze verschoond wil worden. Als ik niet wakker word, begint Maria te gillen en trekt aan mijn arm. Als Maria weg is, zie ik Geak van vier jaar die mama's hoofd in haar armen heeft. Haar oogleden zijn rood en dik en ze probeert mama's ogen met haar pietepeuterige vingertjes open te wurmen. Als mama niet wakker wordt, slaat Geak haar armpjes om haar hals en weigert haar nog los te laten. Haar stille kreten verwonden mij duizend keer dieper dan een sneetje met een mes. Langzaam weet ik mijn ogen open te krijgen. Ik weet dat ik Maria niet zo mag laten lijden als Geak geleden heeft.

Eindelijk weet ik me los te maken van het verdoofde gevoel en kots ik de pillen er in de wc weer uit. Ik ga de kamer van de meisjes binnen en neem Tori in mijn armen. Ik doe heel stil, geef haar een schone luier en leg haar weer in haar bedje. Voor ik de kamer uit ga, stop ik Maria's deken onder haar kin en voetjes.

'Ik hou oneindig veel van je,' zeg ik. Ik hoop dat Geak, Keav, mama en papa, waar ze ook mogen zijn, mijn woorden horen.

Als ik weer ik bed lig, doe ik het licht aan en haal ik een stapel papier uit de la van mijn nachtkastje. De maan glimlacht goedkeurend als ik een zwarte pen pak.

'Ik ben geboren in Phnom Penh, Cambodja,' begin ik.

DEEL III

Hereniging in Cambodja

21
Solo vliegen

Juni 1989

'Kgo, wat zie je er mooi uit!' complimenteert Tori van vier me.

'Ja, leuk je haar zo bol,' zegt Maria, en ze trekt aan een van mijn krullen.

'Voorzichtig hoor!' zeg ik. 'Ik ben twee uur met deze iele krultang bezig geweest om ze zo te krijgen.' Ik trek nog een paar plakkerige plukken verbrand, lang zwart haar van de tang, rol ze tussen mijn vingers op en gooi ze in de plastic pedaalemmer, als een uitgebraakte haarbal van een kat. Normaal gesproken ben ik nooit zo lang met mijn haar bezig, maar wat maakt het ook uit? Het is zaterdag, en het laatste grote feest van mijn middelbareschooltijd.

'Kgo, doe je dat aan of heb je nog iets anders in je tas?' Maria, negen jaar oud, is griezelig slim én mooi.

'Wijsneus!' zeg ik, en ik geef geen antwoord op haar vraag – niet omdat ik bang ben dat ze me zal verraden, maar omdat ik veel te druk bezig ben met extra sterke lak op mijn krullen spuiten. Al zijn Maria en Tori nog zo jong, ze begrijpen allebei intuïtief dat er dingen in mijn leven zijn waar hun ouders niets van hoeven te weten, vooral dingen waar jongens mee gemoeid zijn. Aangezien ik al die jaren vanaf drie uur 's middags tot twaalf uur 's nachts op hen heb gepast, hebben ze mijn vriendjes allemaal wel eens gezien als ze even langskwamen. Al die keren hadden gebruikt kunnen worden om me te chanteren om later naar bed te mogen of om bepaalde televisieprogramma's te mogen zien, maar dat hebben ze nooit gedaan. Zelfs als Maria heel brutaal en kwaad op me was, heeft ze nooit gedreigd dat ze over mij en de jongens aan haar ouders zou vertellen.

Toegegeven, vergeleken met Amerikaanse meisjes zijn mijn ervaringen met jongens nogal tam: ze behelzen niet meer dan een paar kusjes en handen vasthouden. Maar dankzij de televisie en alle films over meisjes die drugs gebruiken, het met jongens aanleggen en op straat liggen dood te gaan, heeft Meng besloten dat ik, als ik ook maar een piezeltje vrijheid krijg, op de een of andere manier zo'n slecht meisje word dat stomme dingen uithaalt met jongens en drugs. Meestal vind ik het idee dat mijn broer denkt dat zijn onpopulaire zusje een wild en fout leven vol jongens en feesten zou kunnen leiden alleen maar lachwekkend. Maar soms word ik zo boos om dit waanbeeld dat ik me als Speedy Gonzales uit de voeten wil maken, ver bij hem vandaan.

'Beth is er!' roept Maria, terwijl ze uit mijn raam kijkt.

'Dank je wel, lieverd.' Ik sta voor de hoge spiegel en inspecteer mijn braaf dichtgeknoopte bruine blouse en zwarte rok tot halverwege mijn kuit. Dan bind ik mijn haar in mijn nek samen.

Toet-toet, roept Beths blauwe Hondaatje.

'Mijn kamer uit, jongens,' zeg ik, en ik jaag de meisjes weg, pak mijn tas en doe mijn deur dicht. Onder aan de trap slaak ik een zucht van verlichting, omdat ik zie dat Meng niet op de bank zit en de deur in de gaten houdt. Het is negen uur 's avonds, en dat is normaal gesproken het tijdstip waarop hij lekker op de bank tv kijkt of een van zijn Chinese boeken leest. Jammer genoeg heeft een heel slechte ontwerper de voordeur in de woonkamer laten uitkomen, waardoor al mijn pogingen om onopgemerkt het huis te verlaten worden gefnuikt. Maar vanavond valt Meng nergens te bekennen. Misschien kan ik 'm dit keer ongezien smeren, denk ik. Ik doe snel mijn sandalen met hakken van vijf centimeter aan, pak mijn sleutels die boven op de tv liggen en doe de deur van mijn gevangenis open. Net als ik de drempel naar de vrijheid wil oversteken, komt Meng de kamer in gerend.

'Waar ga je naartoe?' vraagt hij.

'Ik ga bij Beth eten en daarna misschien naar de film, of we spreken met de meisjes af,' zeg ik. Het woord 'feest' vermijd ik.

'Wie spreekt er nou in 's hemelsnaam zo laat pas af?'

'Het is de laatste dag van school. Dan begint alles pas laat.'

'Hoe laat ben je thuis?'

'Om twaalf uur,' lieg ik, en ik wil naar buiten lopen.

'Wacht eens even. Kom terug,' beveelt Meng.

'Wat nou weer?' Ik loop met tegenzin weer naar binnen. Ik blijf stokstijf van de irritatie staan, Meng komt naar me toe en maakt het bovenste knoopje van mijn blouse dicht.

'Oké,' zegt hij met een glimlach. 'Nu mag je weg.'

'Nou, bedankt.' Ik kijk hem met gefronste wenkbrauwen van de gêne aan.

Lieve god, denk ik. Ik ben negentien! Ik ren boos naar buiten en stap in bij Beth.

'Hè, bedankt dat je me bent komen ophalen.'

'Graag gedaan.'

'Sorry dat je even moest wachten, maar je wilt gewoon niet geloven wat mijn broer net gedaan heeft!'

'Wat nu weer?'

'Hij heeft mijn bovenste knoopje voor me dichtgedaan!'

'Dat méén je niet!' Beth moet zo hard lachen dat het stuur ervan schudt.

'Jemig, ik weet gewoon niet meer of hij het nu voor de grap doet of niet. Afgelopen maand zijn we met z'n allen naar Montreal geweest. We stopten bij een wegrestaurant, ik ging naar de wc en toen floot een of andere achterlijke vrachtwagenchauffeur naar me. Meng is uitgestapt en achter me aan naar de wc gekomen! Daar heeft hij buiten staan wachten tot ik klaar was, zodat hij met me mee terug naar de auto kon lopen. Ik wist niet wat me overkwam. Wat was hij van plan? Die vrachtwagenchauffeur woog waarschijnlijk meer dan tweehonderd kilo. En Meng weegt zestig kilo. Ik schaamde me echt dood.'

Als Beth uitgelachen is, draait ze zich naar me toe en zegt op serieuze toon: 'Maar schat, het is een goeie vent. Een beetje vreemd, oké. Veel te beschermend, ook waar. Maar het is een hardwerkende, goeie vent met goede normen en waarden, anders zou jij niet zo leuk geworden zijn.'

Ik weet natuurlijk dat Beth gelijk heeft. Meng ís ook een goeie vent. En ik ben dankbaar dat hij me al die jaren te eten en een dak boven mijn hoofd heeft gegeven, en dat hij heel hard heeft gewerkt, zodat ik naar school kon blijven gaan. Maar ik voel me een worm in een cocon, die door al die draden veilig en verborgen gehouden moet worden. Ik kan haast niet wachten tot ik me uit al die beletsels kan losmaken en er dan achter zal komen of ik ga vliegen of plat op mijn gezicht val.

'Goed, rijd een beetje langzamer, zodat ik me kan omkleden voor we er zijn,' zeg ik tegen Beth als we eenmaal op veilige afstand van mijn huis zijn.

Ik haal een zwart minirokje uit mijn tas. Ik trek snel mijn rok omlaag en wriemel me in het strakke rokje. Dan doe ik de hoog dichtgeknoopte blouse uit en trek een mouwloos zwart topje aan dat strak over mijn borsten zit. Ik steek mijn hand in mijn bh en duw mijn borsten op, in de hoop dat ze er voller uit zullen zien.

'Al die jaren van "ik moet, ik moet, ik moet grotere borsten krijgen" hebben me niks opgeleverd!' klaag ik. Ik trek het spiegeltje omlaag, doe mijn haar los en mijn favoriete grote zilveren oorringen in. 'Cool, ik lijk Cher wel!'

'Ja, je haar staat er in elk geval ver genoeg voor uit!' lacht Beth.

Als we op het feest aankomen, staan de meeste coole leerlingen al te roken en bier te drinken. Ze staan bij elkaar in een hoek en nemen de ruimte in beslag alsof zelfs de lucht eromheen van hen is. Rondom deze kring genetisch gezegenden hangen de bloedzuigers die alles doen om bij de uitverkorenen te horen. Net als de echte wriemelende bloedzuigers hebben ze twee monden: een om zoete praatjes mee te verkopen en een om je zwart te maken tegenover wie maar wil luisteren, enkel en alleen om er zelf interessant door te lijken. Ik ben altijd enorm op mijn hoede als er bloedzuigers in de buurt zijn en kijk gefascineerd toe hoe ze zich aan hun gastheer vastklampen en die leegzuigen.

Alsof mij dat wat kan schelen, mopper ik op mezelf. Ik weet dat ik bij geen enkele groep hoor, behalve hooguit bij de buitenbeentjes, maar wat maakt het ook uit, ik ga hier toch binnenkort weg! Ik ben nu volwassen! En volwassenen verspillen hun tijd niet aan onbelangrijke vragen als 'hoor ik er wel bij?'.

Als ik Beth met een paar mensen die wij kennen zie praten, loop ik in mijn volwassen kleren naar haar toe. Onder het lopen schuift mijn rok over mijn dijen omhoog en ik doe een onhandige poging hem omlaag te trekken. Als ik naar mezelf kijk in dit schaars verlichte vertrek, is het net alsof mijn lichaam in mijn zwarte outfit verdwenen is en alleen mijn benen licht vangen.

'Hé, Loung. Wat een dikke benen!' Hoewel Tim dat in het tweede jaar tegen me geroepen heeft, hoor ik het, als ik me onzeker voel, nog steeds. Ik kijk naar de andere kant van de zaal en zie Tim midden in de coole hoek staan.

Een uur lang zit ik met een of andere jongen te praten die zich waarschijnlijk net zo erg verveelt als ik, maar ik heb geen betere kandidaat, dus blijven we bij elkaar zitten. Elke keer als hij even zijn mond houdt, tuur ik de zaal af of ik Chris zie. Ik zie hem nergens, dus stel ik Beth voor om maar weg te gaan. Zij heeft het ook niet zo naar haar zin, dus we gaan.

Ik kom om half twaalf thuis; het is donker en iedereen slaapt.

Dat was dan het wilde leven dat ik volgens Meng leid, denk ik, terwijl ik mijn kamer binnenschuifel, mijn hoge hakken uittrek en op bed neerval. 'O, maar morgen is de diploma-uitreiking!' zeg ik hardop, blij. 'En over twee maanden ben ik weg, het huis uit,' fluister ik. 'Dan ga ik pas echt leven.'

Ik wijt mijn gebrek aan sociaal leven aan de strenge regels van Meng, aan het eindeloze babysitten en aan het feit dat de herinneringen maar niet weg willen gaan. Die herinneringen en het onvermogen los te komen van Cambodja wijt ik grotendeels aan Meng. Ik weet dat de geesten van de Rode Khmer me geen moment met rust laten, daar waar ik ben rondzweven, tijdens het eten van mijn bord mee-eten en aan mijn bureau zitten als ik 's avonds mijn huiswerk maak. Ik ga hen liever uit de weg en maak geen contact met hen. Maar ik zie ze terug in Meng. En ook al praten hij en ik niet over hun aanwezigheid, door de blik in zijn ogen en de frons op zijn gezicht, elke keer dat het over Cambodja gaat, kan ik pas aan ze ontsnappen als ik aan hem ontsnap.

Over twee maanden ga ik hier weg. Ik ga maar tien kilometer verderop wonen, maar toch verheug ik me op de universiteit en stel ik me voor dat ik er een vrij leven zonder schuldgevoelens kan leiden en dat ik me er geen zorgen hoef te maken over hoe het in Cambodja gaat. Als ik niet meer bij Meng woon kan ik me te buiten gaan aan een dure maaltijd, zonder meteen te hoeven denken: van die twintig dollar moet Khouy de hele maand leven. Ik zal op de campus lichtvoetig en onbezorgd kunnen rondlopen, net als de andere Amerikanen.

Ik draai me op mijn buik en zie een brief op mijn nachtkastje liggen. Als ik de eerste woorden lees zijn de ongemakkelijke momenten van het feest plotseling als sneeuw voor de zon verdwenen.

'Geachte mevrouw Ung,' opent de brief. 'Het doet ons plezier u te kunnen meedelen dat u het Turrell Scholarship Fund is toegekend.' Ik druk de brief tegen mijn borst.

'Dank u wel, mevrouw Berringer, dat u me hieruit hebt geholpen!' zeg ik dankbaar voor me uit.

Ik kan gewoonweg niet geloven dat ik een half jaar geleden nog op de kamer van mevrouw Berringer zat en dacht dat ik niet zou gaan studeren. Terwijl ik tegen mijn tranen vocht, rekende mevrouw Berringer het aantal leningen uit dat ik kon aanvragen en wat voor beurzen ik zou kunnen krijgen. Toen ik het prijskaartje zag, trilden mijn handen van angst.

'Zo veel geld heeft mijn familie niet,' had ik toen somber gezegd.

'Je kunt leningen aanvragen en je krijgt beurzen,' had ze gezegd, en ze had erop aangedrongen dat ik zou doorzetten. Maar het idee om zo'n grote lening aan te vragen, terwijl het gezamenlijke inkomen van alle mensen van het dorp van Chou nog maar een fractie was van wat ik zou moeten lenen – nou ja, daarmee werd de strop om mijn hals zo strak dat ik bijna dacht dat ik zou flauwvallen.

'Ik krijg amper nog adem als ik alleen al die bedragen zie!' had ik tegen haar gezegd.

'Hier heb je een aanvraagformulier voor een beurzenfonds waar jij volgens mij wel voor in aanmerking komt.'

'Mevrouw Berringer, mijn cijfers zijn niet hoog genoeg. Niemand geeft mij een beurs!'

'Doe het nou maar. We vullen het samen wel in.'

Vijf maanden en één gesprek later kreeg ik een brief van het Turrell Scholarship Fund om mij te laten weten dat het fonds vier jaar lang mijn collegegeld, kost en inwoning, boeken en ziektekostenverzekering zou betalen.

'Ik ga studeren en het kost me geen cent!' lach ik, en ik bonk met mijn benen op de matras. 'Waar u ook bent, mevrouw Berringer: nogmaals heel erg bedankt!'

Ik val in slaap en droom dat ik vlieg. Met mijn armen uitgespreid als vleugels en mijn haar met linten erin wapperend achter me aan. Ik vlieg als een draak. Ik kijk omhoog naar de lucht en wil niets liever dan zo de hemel in schieten, maar ik doe het niet. Ik ben bang dat als ik te hoog ga en anderen me zien, ze me te pakken zullen nemen en me open zullen snijden om te kijken wat er mis met me is en hoe het komt dat ik kan vliegen. Dus zweef ik alleen maar boven de bomen.

Een paar uur later doe ik mijn ogen open omdat ik het vertrouwde gekletter van Eangs pannen hoor. Ze is ontbijt voor ons aan het maken. Ik douche snel, was mijn haar, föhn het droog en maak het dan weer vies met haarspray. Als ik weer in mijn kamer ben zie ik Eangs sarong met Cambodjaans dessin en blouse keurig uitgespreid op mijn bed liggen. Ik weet dat Meng graag wil dat ik iets uit Cambodja onder mijn eindexamentoga draag. Maar aan de deur hangt mijn sexy roze, iets minder strakke, maar wel lekker zittende westerse jurkje.

Ik haal een schoenendoos onder mijn bed vandaan met daarop de tekst: DOOS MET HEEL BELANGRIJKE DINGEN. Daarin zitten mijn tekeningen, gedichten over de dood en doodgaan, brieven en de driehonderd bladzijden die ik twee jaar geleden over Cambodja, ons gezin en de Rode Khmer heb geschreven. Naarmate de maanden en jaren verstreken heeft mijn lichaam zich aan zijn nieuwe vorm aangepast en het trauma van de puberteit overleefd. De oorlog achtervolgde me minder erg en de behoefte om erover te schrijven verdween.

Terwijl ik naar de bladzijden kijk, trekt er een waas voor mijn ogen. Toen ik ze volgeschreven had en mijn eigen demonen op papier had vastgelegd, heb ik ze in deze doos opgeborgen en me verder op mijn Amerikaanse leven geconcentreerd. Nu, twee jaar later, lijkt de oorlog zo lang geleden dat ik soms bijna niet kan geloven dat ik hem zelf heb meegemaakt.

Als de oorlog een verhaal van heel ver weg is, dan is het meisje dat deze bladzijden geschreven heeft nu een vreemde voor me. Ik blader ze door en mijn handen trillen bij de herinnering aan het schuldgevoel en de pijnlijke emoties die het verhaal teweeg hebben gebracht. Ik weet nog dat het meisje toen ze eenmaal met schrijven begonnen was niet meer kon stoppen. Het verhaal was net een soort gif dat met alle geweld uit haar lichaam gedreven wilde worden, dat haar dwong tijdens het ontbijt te schrijven, onder de les en 's avonds als iedereen al naar bed was. Soms ging ze zo op in de gevechten dat ze vergat om naar beneden te komen om te eten, totdat Eang brulde dat ze moest komen. Een half jaar lang schreef het meisje, totdat haar vingers verkrampten en eelt vertoonden, en haar onderarm 's nachts pijn deed. Toen ze klaar was, had ze een begin, een midden en een eind, en wist ze dat haar verhaal af was. Toen begreep ze dat ze niet dood wilde gaan, maar dat ze gewoon niet wist hoe ze met die geesten moest leven. Nu ze hen had vastgelegd, dacht ze dat ze misschien wel zou kunnen leven.

Ik zit op bed, voel aan het papier en denk aan het meisje. Ik weet dat ze Cambodjaanse is, en dat ik haar ben. Het is nog te vroeg om helemaal samen te smelten en één te worden. Maar vandaag zal ik met haar meelopen als mijn naam wordt genoemd om naar voren te komen en mijn diploma in ontvangst te nemen. Ik sta op en sla de mooie zijden sarong om mijn middel. Ik stel me voor dat Keav en Geak in de kamer zijn en naar me kijken. Als ik de blouse aantrek, droom ik dat mama me helpt. Ik ben het eerste meisje van de familie Ung dat een middelbareschooldiploma haalt. Terwijl ik mijn blauwe toga aantrek en de hoed opzet, zie ik papa in de deuropening staan glimlachen.

22
Een moeder zonder moeder

December 1990

'Je hebt weer een dochter!' zegt de vroedvrouw tegen Chou. Chou probeert zichzelf omhoog te werken om haar dochter te zien, maar haar armen houden haar niet en ze valt terug op de mat. In een waas van pijn hoort ze de vroedvrouw water op de baby spetteren.

Chou doet haar ogen dicht en laat haar lichaam in de zachte matras zinken, bestaande uit allemaal lagen handdoeken en sarongs. Onder haar plankenbed brandt een vuurtje om haar warm te houden, maar de rook komt tussen de planken door en prikt in haar ogen. Op het altaar brandt wierook en de witte as valt op Chous vloer; later zal ze hem opvegen. Naast de wierookkommen branden kaarsen die een zacht flakkerend licht geven en hun bescheiden hut met maar één vertrek verlichten.

'Hier is ze. Ze is gezond en sterk, net als haar moeder,' zegt de vroedvrouw, en ze wikkelt de baby in een sarong en legt haar op Chous borst.

'Chang,' zegt Chou, en ze streelt Changs wangetjes. 'Wat heb ik een pijn om je geleden.' Chou brengt Changs handje omhoog en drukt het tegen haar lippen. Chang reageert niet op haar moeder en houdt haar ogen dicht. Chous gedachten gaan uit naar mama. Bij de gedachte dat haar kinderen hun oma nooit zullen kennen springen de tranen haar in de ogen.

'Chou, drink dit op, dat is goed voor je.' De vroedvrouw brengt de kruidenthee naar Chous mond. Chou houdt Chang in evenwicht op haar borst, duwt zichzelf omhoog en neemt een slokje van de bittere thee. Met een vertrokken gezicht dwingt ze zichzelf de kop helemaal leeg te drinken.

'Rust jij maar uit, dan maak ik je schoon,' zegt de vroedvrouw, en ze helpt Chou om weer in de kussens te gaan liggen. Chou doet haar ogen dicht en voelt dat er nog iemand de hut in is gekomen. Een paar tellen later hoort ze het geluid van water dat in een grote plastic bak wordt gegoten, en dat doet haar denken aan een ruisend beekje vlak bij hun hut. De vroedvrouw spoelt de doek uit en legt hem, warm en vochtig, op Chous buik. Met rondgaande bewegingen veegt ze zachtjes over haar liezen, haar bekken, dijen en onderbenen. Na de doek nog een paar keer uitgespoeld te hebben, reinigt de vroedvrouw Chous voeten en tenen.

'Je bent helemaal schoon,' zegt de vroedvrouw, en ze legt een deken over haar heen. Daarna helpt ze Chou om een bruin hemd met lange mouwen aan te trekken. 'De baby slaapt nu, maar zo meteen wil ze drinken. Rust maar uit zolang het kan. Ik ga je familie het goede nieuws vertellen.' De vroedvrouw laat de klamboe zakken.

'Dank u wel,' mompelt Chou. De vroedvrouw loopt de hut uit met een grote zilverkleurige kom met de nageboorte en met wat vieze kleren. Chou tilt haar hoofd op en vangt een glimp op van de zwarte lucht en de sterren, en dan valt de deur dicht en ligt ze weer in het donker. Terwijl Chang en zij rusten, luistert Chou naar het flappende geluid van de sandalen van de vroedvrouw, die het stukje grond oversteekt en naar het huis van oom Leang loopt. Chou ziet al voor zich hoe haar dochtertje Eng van vier jaar en haar zoontje Hok van twee met tante Keang onder haar klamboe liggen te slapen.

Als Chou wakker wordt, ziet ze dat haar man in een hangmat ligt te slapen. Hij heeft een cadeau naast haar neergelegd dat als een rol deeg in een stuk doek is gewikkeld en met een paar stengels bruin stro is vastgebonden. Chou glimlacht breed en maakt het open. Het zijn de mooiste schoenen die ze ooit heeft gezien. Ze zet grote ogen op, brengt de schoenen dicht naar haar neus en bewondert de strakgebreide lijnen in de bandjes en de zolen, die precies haar maat hebben. De witte plastic schoenen met brede lage hakken en kruislingse bandjes glanzen in het schemerlicht.

'Geen sandalen die van oude autobanden zijn gemaakt, maar echte schoenen!' fluistert ze. 'En er zit geen krasje op.' Pheng draait zich in zijn hangmat plotseling op zijn zij, krabt zich op het hoofd en slaapt door. Chou glimlacht liefdevol naar hem en pakt haar schoenen weer voorzichtig in, alsof het kostbare edelstenen zijn.

In de twee maanden hierna wordt Chou mager en verdwijnt haar vet via haar borsten naar het mollige lichaampje van Chang. Chou weet dat ze een lelijke vrouw aan het worden is, omdat ze te mager is. In Cambodja denkt men van dikke mensen dat ze rijk en gezond zijn, dus is het een compliment als je voor dikzak wordt uitgemaakt. Ze probeert haar lichaam wel dik en rond te houden, maar haar zorgen vreten als een ziekte aan haar. In de steden, maar ook in het dorp, heeft de angst voor aanvallen van de Rode Khmer de kop weer opgestoken. Pheng zegt dat dat komt doordat de Vietnamezen zich, na tien jaar bezetting, uit Cambodja terugtrekken en meer dan 180 000 soldaten met zich meenemen. Nu het Cambodjaanse regeringsleger niet meer door Vietnamese soldaten en geweren wordt gesteund, vallen de Rode Khmer 's nachts steeds vaker schaamteloos dorpen en stadjes binnen om eten, kleren en dieren te stelen en om mannen en jongens te kidnappen met het doel hun beweging op peil te houden. Als Chou dit hoort is ze blij dat Kim niet meer in Cambodja is, maar veilig in Frankrijk, waar hij bij de jongste zus van mama woont, tante Heng. Maar ze mist hem wel en bidt dat hij op een dag zal terugkomen om zijn nichtjes en neefje te leren kennen.

Op de dag dat Chou vier jaar geleden haar nieuwe leven als echtgenote begon, wist ze dat Kim dit als een teken zag dat hij zijn oude leven achter zich mocht laten. Daar was hij al eerder aan toe geweest, maar aangezien Khouy in een andere stad woonde, met zijn eigen gezin, zou Kim Chou nooit in de steek gelaten hebben. Een maand nadat ze was getrouwd, had Kim het dorp verlaten en had hij een ochtend lang op een kar gereden, totdat hij in de oude hoofdstad Ou-Dong aankwam, waar hij bij een ver familielid ging wonen. Kim schreef aan Chou dat hij tot zijn schrik merkte dat daar honderden Vietnamese soldaten woonden, die met hun geweer aan hun schouder door de stad paradeerden. Aanvankelijk was Kim blij met hun aanwezigheid, maar naarmate de tijd verstreek maakte de glimlach van de soldaten plaats voor een gefronste blik. Dat kwam doordat het bericht de stad bereikte dat de Rode Khmer weer actief was. Als antwoord op de invallen van de Rode Khmer nam de door de Vietnamezen beheerste regering van Cambodja gedwongen jonge Khmer-mannen en jongens in dienst, die ze een zevenenhalve kilometer lange muur van bamboe langs de Cambodjaans-Thaise grens lieten bouwen. Deze mannen werkten onder afschuwelijke omstandigheden. Ze kregen niet betaald en maar heel weinig te eten, nauwelijks een dak boven hun hoofd en geen medicijnen. Degenen die het er levend van afbrachten keerden terug met verhalen over vrienden die het leven hadden gelaten bij een mijnexplosie, door hongersnood, malaria, zwaar werk en ziekten. Van velen werd nooit meer iets vernomen. Als Chou Kims brieven las, was het net of ze de oorlog met de Rode Khmer opnieuw beleefde. Maar in elke brief vertelde Kim haar ook hoe hij erin geslaagd was aan de dwangarbeid te ontsnappen.

Kim was elke maand in het dorp op bezoek gekomen, onder het mom dat hij de familie wilde zien, maar Chou wist dat hij alleen maar kwam kijken hoe het met haar was. Als ze rustig bij elkaar zaten, vertelde Kim dat hij zich net een gevangene voelde en dat hij zich voor de soldaten verstopte, naar school ging en in het geheim een manier zocht om Cambodja te kunnen verlaten. 's Avonds kwamen de oude angst en paranoia om gevangengenomen te worden, ontmaskerd, verraden en ontvoerd weer boven en dan kreeg hij hoofdpijn. In zijn slaap liep de woede tegen de Rode Khmer, tegen de Vietnamezen en tegen de soldaten van de Cambodjaanse regering door elkaar en sloeg zijn hoofdpijn om in een gekmakende pijn die van zijn slapen naar zijn ogen ging en dan in diepe uitademingen via zijn neus naar buiten kwam. Elke dag nam hij zich bij het wakker worden nog vaster voor om Cambodja te verlaten voor het te laat was.

Een half jaar na zijn vertrek uit het dorp was Kim plotseling verdwenen. Een paar dagen later ontving Khouy het bericht dat hij in een vluchtelingenkamp in Thailand zat. Vier maanden daarna hoorde Khouy dat Kim in Frankrijk zat. Chou was heel erg opgelucht dat hem gelukt was wat hij zo graag wilde.

Chou is blij voor hem en droomt ervan dat alle zussen en broers op een dag in Cambodja weer bij elkaar zullen komen. Soms fantaseert ze er nog steeds over dat ze bij Meng en Loung in Amerika gaat wonen, maar ze weet dat dat nu voor haar te laat is. Elke keer wanneer er een kind geboren wordt, voelt ze dat haar wortels dieper in de Cambodjaanse grond vast komen te zitten.

Vandaag bindt Chou Chang op haar borst en bewerkt het land en haar tuin om voedsel voor haar gezin te verbouwen. In de aarde en modder slaan haar voetzolen tegen haar oude, versleten teenslippers aan. Het is twee maanden later en haar nieuwe schoenen liggen nog steeds ingepakt in de hut, want ze moet er niet aan denken om ze vies te maken of te beschadigen. Eng en Hok zitten op de grond naast haar te spelen en trekken met hun vieze vingertjes voortdurend wormen uit de omgewoelde aarde. Chou doet het huishouden en zorgt voor de kinderen, en Pheng doet al het zware werk, zoals water halen, hout hakken en hun rijstvelden bewerken.

Als Pheng 's avonds thuiskomt, heeft Chou het eten al klaar en zijn de kinderen in bad geweest en klaar om naar bed te gaan. Pheng eet in het schemerlicht en speelt met zijn kinderen, terwijl Chou hem bedient, de kleintjes voert en zelf snel haar bordje naar binnen werkt. Als het buiten donker wordt, gaan Chou, Pheng en hun kinderen lekker dicht tegen elkaar aan onder hun enige oude klamboe liggen en vallen in slaap. Boven hun waterdoorlatende hut verlicht de maan het land als een reusachtige witte Chinese lantaarn.

Op een nacht wordt de vredige slaap van de familie verstoord doordat de honden van hun buren in de verte aanslaan. De twee honden van oom Leang pakken het alarmsignaal op en maken de bewoners van de twee huizen met hun desperate gekrab en gejank wakker.

'Vlug, Pheng... De Rode Khmer!' roept oom Leang, terwijl hij op hun deur bonkt. Hij bonst zo hard dat het hele terrein ervan trilt. Pheng springt uit bed en laat hem binnen.

'Hoe ver zijn ze?' vraagt Pheng, terwijl hij snel zijn sandalen aandoet en een bijl pakt.

'Dat weet ik niet. Misschien wel heel dichtbij. We moeten ons meteen verstoppen.' Oom Leang pakt Pheng bij de arm wanneer die zich omdraait om naar zijn jonge gezin te kijken.

'Chou, ga naar het huis van tante Keang en blijf daar tot ik terug ben,' zegt Pheng. Dan verdwijnen oom Leang en hij in het donkere bos. Ze horen nog het geluid van hun lichamen die tegen struiken aan komen, maar dan is alles stil.

In de stilte staat Chou met bonkend hart naar adem te happen. Haar ogen worden wazig van de angst en door het gegons in haar oren wordt ze doof en weet ze geen woord meer uit te brengen.

'Mama,' roept Eng versufd en verward. 'Mama? Papa...'

Chou is onmiddellijk weer bij de les. Ze trekt haar sarong strak om haar middel en draaft naar het bed. Ze trekt de klamboe open, pakt Eng op en zet haar op de grond.

'Eng, wakker worden en heel stil zijn,' zegt Chou dringend. Eng is te bang om antwoord te geven, wrijft in haar ogen en knikt naar haar moeder. Dan pakt Chou de slapende Chang en Hok op. 'Eng, loop naar het huis van Amah. Voor mama uit lopen. Snel.' Eng loopt langzaam, op wankele beentjes, in het donker op de tast over de hobbelige grond. Een paar meter verderop staan de honden van oom Leang, aan een boom vastgebonden, naar hen te blaffen met hun voorpoten in de lucht.

'Eng, vlug!' Als Eng hoort dat haar moeder haar stem verheft, begint ze te huilen en willen haar beentjes niet verder. Chou rent naar Eng toe en pakt haar op. Met een rug die doorbuigt onder het gewicht van drie kinderen en met blote en als zwemvliezen uitgespreide voeten loopt ze naar het huis van tante Keang.

'Tante Keang,' roept Chou bij de deur, terwijl ze boven de blaffende honden probeert uit te komen.

'Chou, kom binnen!' zegt tante Keang met bevende stem terwijl ze de deur opendoet. Ze neemt Eng van Chou over. 'Snel, verstop je ergens.'

Geroutineerd als iemand die dit al heel vaak gedaan heeft pakt Chou haar kinderen en kruipt onder een plankenbed, terwijl tante Keang de deur met een houten balk afsluit. Chou zit in kleermakerszit met haar twee kleintjes slapend op haar schoot, hun hoofdje tegen haar armen. Eng zit naast haar en houdt haar arm vast, met haar gezichtje tegen haar moeder aan gedrukt.

'Mama, waarom laten we de honden niet los, zodat ze de Rode Khmer kunnen bijten?' vraagt Nam, het zoontje van tante Keang.

'Nee, kind. Dan worden de soldaten alleen maar bozer en krijgen we nog meer narigheid,' legt tante Keang uit, en ze slaat haar arm om Nam heen.

'Chou, alles komt goed,' zegt tante Keang met een klein stemmetje. 'De Heer Boeddha zal voor hen zorgen.' Dat gebed zegt Chou haar in stilte na.

In de duisternis van de kamer ziet Chou de rode amber van de muggenspiraal onder het andere plankenbed. Rondom het lichtje ziet ze de donkere gestalten van de rest van haar familie in elkaar gedoken bijeen zitten. Aan hun kant van het vertrek zit tante Keang met haar dochtertje, de baby Hoong, in haar armen, en Amah heeft Nam op schoot. Ze proberen zich heel stil te houden. Muggen zoemen in de warme, drukkende lucht om hen heen. Buiten blaffen de honden en janken luid; als er donkere geesten uit het bos komen en langs hen heen naar het huis van hun baasje rennen, bereikt hun geblaf een uitzinnig hoge toon.

'Doe open!' blaft een Rode Khmer-soldaat. Chou voelt haar huid koud worden. Ze legt haar hand tegen Engs mond. 'Doe de deur open of we schieten hem open!' Chou houdt haar adem in en klemt haar kiezen op elkaar. De kleintjes in haar armen huiveren en roeren zich, alsof ze de angst van hun moeder voelen. 'Doe open! Nu! We tellen tot drie en dan schieten we! Een!'

'Stop!' roept tante Keang, en ze rent naar de deur en doet hem open. De eerste soldaat duwt haar opzij. Zijn geweer hangt aan zijn schouder en wijst recht naar voren.

'Iedereen tevoorschijn komen!' Geschrokken door het kabaal en het geschreeuw van de soldaten beginnen de baby's en de kleine kinderen te huilen. 'Hebben jullie me niet gehoord?' vraagt de eerste soldaat. 'Ik zei: tevoorschijn komen!'

Amah kruipt langzaam op haar handen en knokige knieën naar buiten. Chou veegt haar tranen af, laat haar huilende kinderen onder het bed liggen en gaat achter Amah aan. Achter haar komen de oudere kinderen uit hun schuilplaats, terwijl de peuters en baby's krijsen dat ze terug moeten komen.

'Alleen vrouwen en kinderen!' roept de soldaat vol walging. 'Waar zijn de mannen en jongens?'

'Goede Kameraad,' smeekt tante Keang. 'We zijn maar een arme familie. Onze mannen en zonen moeten heel ver reizen om onze groenten en gewassen te verkopen. Ze zijn er niet.'

De soldaten slaan geen acht op haar en richten hun zaklamp onder de bedden. Ze denken nog steeds dat alle Chinezen rijk zijn en goud in huis hebben. Van de kleine eenheid, bestaande uit vier soldaten, heeft iedereen een geweer tegen zijn schouder of middel. Ze lopen de hut rond, keren kratten, tassen en dozen om. Ze kunnen de mannen niet vinden, dus zoeken ze de kleren en spullen uit die ze willen hebben en doen die in een juten rijstzak. Dan lopen ze rond alsof de hut een markt is en pakken pannen, schoenen, zakken rijst en gedroogde vis. Terwijl de soldaten de familie beroven, beginnen Chous borsten te lekken door het gejammer van de baby en wordt haar donkere blouse nat. Buiten hoort ze nog meer soldaten, die haar hut doorzoeken, terwijl de honden maar doorblaffen.

'Hier zijn ook geen mannen en jongens!' roept een soldaat vanuit Chous hut. Plotseling hoort Chou de soldaat de blaffende honden vervloeken. Dan een heleboel harde schoppen. De honden jammeren als zieke puppy's. Eindelijk verlaat de eerste soldaat de hut van tante Keang.

'Neem alles mee wat we kunnen gebruiken!' roept hij boos. Even later komt hij weer binnen, pakt een krat met het tafelzilver van de familie en gooit dat tegen de muur. Het geeft een oorverdovende klap. 'Waar zijn jullie mannen en zonen?' De soldaat pakt tante Keang bij de arm en kijkt haar woedend aan.

'Alstublieft, Kameraad, ze zijn er niet.'

'Alstublieft, Kameraad, neem mee wat u wilt, maar doe ons niets!' smeekt Chou, en ze gaat naast tante Keang staan. 'Doe ons alstublieft niks!' Chou pakt de andere arm van tante Keang.

De soldaat kijkt geïrriteerd. 'We gaan!' brult hij tegen zijn eenheid, en hij loopt de hut uit. De familie bedankt hem in alle toonaarden en de rest van de soldaten pakt mopperend de tassen met gestolen waar op. Nog nabevend ziet Chou hoe de laatste soldaat de oude fiets van oom Leang wegneemt en naar buiten rijdt. De wielen ratelen het bos in, en dan is alles weer stil.

'Amah, kom.' Chou brengt haar naar het bed. 'Ga maar liggen.' Chou legt de baby's weer op bed, onder de klamboe. 'Eng, jij moet op je broertje en zusje passen.'

In het zachte goudkleurige kaarslicht helpt Chou tante Keang met de kratten oprapen en de hut weer op orde brengen. Ondertussen bidt ze dat haar man en oom niks overkomen is. Als de honden weer blaffen rent Chou naar de deur, terwijl de tranen haar over de wangen stromen.

'Pheng!' roept ze.

'Hier ben ik,' antwoordt hij zacht. Chou voelt dat haar maag kalmeert en haalt opgelucht adem.

'Dank aan de Heer Boeddha dat jullie niks overkomen is!' zegt tante

Keang, en ze laat hen binnen. 'Wat is er gebeurd? Waar hebben jullie je verstopt?'

Zodra de vrouwen en kinderen de mannen hun verhaal hebben verteld, neemt Pheng het woord.

Pheng en oom Leang waren het bos in gerend, niet ver van de hut, en waren naar de velden van hun buren gegaan. Daar vonden ze een paar grote metalen vaten die de buren gebruikten om palmsap in op te vangen en suiker te maken. Een heleboel vaten waren vol, maar Pheng vond twee lege, en daarin konden oom Leang en hij zich verstoppen. Ze klommen er snel in en deden het houten deksel erop. In de vaten rook het naar roest en zoete palmsiroop. Pheng zat boven op een laag plakkerige suiker en zijn voeten begonnen meteen te jeuken, alsof er honderden pootjes overheen liepen. Voor Pheng ze eraf kon vegen, beten de mieren in zijn enkels, in het zachte weefsel tussen zijn tenen en in zijn wreven. Maar net toen hij uit zijn vat wilde springen, hoorde hij mensen aankomen. Hij kende geen dorpelingen die 's nachts op pad gingen. Pheng zette zijn kiezen op elkaar, terwijl de mieren zich te goed deden aan zijn vlees. Toen de soldaten langsliepen, sloeg een van hen plotseling met zijn geweerkolf tegen een metalen vat. Zonder er verder bij na te denken liet Pheng zich op zijn knieën vallen en dook hij diep weg.

'Het zit vol!' riep de soldaat, en daarna sloeg hij tegen nog een paar vaten. Telkens gaf dat een geluidje, doordat het palmsap tegen het deksel sloeg. 'Moet ik de rest ook controleren?'

'Nee, we gaan,' antwoordde een andere soldaat, en toen waren ze weg.

Als Pheng klaar is met zijn verhaal, gaan Chou, Pheng en hun kinderen voorzichtig terug naar hun eigen hut. Chou pakt een potje tijgerbalsem en smeert daarmee Phengs rug in. Hij doet zelf zijn voeten en benen.

'Wat een geluk dat de Rode Khmer niet in de schuur heeft gekeken of er ossen waren,' zegt hij. 'Wat hebben ze nog meer uit onze hut meegenomen?'

'Alleen twee hemden van jou en een zak rijst,' antwoordt Chou rustig.

'We hebben geluk gehad. Ik heb nog één hemd over.' Pheng gaapt en gaat liggen.

Als Chou haar hoofd op het kussen legt weet ze dat ze morgen haar nieuwe, nog nooit gedragen witte schoenen zal verkopen om voor haar man een nieuw hemd te kunnen kopen.

23
Geen Suzie Wong

Januari 1991

Mijn tenen worden gevoelloos van de kou. Ik denk dat ze binnenkort wel koudvuur zullen krijgen en van mijn voeten zullen afbreken als ijspegels van een dakrand. Ik wiebel ermee om het bloed te laten circuleren en ik kijk door de glazen deur naar de parkeerplaats. Marks jeep is nog in geen velden of wegen te bekennen. Het is twaalf uur. Hij is al een half uur te laat. Ik leg mijn handen tegen de deur en wil dat hij eraan komt, maar hij komt niet. Hoog boven de aarde schijnt de kleine zon fel aan de strakblauwe hemel. Op de parkeerplaats liggen bergen sneeuw langzaam te smelten, wat op de grond een zwarte smurrie geeft.

Als ik eindelijk een motor hoor ronken, kijk ik op, maar zie alleen een oude Honda Civic tergend langzaam naar de voordeur rijden. Een meisje met een dik zwart donsjack aan en een zwart petje op stapt uit en rent naar de deur. De auto rijdt sputterend weg. Uit de uitlaat komt witte rook – het lijken wel donderwolken.

'Hallo,' zegt het meisje ter begroeting. Ze neemt een koude wind mee die op mijn wangen prikt.

'Hallo,' zeg ik met een glimlach. Ze loopt de trap op. Ik sla mijn armen om mezelf heen en overweeg terug te gaan naar mijn kamer. Maar ik woon op de vierde verdieping en ben te lui voor dat hele eind.

Mark en ik hebben elkaar afgelopen semester bij het college politicologie leren kennen. Ik zat in mijn schrift te schrijven toen hij met zijn lange vieze haar in een paardenstaart het lokaal binnenkwam. Terwijl hij met ongehaaste passen het lokaal door liep, keek ik eens goed naar zijn blauwe spijkerbroek, volgens de laatste mode gehavend en met scheuren op de knieën, naar zijn verfomfaaide zwarte trui en kleurige riem. Ik was gefascineerd. Op een campus vol gestreken overhemden, kaki broeken en designjurkjes zag hij er niet bepaald uit als iemand die aan een katholieke privé-universiteit studeert. Dus nam ik tijdens het college stiekem foto's van hem, waarbij mijn ogen als de camera's van paparazzi vanaf mijn plek plaatjes van hem schoten.

Op een dag liep ik na het college naar de hoogleraar om iets te vragen over een opdracht. Voor ik het wist stond Mark naast me, ook met allerlei vragen. De hoogleraar ging snel naar zijn volgende college en zei dat Mark en ik de stof maar samen moesten bespreken. Tegen de tijd dat we onze eerste koffie op hadden, had ik Mark het een en ander over Cambodja en over mijn belangstelling voor politiek verteld. Halverwege de tweede kop vertelde hij dat hij zijn eerste jaar vrij had genomen om te reizen, en dat hij als leraar Engels in een vluchtelingenkamp op de Filippijnen had gewerkt. Toen we allebei genoeg cafeïne op hadden, vertelde ik hem over de jongen met wie ik toen ging en hij over zijn vriendin. Dat is een half jaar geleden.

En nu is hij vijfendertig voorspelbare minuten te laat om me op te halen voor onze wandelafspraak.

In mijn gedachten kan het te laat komen van Mark maar twee dingen betekenen: of hij heeft een ongeluk gehad, is gewond en ligt ergens met een gat in zijn hoofd en rood bloed in de witte sneeuw eromheen, of hij is dood. Ik zie zijn koude lichaam al in een ziekenhuis liggen, bleek en levenloos, niet in staat mij even te bellen. Als hij gewond is en stervende is, hoop ik in elk geval dat zijn dood snel en pijnloos zal zijn.

Als Marks jeep eindelijk aan komt rijden en voor de deur stopt, springt hij uit de auto en houdt het portier voor me open.

'Sorry dat ik zo laat ben,' zegt hij met een schaapachtige grijns.

'Alweer,' antwoord ik met ijzige blik.

'Klaar?'

'Je bent altijd te laat. Je weet dat ik er een hekel aan heb om te moeten wachten.'

'Kom op zeg, het spijt me. Het is een prachtige dag. Het wordt vast een schitterende zonsondergang.'

Ik hou voet bij stuk en kijk hem boos aan.

'Het spijt me echt. Laten we gaan. Dan trakteer ik na afloop op een etentje bij The Mandarin.' Mark weet dat The Mandarin mijn favoriete Chinese restaurant is.

'Oké, maar ik ben nog steeds kwaad,' zeg ik, en ik stap in de jeep.

Het is maar een kort stukje rijden naar de berg, maar wandelend doe je er vier uur over. Ik stop de twee lange onderbroeken die ik draag in twee paar sokken en maak mijn zware Timberlands stevig rond mijn enkels vast. Dan trek ik mijn spijkerbroek eroverheen. Ik zet mijn wollen muts op, doe een sjaal om en trek mijn skihandschoenen aan. Voor ik uit de jeep stap, doe ik de rits van mijn winterjack dicht, waaronder ik drie truien aanheb.

'Goed, ik ben er klaar voor,' meld ik.

'Het is rond het vriespunt en de zon schijnt,' zegt Mark, alsof dat enig verschil maakt. Hij heeft overal maar één laag van aan.

'Hoor eens, alles onder de vijfentwintig graden is voor mij te koud,' zeg ik, en ik loop voor hem uit.

Mark blijft om de vijf minuten staan om van het uitzicht te genieten en dan moet ik wachten tot hij mij weer heeft ingehaald. Na twee uur voelt alles, mijn lichaam, tenen en vingers, lekker warm aan onder al die lagen.

'Jeetje, wat een uitzicht.' Hij spreidt zijn armen, als een vogel. 'Geweldig.'

Zeshonderd meter boven de zeespiegel is de witte wereld prachtig en stil, op de wind die in de bomen fluit na. Ik adem de schone, frisse lucht in; de koude stroom brandt in mijn warme keel.

'Kom, we gaan,' zeg ik hoestend, en ik ga weer op pad.

'Ongelooflijk, hè, dat jij in de winter een wandeling maakt?' zegt Mark naast me.

'Nou, je weet wat ze zeggen: *if you can't beat them, join them.* Ik geef nog steeds de voorkeur aan zon en zand, maar ik kan niet de hele winter op mijn kont blijven zitten en me tonnetjerond eten,' antwoord ik, en ik haal een Snickers uit mijn zak.

'En eten kun je!' zegt Mark lachend.

'Reken maar.' Ik neem een hap van mijn reep. Ik ben dol op eten. Niet op alles: ik hou van gebakken kip, gebakken garnalen, gebakken rundvlees, gebakken meerval, gebakken varkensvlees, gebakken aubergine, gebakken champignons, en alles wat Aziatisch en scherp gekruid is.

'Maar is het hier mooi of niet?'

'Hmm,' zeg ik schouderophalend. 'In de zomer is het mooier.'

Als we de top van de berg bereiken, gaat de zon al onder. Van de kliffen voor ons kaatsen felle kleuren goud, oranje, roze en rood de lucht in, en we zien een majestueuze zonsondergang die zelfs de goden mooi zouden vinden.

'Wauw,' zegt Mark, die onder de indruk is.

Maar mij doen alle felle kleuren vanbinnen zo'n pijn dat ik de bron daarvan het liefst weg zou willen snijden. Mark ziet in elke adembenemende zonsondergang romantiek, vrede en schoonheid, maar ik zie de contouren van een man en twee soldaten die van me weglopen.

'Het is al laat. Laten we maar gaan,' zeg ik tegen Mark, en ik begin aan de terugweg.

Drie kwartier lang dender ik over het pad omlaag, weg van de zonsondergang. Als ik bij de auto aankom, doet mijn borstkas pijn en trillen mijn benen van vermoeidheid.

'Ik verga van de honger!' puf ik.

'Ja, het is minstens twee uur geleden dat je voor het laatst gegeten hebt,' zegt Mark lachend.

'Op naar de Chinees.'

In de jeep draaien mijn ingewanden zich in pijnlijke knopen. Ik voel in de zakken van mijn jas en broek en zoek mijn rugzak door. Meestal heb ik altijd wel iets bij me, maar vandaag niet. Plotseling beginnen mijn handen te trillen en wordt mijn gezicht warm van angst. Ik breng mijn knieën omhoog naar mijn borst en zet mijn voeten op het dashboard. Ik sla mijn armen om mijn buik, die knort alsof hij al dagen niet te eten heeft gehad. Ik leun achterover, doe mijn ogen dicht en haal diep adem.

'Gaat het wel met je?' Marks stem klinkt bezorgd.

'Ik verga van de honger,' mompel ik, bijna in tranen. Dan breekt er plotseling iets in me. 'Waarom rijd je niet wat sneller? Godverdomme!'

'Rustig aan, zeg,' zegt hij.

'Niks rustig aan! Ik verga van de honger! Hoe kan ik het dan rustig aan doen? Jij weet helemaal niet hoe het is om honger te hebben.' Ik draai mijn hoofd van hem af en graaf met mijn vingers dieper in mijn buik.

Mark zwijgt. Ik concentreer me op de warme lucht die op volle toeren door de ventilator blaast. Het lawaai leidt mijn gedachten af van eten en ik word er eventjes rustig van.

'Sorry dat ik zo tekeerga,' zeg ik uiteindelijk. 'Ik vind het gewoon vervelend om honger te hebben.' Verder zeg ik niets meer en ik blijf naar buiten kijken terwijl de jeep zich over de bochtige weg kronkelt. Ik kijk naar elk bord en concentreer me erop totdat mijn pupillen helemaal samengetrokken zijn en de omgeving vervaagt. Na verloop van tijd word ik rustig, maar ben ik ook van de wereld. Mijn identiteit is gekrompen tot twee ogen die niet knipperen en met de precisie van een laserstraal op de borden langs de weg scherpstellen.

Dan zie ik in de verte een uithangbord van een plattelandswinkel.

'Stop even bij die winkel,' zeg ik tegen Mark. 'Alsjeblieft.'

'Ik dacht dat we bij The Mandarin gingen eten.'

'Zo lang kan ik niet wachten. We gaan wel een andere keer naar The Mandarin,' zeg ik vinnig.

'Oké,' zegt hij, en hij stopt voor de winkel.

Mark blijft in de auto; ik loop naar binnen en pak een paar repen, oudbakken bagels, reepjes gedroogd rundvlees, een zak chips en blikjes frisdrank. Een man van in de zestig volgt me vanachter de toonbank met zijn blik terwijl ik door de gangpaden met junkfood naar de kassa loop. Hij slaat elk artikel aan en kijkt dan naar mijn gezicht. Als ik mijn portemonnee wil pakken glimlacht hij en zegt: 'Jongedame, heeft er wel eens iemand tegen u gezegd dat u op Suzie Wong lijkt?'

'Nee. Ik ben niet Suzie Wong.' Ik geef hem het geld en loop met een gespannen glimlachje de winkel uit.

In de auto val ik luidruchtig aan op de chips, maar het lawaai kan de vraag van de oude man niet buitensluiten. De meeste Aziatische meisjes die wel eens van Suzie Wong gehoord hebben, willen absoluut niet met haar vergeleken worden. Suzie Wong is immers een figuur uit een oude film, getiteld *The World of Suzie Wong*. De actrice Nancy Kwan speelt het personage van een populaire Chinese prostituee met een hartje van goud, die verliefd wordt op een oudere blanke man en afgewezen wordt. Ik vond het geen leuke film, maar heb er wel naar gekeken toen hij op de tv was, want het was de eerste keer dat ik daadwerkelijk een Aziatische vrouw een Aziatische vrouw zag spelen. Na jarenlang films te hebben gezien waarin blanke vrouwen hun ogen vastplakten als ze een Aziatische vrouw moesten spelen, was Kwan in elk geval echt. Maar ik lijk helemaal niet op haar. We hebben andere ogen, een andere neus, een andere mond en een andere lichaamsbouw.

Het is zeven uur 's avonds als we terug zijn bij mijn studentenhuis. 'Jammer dat we niet naar The Mandarin zijn gegaan,' zegt Mark als hij de jeep voor mijn deur neerzet.

'O, dat maakt niet uit. Volgende keer mag jij betalen,' zeg ik, en ik stap uit. Dan blijf ik staan en loop terug. 'Sorry dat ik zo door het lint ging,' zeg ik schaapachtig, en ik wend gegeneerd mijn blik af. 'Ik denk dat ik manisch ben of zo.' Ik glimlach en probeer nog iets te bedenken wat ik kan zeggen. 'O, eh... trouwens... Mocht je ooit mijn vriendje tegen het lijf lopen, doe dan maar net alsof je homo bent.'

'Hè?' Mark moet zo hard lachen dat zijn blauwe ogen zich tot spleetjes knijpen en helemaal verdwijnen, net als bij een Aziatisch iemand.

'Ja, hij werd jaloers toen hij jou de hele tijd in mijn kamer zag, dus ik heb tegen hem gezegd dat je alleen op jongens valt. En hij geloofde me nog ook.' Mark is zo knap, stijlvol en leuk dat mensen zó geloven dat hij homo is. Ik weet dat hij dat niet is, ook al zijn we strikt genomen gewoon vrienden, maar ik voel het gewoon. Hij is mijn eerste mannelijke vriend en daardoor volkomen verboden terrein.

'Daarom vind ik jou nou zo leuk. Met jou is het nooit saai.' Mark wrijft zijn ogen droog. 'Zal ik je om half elf komen ophalen voor het feest?'

'Goed. Niet te laat komen, hoor!' brul ik nog terwijl de jeep wegrijdt, maar ik weet dat het geen zin heeft.

In mijn kamer kijk ik snel mijn agenda voor de week door. Tussen de colleges over het Oude Testament en Lukas, Matteüs en Paulus heb ik nog feministische theologie, hindoeïsme en hekserij. Verder zijn er bijeenkomsten van het hongerproject van de studenten, de diversiteitsclub en de internationale studentenvereniging. Op mijn bureau liggen stapels huiswerk en tentamens op me te wachten.

'Het is zaterdagavond; ik kan de hele zondag nog studeren,' houd ik mezelf voor, en ik loop de kamer uit. Ik ga naar de deur van Suzy, Janey en Amy, verderop in de gang, maar er is niemand. Heel even steekt het onzekere meisje van de middelbare school weer de kop op en vraag ik me af of alle meisjes naar een of ander cool feest zijn en mij er niet over hebben verteld. Ik schud het oude gevoel van me af en klop bij Hailey aan.

'Kom maar binnen,' roept Hailey.

'Hallo Hailey, wat ben je aan het doen?' vraag ik, en ik plof neer op haar bed.

'Ik ben een verjaardagskaart voor een vriendin aan het maken.' Hailey kijkt op van het gekleurde papier, de schaar en de flesjes lijm.

Ik heb Hailey op de allereerste dag van ons eerste jaar leren kennen. We moesten allebei een dossierkast schilderen, tijdens het studie-werk-project. Tussen het schuren van de oude verflaag en het opbrengen van een nieuwe rode laag door hadden we het erover dat zij een jaar in Denemarken had gewoond en dat ik in Cambodja was opgegroeid. Na onze eerste dag heeft Hailey zich verdiept in Cambodja en de Rode Khmer. Dat heeft me zo diep geraakt dat mijn ogen er rood van werden toen ze het me vertelde. Eindelijk had iemand eens daadwerkelijk het initiatief genomen om iets over Cambodja te lezen en mij feiten over de oorlog en de politiek van de Rode Khmer weten te vertellen die zelfs ik niet kende. Gedurende de weken daarna werd Hailey, terwijl we ons kastje schilderden, de allereerste aan wie ik uitgebreid over de genocide van de Rode Khmer vertelde.

En nu maakt ze voor haar werkgroep Engelse literatuur een werkstuk over mij en mijn ervaringen in Cambodja.

'Zeg, heb je tijd om het interview nu af te maken?' vraagt Hailey terwijl ze stukjes vloeipapier van haar handen plukt.

'Ja hoor.'

'Wacht even, dan pak ik mijn aantekeningen.' Hailey zoekt haar vragen bij elkaar en ik kijk naar de foto's aan de muur. Net als Beth, die aan een andere universiteit studeert, is Hailey blond, heeft ze blauwe ogen en is ze mooi. Op haar bureau staan foto's van haar moeder, vader, zusjes en broer keurig op een rij, als het volmaakte gezin.

'Goed, ik ben klaar.' Ze gaat naast me op bed zitten.

Een uur lang vertel ik in detail hoe ik met mijn familie de stad uit gevlucht ben om in overvolle dorpen te gaan wonen, waar we volgens geheel nieuwe regels leerden leven. Ik vertel haar dat de Rode Khmer godsdienst, school, muziek, klokken, radio, film, televisie en apparaten verbood en dat de soldaten onze verplaatsingen, vriendschappen en relaties bepaalden. Toen ik haar vertelde dat je tijdens het bewind van de Rode Khmer niet met een jongen kon omgaan of verliefd kon worden zonder dat de Rode Khmer daar toestemming voor had gegeven, zeker niet als je uit een andere klasse kwam, was ze diep geschokt. En als je seks had zonder toestemming van de regering van de Rode Khmer, kon je daar de doodstraf voor krijgen. Ik beschrijf wat voor kleren we droegen, hoe we praatten, werkten en leefden. Ik beschrijf hoe mijn buik als een ballon van de honger opzette en hoe ik wist te overleven door alles te eten wat maar eetbaar was, en dus ook allerlei dingen die ik nooit had moeten eten. Ik vertel haar hoe rotte bladeren smaken, en schildpadden, slangen en ratten. Haileys ogen glinsteren als ik haar vertel dat ik de hersenen, staart, het vel en bloed van dieren at en dat ik de velden afzocht naar sprinkhanen, kevers, krekels en andere insecten die me konden helpen nog een dag in leven te blijven.

In haar warme kamer, waar de verwarming snort alsof hij ergens heen moet, vertel ik mijn verhaal aan Hailey alsof het allemaal een ander meisje overkomen is, in een andere tijd, maar wier herinnering ik toevallig in mijn bezit heb. Maar dan vraagt ze naar mama.

'Je hebt in onze gesprekken gezegd dat je boos was omdat je moeder je dwong bij haar weg te gaan nadat de soldaten je vader hadden meegenomen...' Als Hailey zich de implicaties van haar vraag realiseert, sterft haar stem weg. 'Als dit te moeilijk is doen we het niet, hoor.'

'Nee, het is niet erg. Ik kan het wel.' Ik leg mijn handen in mijn schoot en haal diep adem. 'Ik vond het zwak van haar dat ze me de deur uit zette en geen manier wist te bedenken om ons bij elkaar te houden. Ik dacht dat ze niet genoeg van me hield om me bij haar te houden. Ik haatte die zwakte. Toen de soldaten haar drie maanden voor het einde van de oorlog kwamen halen, vroeg ik me af hoe ze het zover had laten komen. Ik gaf haar de schuld van haar dood. Ik was boos dat ze me in de steek had gelaten. Ik wilde alleen maar sterk zijn omdat de zwakken het niet redden. Jarenlang heb ik niet de dochter van mijn moeder willen zijn.'

'Je weet nu dat ze een ongelooflijk sterke vrouw was,' merkt Hailey vriendelijk op. 'Ze heeft gedaan wat ze kon om jou te redden.'

'Dat begint nu tot me door te dringen. Mijn zus Chou lijkt in dat opzicht op mijn moeder; ze beschikken allebei over een stille kracht die ik niet begrijp.' Als ik aan Chou denk, wordt het plotseling koud in de kamer. Hailey pakt mijn hand.

Ik probeer te lachen. 'Ik ga naar mijn kamer, dan kan ik me een beetje opkalefateren, want ik heb een feest.'

Hailey staat op en omhelst me. 'Het spijt me, lieverd,' fluistert ze in mijn haar. Ik bijt op mijn lip en houd mijn emoties in. 'Dank je wel dat je het me hebt verteld.'

'Oké,' zeg ik. Ik schaam me nu.

'Ik heb je naam in mijn werkstuk in Serene veranderd, zodat niemand weet dat het over jou gaat.'

'Dat moet genoeg zijn.' Ik glimlach. Aangezien ik de enige Cambodjaanse op de universiteit ben, weet ik niet hoe anoniem dat pseudoniem me zal maken.

Tegen de tijd dat Marks jeep om kwart over elf 's avonds voor mijn deur claxonneert, zijn mijn oogleden donker gemaakt, is mijn gezicht gepoederd en zijn mijn lippen rood. Met een strakke zwarte spijkerbroek en een paarse coltrui aan kan ik Cambodja achter me laten en feesten alsof het 1999 is en ik in Amerika ben. Maar als ik het autoportier opendoe en Tiffany op de achterbank zie zitten, bevriest mijn glimlach.

'Hallo Loung,' zegt ze. 'We gaan lekker feesten!'

'Hallo,' antwoord ik koeltjes. Ik heb een hekel aan die griet met al haar nep. Ik heb een hekel aan haar grote borsten, haar nepbruin en chique kleren. En ze flirt met Mark. Ik ga voorin zitten, doe de gordel om en glimlach breed als ik me voorstel hoe ik mijn lichaam tegen dat van Tiffany aan ram en haar tegen de grond sla. Ik wil wedden dat Tiffany net zo iemand is als de mooie meisjes in bloederige films – meisjes die heel stupide rondlopen in een minuscuul topje en minirok, en die op hoge hakken wegrennen voor een gemaskerde moordenaar die met een glimmend mes loopt te zwaaien. Natuurlijk verlaten ze de drukke straat en komen ze in een donker steegje, waar de moordenaar hen in een hoek drijft. Als deze meisjes überhaupt al proberen terug te vechten, slaan ze hun belager met vlakke hand in het gezicht, alsof hij een vlieg is en niet een met een mes zwaaiende massamoordenaar.

Ik weet dat ik volstrekt anders ben – ik ben geen meisje dat vliegen doodslaat. Toen Hailey en ik een tijdje geleden samen op een zelfverdedigingscursus voor vrouwen zaten, werd ons geleerd dat je je vingers in de ogen van je belager moet prikken. De andere vrouwen kermden en schudden hun hoofd, maar ik zag al voor me hoe er twee natte, bloederige oogbollen aan mijn vingers bungelden. Als het tussen mij en mijn belager gaat, zal ik hem overmeesteren. Soms mis ik het vechten echt, en ook hoe het voelt om je vuisten te ballen en iemand te stompen. In tegenstelling tot Mark en Hailey, die zo ongeveer de aardigste en zachtmoedigste mensen zijn die ik ken, is het pad van geweldloosheid en vrede niet iets wat voor mij vanzelfsprekend is. Als we met z'n drieën een hufter zouden tegenkomen, zou Mark zich afvragen of er lichamelijk iets niet met hem in orde was en zou Hailey zich er het hoofd over breken wat er in het verleden in zijn familie is gebeurd, maar ik zou hem zo een schop tegen zijn hoofd willen verkopen. En hoewel ik er zo over denk, vecht ik niet meer – behalve met woorden. Dat ik een vredelievend mens ben is voor mij niet iets vanzelfsprekends, maar iets waar ik elke dag bewust voor kies.

Op het feest gaat Mark de volle kamer door om iedereen gedag te zeggen, terwijl Tiffany bij een groep jongens gaat staan. Ik zit in een hoekje van de bank en luister naar een student, ene Mike, die er maar over doorzanikt dat bier uit een vat lekkerder is dan bier uit een fles. Hij wauwelt maar raak, zijn ogen worden klein en zijn rubberachtige, dronken huid trekt zijn gezicht omlaag als gesmolten silliputty. Ik zit de hele tijd geërgerd met mijn voet te tikken, zo oppervlakkig vind ik het allemaal.

'Zo,' zeg ik als Mike even zijn mond houdt om adem te halen. 'En wat vind je ervan dat de VS Irak gaan binnenvallen?'

'Wát?' protesteert Mike niet-begrijpend.

'Morgen is het 15 januari, het ultimatum dat president Bush de Iraki's heeft gesteld om zich uit Koeweit terug te trekken. Je weet heus wel dat Saddam het ultimatum in de wind zal slaan. De VS vallen het land binnen met wapens en bommen, en dat betekent dat er duizenden onschuldige burgers zullen omkomen. Welke politieke agenda er ook achter zit, we mogen nooit vergeten dat er onschuldige burgers de dupe zullen zijn.'

'Jezus, wat ben jij een spelbreker,' zegt Mike. 'Wat kan mij het nou schelen wat daar gebeurt? Het is hun wereld, niet de mijne.'

'Er bestaat geen "hun wereld" en "jouw wereld", Mike. Er bestaat maar één wereld, en dat is ónze wereld. Ik hoop dat je dronken genoeg bent om dat te begrijpen en ik hoop dat je er niet echt zo over denkt.' Ik kijk op Mike neer alsof hij een kind is en heb geen zin meer om hem naar de mond te praten enkel en alleen omdat hij zo knap is.

'Tot kijk, spelbreker.' Mike pakt zijn biertje en loopt weg.

De week daarop kijk ik naar het nieuws over de invasie. Ik zap van de ene zender naar de andere en hoor telkens journalisten vertellen dat een piloot van een bommenwerper heeft gezegd dat de bombardementen net kerstlichtjes lijken. Als ik dat hoor wil ik in mijn bed kruipen, me in foetushouding opkrullen en huilen tot ik geen tranen meer overheb. Want ik weet dat bij elk lichtje dat de aarde raakt iemands moeder een kind verliest, iemands zoon geen vader meer heeft en een dochter wees wordt. Ik sta plotseling op, trek mijn kleren aan en ren naar het studiecentrum om een manier te zoeken om te helpen. En op dat moment besluit ik dat ik voortaan een spelbreker wil zijn.

24
De terugkeer van Oudste Broer

Juni 1991

'Tweede Broer is er!' roept Pheng. Chou trekt Chang snel haar vieze luier uit en loopt net op tijd naar buiten om te zien dat Khouy zijn motor bij de hut van oom Leang neerzet. De zon is nog maar net op, maar Khouys groene militaire-politie-uniform is al rood van het opwaaiende stof.

'Tweede Broer, is alles goed?' vraagt Chou. Het is niet normaal dat Khouy al zo vroeg naar het dorp komt.

'Er is weer een brief van Oudste Broer. Die moeten we ook aan oom Leang laten zien. Kom snel mee.' Khouys stem klinkt dringend. Hij loopt naar de hut van oom Leang. Hij neemt grote en zelfverzekerde passen, en zet telkens zijn voet helemaal op de grond voordat hij de volgende pas neemt.

'Tweede Broer, is er iets?' Chou wringt haar handen in haar kroma. Pheng en de drie kinderen lopen achter haar aan.

'Wees maar niet bang. Als het waar is, is het fantastisch nieuws!' zegt Khouy lachend terwijl oom Leang, tante Keang, Amah en de rest van de familie om hem heen komen staan. 'Gisteravond kwam er een man op een motor uit Phnom Penh. Hij werkt voor een hotel en zei dat een man die daar logeerde hem geld betaald had om deze brief af te geven. Aangezien het in het donker niet veilig is om te reizen, is hij nadat hij me de brief had gegeven snel teruggegaan naar Phnom Penh. Ik heb de hele nacht gewacht voordat ik hierheen kon komen.' Khouy haalt de brief uit zijn hemdzak en geeft hem aan oom Leang, die hem hardop voorleest.

'"Groeten aan jonge broer Khouy, zus Chou, oom Leang, tante

Keang, de jonge neven en nichten en de hele familie. Dit is..."' Oom Leang knippert snel met zijn ogen en probeert zijn stem vast te laten klinken. 'Dit kan niet waar zijn!'

'Oom, lees nou voor!' zegt Chou een beetje te scherp.

'"Dit is je broer Meng. Ik ben in Phnom Penh."'

'Dat is niet waar!' zegt Chou, naar adem happend, en ze gaat op het bed zitten. De rest van de familie schreeuwt het uit van ongeloof. Pheng komt naar haar toe en legt een hand op zijn arm. 'Iemand haalt een verschrikkelijke grap met ons uit!'

'De brief gaat nog verder,' zegt oom Leang. '"Dit is je broer Meng. Ik ben in Phnom Penh. Ik logeer in het Phnom Penh Hotel. Ik hoop jullie allemaal snel te zien. Ik verlaat mijn hotelkamer niet voordat jullie hier zijn. Kom zo snel mogelijk naar dit adres. Jullie broer, Meng."' Chou kijkt naar oom Leang; haar hoofd voelt licht en haar neus loopt vol.

'Chou, dit is een oude brief van Oudste Broer,' zegt Khouy, en hij overhandigt haar een brief. 'Kijk maar naar het handschrift van de twee brieven. Die stemmen overeen.'

Chou pakt de nieuwe brief van oom Leang en vergelijkt de ingewikkelde krullen en streken van het handschrift. Dan laat ze de brieven op haar schoot vallen en legt haar handen tegen haar mond.

'Het is Oudste Broer,' zegt ze vol ongeloof. 'Het is hem echt. Hij is hier.' Chang ziet dat haar moeder bang is en steekt vanaf de arm van zijn vader zijn armpjes naar haar uit. Chou neemt alle drie haar kinderen in haar armen en glimlacht met rode ogen. 'Jullie krijgen jullie Oudste Oom te zien!' Ze wendt zich abrupt om naar Khouy. 'Wanneer gaan we?'

'Pak snel je spullen, we gaan meteen,' kondigt Khouy aan. 'Ik zie jullie allemaal in Ou-Dong. Ik heb twee motorfietsen geregeld; die brengen ons vandaar naar Pnhom Penh.' Khouy zwaait en gaat ervandoor.

Chou is een half uur bezig met douchen en haar haar borstelen. Ze zorgt dat alle klitten eruit zijn. Ze trekt haar mooiste blauwe sarong aan, met een roze blouse, en dan kleedt ze de kinderen aan. Terwijl Chou de kleren voor haar gezin inpakt, maakt tante Keang snel rijstballetjes en ze pakt stukjes gekookte gedroogde vis in bananenblad voor onderweg. Buiten maakt oom Leang de ossen voor de wagen vast en Pheng giet drinkwater in plastic olievaten. Als Chou klaar is, klimmen de drie kinderen en zij op de wagen, gevolgd door oom Leang en tante Keang. Pheng geeft de ossen een zachte tik op hun achterste, en daar gaan ze. Amah en de andere familieleden zwaaien hen uit.

Ze rijden over de enige weg naar Ou-Dong. De zon klimt hoger en hoger aan de hemel. De vogels komen uit hun nest en gaan op zoek naar eten in de rijstvelden. De boeren ploegen hun land, met opbollende kuitspieren, net zo sterk als die van hun ossen. Achter de boeren duiken de vogels naar omlaag en trekken wormen en kevers uit de omgewoelde aarde. Pheng zit op de bok en Chou zit met haar rug tegen de zijkant van de wagen. Chang ligt te slapen in haar armen en op haar schoot zit Hok. Naast Chou zit tante Keang met haar kin op haar borst. Ze houdt Eng vast, terwijl oom Leang rechtop zit te slapen, met zijn benen wijd.

Als ze twee uur later in Ou-Dong aankomen, stappen oom Leang en tante Keang op een gehuurde motor, samen met de oudste dochter van Khouy. Khouy zit met zijn vrouw Morm en hun drie andere kinderen op zijn motorfiets. Chou zet twee van haar kinderen achter Pheng en neemt zelf Chang op schoot. Als ze wegrijden, kijkt Chou achterom naar het dorp en realiseert zich dat dit de eerste keer is dat ze teruggaat naar de stad waar ze in haar jeugd gewoond heeft. Het is voor Chou net alsof ze teruggaat in de tijd. Ze kijkt naar de open velden en ziet zichzelf als kind samen met Loung onder de sterrenhemel slapen. Als ze boeren passeren, ziet ze beelden voor zich van Keav met Geak in haar armen, terwijl de familie de stad uit trekt, en haar ogen prikken alsof ze in een stofwolk rijdt.

Halverwege de middag doemt de stad voor haar op, met hoge gebouwen met zeven verdiepingen die als bergen tot in de wolkeloze hemel reiken. Ze rijden Phnom Penh binnen. De huizen met rieten daken zijn vervangen door betonnen woningen met vier verdiepingen en smalle stoffige wegen door grijze boulevards van asfalt, waar het wemelt van de motorfietsen, fietstaxi's en – tot grote vreugde van Chous zoon – auto's.

'Mama, moet je kijken!' roept de driejarige Hok opgewonden uit. 'Kar met grote ogen! Haha! Grote ogen!'

'Auto's,' corrigeert Chou hem.

'Mama, moet je kijken wat een mensen!' gilt de vijfjarige Eng. 'Waar komen die vandaan?'

'Die wonen hier,' zegt Chou.

'Je moeder woonde vroeger ook in de stad,' zegt Pheng tegen zijn dochter.

'Mama, heb jij in de stad gewoond?' vraagt Eng vol ontzag.

'Heel lang geleden, toen ik klein was, net als jij,' antwoordt Chou, en ze klaart op bij de gelukkige herinneringen aan bioscopen, roze poppen, zwembaden en schooluniformen.

Het verkeer voegt zich om hun groepje motorfietsen heen en ze gaan wat langzamer rijden. Vlak naast hen ziet Chou drie volwassenen en drie kinderen boven op elkaar op één fietstaxi. Het tafereel doet haar denken aan de tochtjes naar de markt met mama, waarbij alle zusjes boven op elkaar gingen zitten. Plotseling passeert Pheng de volgeladen fietstaxi en rijdt langs rijen winkels die autobanden verkopen, moeren en bouten, gevlochten manden, glanzende gouden altaren, kleurige jurken en plastic bloemen. Chou kijkt alle kanten op en probeert zoveel mogelijk van Phnom Penh in zich op te nemen. Ze vindt dat er maar weinig veranderd is, vergeleken met de herinneringen die ze uit haar jeugd aan de drukke stad heeft. Het enige verschil is dat ze nu niet meer het gevoel heeft dat ze hier thuishoort.

'Hotel Phnom Penh,' kondigt Pheng aan, nadat ze vaak gestopt zijn om de weg te vragen en verkeerde afslagen hebben genomen. Ze blijven staan voor een oud, gewoontjes uitziend betonnen gebouw, gebroken wit en met vier verdiepingen. Chou kijkt omhoog naar de ramen die zich aan alle kanten als vierkante doosjes in de muren bevinden en vraagt zich af of Oudste Broer hier ergens binnen is.

'Tweede Broer, is dit het juiste adres?' vraagt Pheng, en hij zet zijn motorfiets naast die van Khouy.

'Mm-mm,' knikt Khouy.

Als het gezin gedwee achter Khouy aan voor het eerst een hotel binnenloopt, tintelen Chous wangen een beetje. Morm komt achter haar staan en knijpt in haar arm.

'Ik ben zo zenuwachtig!' fluistert ze tegen Chou. 'Het is zo spannend!'

Chou kan alleen maar knikken en dwingt zichzelf op te houden met beven.

'Kan ik u helpen?' vraagt de man achter de balie.

'Ja, ik ben op zoek naar Meng Ung. Hij zit in kamer 210,' antwoordt Khouy nonchalant, terwijl Chou naar de rijkdommen om zich heen kijkt: de linoleumvloer, de ramen van glas, de versleten banken, de aardewerken vaas, de elektrische verlichting en de ventilatoren die aan het plafond ronddraaien.

'Natuurlijk, gaat u maar naar boven.'

Khouy steekt zonder hem te bedanken een sigaret op en loopt de trap op. Chou loopt achter hem met Chang op haar heup. Ze haalt diep adem. De anders zo spraakzame familie is stil als ze de trap op lopen, en het enige geluid dat ze maken is het gehoest van de kinderen die het stof uit hun longen proberen te krijgen.

'210.' Khouy kijkt naar het nummer. Langzaam krult hij zijn handen tot hamers op en bonkt hij op de deur.

'Wie is daar?' vraagt een bekende stem aan de andere kant.

Als Khouy dit hoort, ontspant hij zijn vuisten en lacht hij hard. Dan brult hij: 'Oudste Broer, wij zijn het!'

'Khouy!' Meng zwaait de deur open en slaat zijn armen om Khouys schouders. 'Khouy, mijn broer!' De tranen stromen Meng over de wangen alsof er een dam van tien jaar oud doorgebroken is. Khouy grijpt Meng bij zijn armen beet, met rode ogen en een gespannen kaak. 'Chou,' zegt Meng, en zijn stem breekt als die van een puber. Hij steekt zijn hand naar haar uit.

'Oudste Broer,' zegt ze, en ze pakt zijn hand. Haar longen krijgen geen lucht. Meng legt zijn arm om haar heen, en zij vlijt haar hoofd tegen zijn schouder. Terwijl ze zachtjes in haar handen snikt, strijkt Meng over haar haar, op een zachtmoedige manier die haar aan papa doet denken.

'Oudste Broer, je bent er...' zegt Chou snikkend. Chang klemt zich vast aan haar heup. Eng ziet dat zijn moeder het moeilijk heeft, rent naar haar toe en klampt zich aan Chous been vast.

'Tweede Oom, Tweede Tante,' begroet Meng hen op nauwelijks verstaanbare toon. 'Jullie zijn vast Morm en Pheng. Wat fijn om jullie te zien.' Meng heeft dit nog niet gezegd of zijn gezicht vertrekt weer in een grimas.

'Kom Meng, we gaan zitten.' Oom Leang duwt de familie de kamer in.

'Meng, wat heerlijk om je te zien, mijn neef.' Tante Keang pakt zijn arm en laat hem op het bed plaatsnemen. 'Chou, Khouy, gaan jullie bij je broer zitten.' De anderen zoeken een plaatsje op een stoel of op de grond.

Khouy zit op bed, doet zijn schoenen uit en gaat in kleermakerszit zitten. Hij stelt Meng aan al zijn nichtjes en neefjes voor. Als hij bij de laatste is aanbeland trilt Mengs glimlachende mond weer en wrijft hij in zijn ogen. Terwijl Meng iedereen om de beurt aankijkt, kan Chou haar ogen niet van zijn gezicht afhouden. Ze neemt alles in zich op: zijn haar, zijn ogen, zijn wangen en zijn glimlach. Hij is ouder en wat dikker geworden, maar hij ziet er blijer en gezonder uit dan de broer die tien jaar geleden is vertrokken. Chou raakt zijn arm weer aan, zijn elleboog en zijn hand, alsof ze zich ervan wil vergewissen dat hij wel echt is. Elke keer dat haar vingers in iets stevigs knijpen, wordt haar glimlach breder.

'Oudste Broer heeft goed vlees,' roept Chou uit, en de anderen beamen dat hij in goede gezondheid verkeert.

'Oudste Broer,' zegt Khouy, die zichzelf als eerste weer vermant. 'Toen we je bericht ontvingen, konden we niet geloven dat jij het echt was!' Khouy lacht en zijn kinderen bulderen vanuit hun hoekje van de kamer met hem mee.

'Dat kan ik je niet kwalijk nemen,' zegt Meng. 'Ik kan het zelf nauwelijks geloven. Het is een heel lange reis geweest.'

Op de dag dat Meng in 1983 de eerste brief van Khouy ontving, was hij van plan om een bezoek aan Cambodja te brengen, maar door de boycot van de VS wist hij niet hoe hij het land binnen kon komen. Elf jaar lang heeft Meng alles over immigratie gelezen waar hij maar de hand op wist te leggen en met iedereen die hij kende gesproken om te horen of die enig idee hadden over hoe hij het land weer in kon komen. Niemand wist het. Maar een half jaar geleden was Meng door een vriend voorgesteld aan een man wiens broer voor de Cambodjaanse regering in Phnom Penh werkte. De man zei dat zijn broer hem tegen betaling wel wilde helpen om de grens over te komen.

'Dit moet je volgens mijn broer doen,' had de man gezegd. 'Je koopt een vliegticket naar Bangkok. In Bangkok vraag je een bezoekersvisum bij de Cambodjaanse ambassade aan.' Meng had de hoorn van de telefoon stevig tegen zijn oor gedrukt om maar vooral geen woord te missen. 'Als je maar genoeg geld meeneemt om mensen om te kopen, kun je zo een visum krijgen. Zodra je het visum hebt, koop je een ticket van Bangkok naar Cambodja. Als je dat allemaal hebt, bel je mijn broer op zijn werk en dan zorgt hij verder voor je.' De man had duidelijk gemaakt dat het een telefoonnummer van de overheid was, dus dat Meng tijdens kantooruren moest bellen. Hij zei tegen Meng dat pas dat jaar de eerste commerciële telefoonverbinding in Phnom Penh was geopend en dat maar heel weinig mensen of bedrijven die hadden.

Meng spaarde en glimlachte drie maanden lang, en 's nachts droomde hij over Cambodje en over het weerzien met zijn familie. Toen hij goedkeuring kreeg van IBM voor een langdurig verlof, stofzuigde hij zonder dat Eang daar om hoefde te vragen het huis en zette hij de vuilniszakken buiten. De dag waarop hij zijn ticket naar Bangkok kocht, liet hij Tori in de woonkamer ronddraaien tot ze allebei duizelig waren van blijdschap. De volgende ochtend belde hij, terwijl Maria over zijn schouder meekeek, zijn Cambodjaanse contact om zijn plannen te bevestigen. Toen Meng tegen de man zei dat hij Khouy een brief wilde sturen om de familie op de hoogte te stellen van zijn bezoek, zei de man dat hij dat beter niet kon doen.

'Waarom niet?' had Meng gevraagd, terwijl zijn handen koud werden. 'Is het dan niet veilig?'

'Nee, nee,' had de man geantwoord. 'Als je voorzichtig bent is het wel veilig. De politieke situatie is niet stabiel, maar UNTAC is er om de orde te bewaren. Het is waarschijnlijk veiliger als je niet van tevoren aankondigt dat je komt, zodat het een verrassing is.' Daarna had de man Meng langdurig uitgelegd waarom hij het bezoek aan zijn Cambodjaanse familie geheim moest houden tot hij er daadwerkelijk was.

Hij zei dat er, toen de Vietnamezen in 1989 180 000 soldaten uit Cambodja hadden teruggetrokken, een machtsstrijd tussen de verschillende Cambodjaanse partijen was ontstaan, waarvan de Partij van Democratisch Kampuchea, oftewel de Rode Khmer, de macht wilde grijpen. Om dit probleem op te lossen hadden de Verenigde Naties er onlangs mee ingestemd om verkiezingen te organiseren en te financieren, die in 1993 zouden plaatsvinden. Onder de UNTAC, de United Nations Transitioning Authority in Cambodia, waren er al duizenden deelnemers aan de VN-vredesmacht in Phnom Penh gearriveerd, die met verkiezingsdeskundigen over de hele wereld gingen samenwerken om dit doel te verwezenlijken.

'Wat is dan het probleem?' had Meng gevraagd.

'In deze overgangsperiode,' ging de man verder, 'kunnen er meer ontvoeringen en gevechten zijn, waardoor de regering misschien bezoekersvisa zal weigeren, zelfs als er geld voor op tafel wordt gelegd. Maar ik weet het niet zeker.'

Meng zwijgt en kijkt de kamer rond; hij kan nog steeds niet echt geloven dat hij hier met Khouy en Chou zit. Weer wordt hij overspoeld door zijn emoties en staan er tranen in zijn ogen.

'Vier dagen geleden heb ik op het vliegveld afscheid genomen van Eang, Maria en Tori. Het duurde één dag om naar Bangkok te vliegen en nog een dag om mijn visum te regelen. Toen ik in Pnhom Penh aankwam, heeft de broer van die man me met een auto opgehaald en naar dit hotel gebracht. Toen heb ik een medewerker van het hotel betaald om mijn brief aan jullie te bezorgen en heb ik in mijn kamer gewacht.'

'Oudste Broer, ben je twee dagen je kamer niet uit geweest? Wat heb je dan gegeten?' Chou kijkt de kamer rond en ziet dat er alleen een bed staat, waar zij op zitten, en twee stoelen – verder niets. In de badkamer ziet ze twee schone kommen in de wasbak staan.

'Ik heb een andere hotelmedewerker gevraagd om tegen betaling maaltijden op mijn kamer te brengen,' grinnikt Meng. 'Fantastisch. Voor twee dollar koopt hij twee kommen noedels, brengt die en haalt de kommen weer op als ik klaar ben. Als hij weggaat, bedankt hij me in alle toonaarden.'

'Oudste Broer, dat is veel te duur!' zegt Morm. 'Hij belazert je.'

'Nee, nee,' zegt Meng, en zijn ogen krijgen een zachtere uitdrukking. 'Ik was blij met zijn hulp.'

'Oudste Broer,' vraagt Chou zacht, 'hoe gaat het met Loung, Oudste Schoonzus en de meisjes?'

'Ze maken het goed. Loung zit op de universiteit en moet elke dag heel hard studeren. Eang maakt het goed en heeft het druk met de meisjes. Die zijn heel Amerikaans en verwend geworden!' Meng lacht zacht, maar Chou ziet aan zijn ogen dat hij trots is. 'Ze zijn elf en zes jaar, en ze spreken al Chinees, Engels en Khmer!'

'Oudste Broer, hoe gaat het met Kim in Frankrijk?' vraagt Khouy.

'Hij woont bij tante Heng en haar gezin. Ik heb hem een half jaar geleden opgezocht en hij ziet er goed uit en is gelukkig.' Meng zwijgt even; Chou ziet dat zijn gezicht betrekt. 'Ik ben alle papieren aan het invullen om te zorgen dat hij naar Amerika kan komen, maar dat kan nog wel jaren duren.'

'Meng, we weten dat je alles doet wat binnen je vermogen ligt om je familie weer bij elkaar te brengen,' zegt tante Keang lief, en de rest van de familie knikt.

'Ik had Kim voor mijn vertrek nog aan de telefoon, en jullie moeten allemaal de groeten hebben, en de beste wensen. Hij hoopt ook snel op bezoek te kunnen komen.' Als Meng klaar is met vertellen, haalt hij voorzichtig een stapel verzegelde rode Chinese envelopjes tevoorschijn, allemaal vol met Amerikaanse dollars.

'Khouy,' zegt hij, en hij geeft er een aan Khouy. 'Ik hoop dat je hier in moeilijke tijden iets aan hebt.' Khouy neemt het met een zacht 'dank je wel' aan.

'Chou,' zegt Meng, en hij draait zich naar haar om. 'Dit is een bijdrage voor de opvoeding van je kinderen.'

'Dank je wel, Oudste Broer, maar het hoeft echt niet. Het is al fantastisch dat je er bent,' zegt Chou, en Meng drukt haar de envelop in handen.

Na Chou geeft Meng een envelop aan oom Leang, voor hem en zijn gezin. In elke envelop zit meer geld dan de ontvanger in zijn of haar leven ooit bij elkaar gezien heeft, maar toch zegt Meng er telkens bij dat het hem spijt dat het niet meer is.

Als de vrouwen, kinderen en oom Leang die avond bij familie op de grond liggen te dromen, logeren Khouy en Pheng bij Meng in de kamer. In het donker luistert Meng naar de rustige ademhaling van zijn broer en zwager, en bedankt hij mama en papa fluisterend dat ze voor zijn zusjes en broertjes hebben gezorgd toen hij dat niet kon. Nu hij weet dat ze allemaal veilig zijn, kan hij voor het eerst in meer dan tien jaar rustig slapen.

De volgende ochtend huurt Khouy een auto om met Meng naar Ou-Dong te gaan; dat doet hij omdat hij bang is dat Meng niet gewend is aan een lange tocht op een motorfiets. Chou, tante Keang en de kinderen rijden mee in de auto en de rest volgt op de motor. Meng haalt zijn videocamera tevoorschijn en filmt de familie, de wegen, de stad en het platteland. Maar na ongeveer een kwart van de reis naar het dorp, over de hobbelige weg, moet Meng een pil nemen om te zorgen dat hij niet gaat overgeven. Als ze twee uur later in het dorp aankomen, slikt Meng nog twee pillen tegen de hoofdpijn. In het dorp ontmoet Meng Amah en de volwassen neven en nichten en andere familieleden. Het kost hem moeite om alle namen en gezichten te combineren met de kinderen die hij zich van vroeger herinnert.

'Chow Pang Ka-la!' roept hij – de Cambodjaanse bijnaam die vertaald 'dief die tijgerbalsem steelt' betekent.

'En jij, A-gow,' zegt hij tegen een jongen – de Chinese bijnaam die 'de hond' betekent. In de volwassen gezichten van de neven en nichten herkent Meng al snel 'O-kuoy', de zwarte geest; 'Lol-lai', de jankerd; en 'Thor-moi', de dikke zus. Als hij het korte stukje van het huis van Khouy naar de markt in het dorp loopt, komen er nog veel meer vrienden, familieleden, buren en onbekenden naar buiten om hem gedag te zeggen. Chou staat naast hem en stelt Meng blij aan iedereen voor. Ze hangt aan zijn lippen als hij de mensen vermaakt met verhalen over sneeuwstormen en snelwegen met acht rijbanen. Als hij vertelt dat een universiteit de studie van Loung helemaal betaalt en dat Chou ook twee slimme nichtjes heeft, stralen haar ogen van trots.

Als ze van de markt terugkomen, hakt Khouy een groene kokosnoot voor Meng open en Chou kookt water voor hem en laat het onder de boom afkoelen. Als het water afgekoeld is, doet Meng een blauwe pil in de ketel. Daarna giet Pheng het water in een emmer en brengt dat naar de aanbouw, zodat Meng kan douchen. Als hij terugkomt, helemaal schoon en met een medicinaal luchtje om zich heen, zoals zeep of shampoo, klimmen de jonge neefjes en nichtjes in hem en springen op zijn schoot tot hij weer helemaal vies is.

Als de zon ondergaat, gaat de familie aan tafel. Meng stelt heel veel vragen en kan er maar geen genoeg van krijgen om zelfs de eenvoudigste details over hun leven te horen. Als een kind uit het buitenland vraagt hij hun te vertellen hoe ze het land bebouwen, wat voor gewassen ze hebben en waar ze de beste vis vangen. Terwijl de anderen praten, wappert Chou Meng met haar palmblad koelte toe en houdt ze goed de muggenspiraal naast zijn voeten in de gaten.

En zo maakt Meng in één vollemaanscyclus tien jaar aan familiereünies en -bijeenkomsten mee. Als hij niet bij Khouy thuis is, loopt hij vergezeld van familieleden over de weg van rode aarde het dorp uit om naar de heen en weer wiegende palmbomen en groene rijstvelden te kijken. Elke dag en bij elk bezoek ziet Chou Mengs gezicht nog voller worden. Ze ziet ook dat de donkere kringen onder zijn ogen wegtrekken. Maar de dagen die ze samen hebben lopen al snel ten einde.

Als ze in het huis van een neef in Phnom Penh bij elkaar zijn, zet Meng zijn videocamera neer en vraagt hij of iedereen een boodschap of een groet wil inspreken, of wat ze anders maar willen zeggen, zodat hij die mee terug kan nemen naar Amerika.

Khouy gaat als eerste voor de camera zitten, met een brede grijns op zijn gezicht.

'Kim, Oudste Schoonzus Eang, Loung – ik heb gehoord dat jullie de kou daar maar niks vinden. Dus jullie moeten hier op bezoek komen. Als je het echt warm wilt hebben, moet je in april komen!' Hij lacht, want hij weet dat april de warmste maand van het jaar is, met temperaturen van wel veertig graden.

'Khouy, geen grappen maken!' lacht Morm, en ze geeft hem zacht een klap tegen zijn arm. 'Kim, Loung, Schoonzus Eang, komen jullie alsjeblieft bij ons langs. Als jullie hier zijn hoeven jullie je geen zorgen te maken en jullie hoeven niks te doen, want de nichtjes zijn groot genoeg om schoon te maken en ik kook.'

'Morm, als jij kookt komen ze niet. Jij kunt niet koken!' buldert Khouy naast haar.

'Hou op!' lacht Morm. 'Schoonzus Eang, Kim en Loung. De hartelijke groeten en we wensen jullie veel geluk en een goede gezondheid. Dat was het. Ik weet verder niet wat ik moet zeggen.'

Als Meng de camera op Chou richt, barst ze in tranen uit. Haar schouders schokken, ze bijt op haar lip en kijkt naar haar voeten. Dan kijkt ze doordringend in de camera. 'Loung, kom hierheen. Het is al meer dan tien jaar geleden,' zegt ze op dringende toon. 'Ik mis je heel erg. Loung, je hebt een heleboel nichtjes en neefjes die je graag willen ontmoeten...' Ongegeneerd veegt ze haar ogen en neus met haar onderarm af. 'Ik mis broer Kim en Oudste Schoonzus Eang ook. Oudste Schoonzus, dank je wel dat je Loung al die jaren hebt opgevoed. Oudste Broer Meng zegt dat Loung een goede leerling is en heel veel respect voor haar oudere familieleden heeft. Ze mag van geluk spreken dat ze jullie heeft om al die dingen te leren. De groeten aan Maria en Tori. Ik hoop dat we jullie allemaal binnenkort eens zullen zien.' Terwijl ze dit allemaal zegt, stromen de tranen haar over de wangen en wordt haar stem hees. Als ze niet verder kan, gaat haar dochter Eng achter haar staan en slaat haar armen om haar nek.

'Chou, niet meer huilen,' zegt tante Keang. 'Je hoeft niet te huilen.'

Op dat moment lichten Chous ogen boos op. 'U moet niet tegen mij zeggen dat ik niet meer mag huilen,' zegt ze. 'Het heeft tien jaar geduurd voordat ik mijn broer weer zag. Het kan nog wel tien jaar duren voordat ik hem weer zie. Ik weet niet wanneer ik hem weer zal zien. Ik weet niet of ik Loung en Kim ooit nog zal zien.' Dan krijgt ze een zachtere uitdrukking in haar ogen, buigt ze haar hoofd en schokken haar schouders.

Meng loopt bij de camera weg en gaat naast haar zitten. Hij legt zijn arm onhandig over haar rug. Ze haalt diep adem en probeert zich te vermannen. Hij strijkt over haar haar.

'Niet zeggen dat ik niet mag huilen,' fluistert ze zacht. 'Ik huil alleen maar omdat ik hen zo vreselijk mis.'

25
Weerzien met Aapje

Mei 1992

Ik zit aan een tafeltje op het terras van een patisserie, neem een slokje van mijn cappuccino en kijk naar de intens blauwe Middellandse Zee. Voor me rijdt een stroom Audi's, Porsches en Lamborghini's stapvoets over de weg. Om de paar minuten blijft het verkeer staan om prachtige, adembenemend mooi geklede vrouwen de straat te laten oversteken naar het strand, waar schaars geklede zonaanbidders zich koesteren in de warme stralen van de zon. Ik ben in Zuid-Frankrijk en studeer aan het Cannes International College, als onderdeel van het buitenlandprogramma van Saint Michael's College. Ik ga echt regelmatig naar de kooklessen, tekenlessen en colleges internationale politiek, maar het grootste deel van de tijd lig ik op het strand, bezoek ik musea, ga ik stappen en drink ik heerlijke kopjes koffie in Parijs, Marseille, Aix-en-Provence, op Corsica en in heel veel andere Franse steden. Na nog twee cappuccino's ga ik terug naar de universiteit, waar ik op de mooie binnenplaats in het gras plaatsneem. Plotseling duikt mijn Zweedse vriendin Pernilla naast me op.

'We hebben kaartjes voor de première van *Strictly Ballroom* vanavond. Heb je zin om mee te gaan?'

'Ja, maar ik heb geen avondjurken meer,' verzucht ik. De universiteit ligt namelijk op maar een paar minuten lopen van het Filmfestival van Cannes en de studenten hebben speciale pasjes gekregen om bij de vertoningen te zijn. Voor zo'n pasje moesten we een formulier ondertekenen waarin we beloofden om avondkleding te dragen als we 's avonds naar zo'n voorstelling gingen.

Om zes uur 's avonds spreek ik met mijn vriendinnen af in de lobby.

We hebben allemaal een kleurige jurk aan en zien eruit alsof we naar een Europees galabal gaan. We lopen naar het festival en banen ons een weg door de menigte, door een zee van dure jurken en zwarte smokings. Als we bij onze bioscoop komen, zie ik mijn favoriete Amerikaanse actrice, Jamie Lee Curtis. Ik loop snel naar haar toe, en hoewel het zweet me in de handen staat, zeg ik heel rustig tegen haar: 'Mevrouw Curtis, ik vind uw films fantastisch. Dank u wel.'

'Nou, jíj bedankt,' zegt ze met een glimlach, en we gaan ieder ons weegs.

'In het echt is ze nóg mooier,' zeg ik tegen mijn vriendinnen, trots op mijn vluchtige aanraking met de roem. Voor de bioscoop waar *Basic Instinct* draait passeren we een grote groep fans die zich als een kogelvis opblaast en op en neer deint. Als de filmsterren Michael Douglas en Sharon Stone verschijnen, blaast de vis zijn lucht uit, hapt naar adem en krijst.

Tijdens *Strictly Ballroom* zit ik de hele tijd met mijn voeten te tikken. Aan het eind spring ik op om een staande ovatie te geven. 'Geweldig!' brul ik tegen mijn vriendin. 'Laten we gaan dansen!'

We staan op het punt om lachend een luidruchtige, matig verlichte club binnen te gaan als ik iemand 'Loung?' hoor roepen.

Ik draai me om en zie een knappe, blonde Europese man staan. 'Paul? Jeetje, je bent het echt!' Paul is een vriend van Saint Michael's die onlangs is afgestudeerd. 'Wat doe jíj hier? Ik dacht dat je in Zweden woonde.'

'Ik woon ook in Zweden. Maar ik studeer autodesign in Zwitserland en ben nu met vakantie in de villa van mijn familie.'

'Goh, niet te geloven! Wat leuk om iemand te kennen die in een villa woont, net als in de film!' roep ik uit, en ik omhels hem nog een keer.

Nadat we iedereen aan elkaar hebben voorgesteld, gaan we de club in. Paul bestelt flessen champagne om met z'n allen op te drinken. Terwijl ik van mijn champagne nip, dreunt de muziek en tollen de lichamen rond op de dansvloer. Tegen het eind van de avond spreken Paul en ik af om elkaar de volgende dag weer te zien. Als we in de vroege ochtenduren terug naar de universiteit strompelen, zit er een grijns om mijn mond gebakken.

'Loung.' De beheerder van mijn studentenhuis houdt me staande als we de hal in lopen en geeft me een opgevouwen papiertje. Ik maak het open en lees: 'Je broer Kim heeft gebeld. Hij komt aanstaande zaterdag bij je langs.' Mijn grijns verdwijnt.

Een week later zit ik in de hal en probeer ik mezelf tot kalmte te manen. Ik realiseer me dat ik Kim niet meer gezien heb sinds ik elf jaar geleden uit Cambodja ben vertrokken. Ik masseer mijn nek en zoek mijn glibberige hersengroeven af naar een aannemelijk excuus voor de vraag waarom ik Kim in de vier maanden dat ik in Frankrijk ben niet heb gebeld of opgezocht; hij woont immers maar op drie uur met de trein bij mij vandaan. Ik kijk op de klok aan de muur: het is vijf voor tien 's ochtends. Over een paar minuten is Kim er. Ik sta op en stop mijn blauwe blouse in mijn zwarte broek. Als Kims auto voor het gebouw stilhoudt, verman ik me en verlaat ik mijn fantasiewereld om oog in oog te kunnen staan met mama's aapje.

'Loung,' zegt Kim met een brede glimlach op zijn gezicht. Kim ziet er in zijn wijde bruine T-shirt en spijkerbroek mager uit, bijna uitgemergeld. Plotseling word ik bang. Als hij naar me toe loopt verkrampt mijn buik en word ik misselijk van de pijn in mijn nek. Ik houd mijn armen strak langs mijn lichaam. Ik draai me langzaam om en kijk van Kim naar oom Lim, tante Heng en hun oudste zoon Hung, die naast de auto staan.

'Kim,' zeg ik ter begroeting. 'Oom, tante, Hung, hoe maken jullie het?'

'Prima, prima,' antwoordt oom Lim. 'Kom, laten we hier niet blijven staan. Laten we naar Monaco rijden.' Hung zit met oom Lim voorin, en ik zit op de achterbank tussen Kim en tante Heng.

'Loung,' begint tante Heng. 'Meng zegt dat je goede cijfers moet halen om je beurs te behouden, dus dat je de hele tijd studeert. Je hebt waarschijnlijk geen tijd om dingen te bezichtigen.' Ik glimlach.

We rijden over de bochtige weg over het klif naar Monaco en ik roep o en ah over het landschap. Tussen de mooie uitzichten door vertelt tante Heng me hoe het met hun acht kinderen gaat. Kim en ik hebben elkaar ondertussen niet veel te zeggen, en de knopen in mijn nek breiden zich uit tot één grote pijnlijke bal. *Ik wil niet meer dat de Rode Khmer macht over mij heeft*, denk ik. *Ik kan er niet meer tegen dat ze mijn familie hebben weggehaald*, wil ik krijsen. Langzaam wend ik mijn blik naar mijn broer en dwing mezelf me hem te herinneren als het kleine jongetje dat dol was op kungfufilms en dat malle gezichten trok. Langzaam maar zeker kan ik me ontspannen.

In Monaco slenteren Kim, tante Heng, oom Lim, Hung en ik urenlang heen en weer voor het wereldberoemde Hotel Monte Carlo en het casino. Als onze voeten moe worden zoeken we een café op en bij een grote *caffe latte* vertelt Kim over zijn werk. Hij maakt plastic brilmonturen. Ik vertel hem over Meng en Vermont. Als onze voeten er weer tegen kunnen, wandelen we langs winkels waarin onbereikbare rijkdommen liggen uitgestald. De zon fonkelt op de diamanten in de vitrines, waardoor er kleurenprisma's op onze huid ontstaan. Kim en ik vergelijken onze verhalen over hoe het is om met alleen maar de kleren die je aanhebt in een vreemd land aan te komen, over de cultuurschok en het leren van een nieuwe taal. Als we eindelijk samen lachen over onze gemeenschappelijke afkeer van sneeuw en ijskoude regen, associeer ik hem niet meer zo sterk met de Rode Khmer.

'Kim, hoe ben je van Cambodja naar Frankrijk gekomen?' vraag ik als we ergens gaan zitten voor een late lunch.

'Dat is een lang verhaal,' zegt hij. Hij lacht en zegt dan: 'Het lijkt wel een avonturenfilm.'

'Ik ben dol op avonturenfilms,' zeg ik.

Terwijl hij zijn hamburger met patat eet, vertelt Kim zijn verhaal.

Kort nadat Chou met Pheng was getrouwd, verliet Kim het dorp en ging naar Ou-Dong, waar hij een manier zocht om Cambodja uit te komen. Hij wilde naar Meng en Loung. Op een avond in 1988, een half jaar nadat hij Krang Truop had verlaten, vertelde Dara, een vriend van Kim, dat hij van plan was naar Thailand te gaan. Dara zei dat Kim voor drie chi aan goud meekon. 'Je betaalt de helft aan de chauffeur in Ou-Dong,' zei hij, 'en als je veilig in het kamp bent aangekomen, halen ze de rest op bij je familie. Als je mee wilt: we vertrekken morgen.'

De volgende ochtend ging Kim zonder bagage naar de brug in Ou-Dong, waar hij met Dara had afgesproken. Hij had een oud bruin hemd aan, een verschoten spijkerbroek en groene teenslippers. Dara droeg wijde donkere kleren en bruine sandalen. Om hen heen was het een drukte van belang van mensen en handelaren. Er liepen jonge meisjes langs met gebakken spinnen en vlak achter hen verkocht een man Frans stokbrood uit een houten mand. Iemand had een levend, dik varken van wel honderd kilo achter op een motorfiets gebonden, met zijn vier poten in de lucht. In een zijstraatje liepen jonge monniken met hun oranje en gele gewaden aan naar een winkel en wachtten geduldig tot er iemand naar buiten kwam en hun wat lepels rijst en groenten gaf. Als ze die hadden gekregen, zongen ze een zegening voor hun weldoener.

Om negen uur stopte er voor hun neus een vrachtwagen die mensen van het ene dorp naar het andere bracht. Kim en Dara stapten in en spraken met niemand. Hoog aan de hemel bewoog de zon langzaam; hij brandde door de nevel heen en maakte hun schaduwen donkerder. Kim nam in stilte afscheid van Chou, Khouy en de rest van de familie. Vijf uur lang keek Kim, terwijl de vrachtauto over de weg van rode aarde hotste, naar de uitgestrekte provincie en wist hij dat hij daar ergens papa, mama, Geak en Keav achterliet. Plotseling pompte het bloed in zijn aderen snel naar zijn hoofd, waardoor hij pijn kreeg. De weg kronkelde om heuvels heen, maar voor hun volgende stopplaats, Battambang, werd het terrein eindelijk vlak. Daar kocht Kim rijst en vis. Al snel was hij omringd door mensen met een geamputeerd been, die op een houten been rondhobbelden en bedelden. De vrachtauto bracht de laatste twaalf passagiers vlug naar een dorp aan de Cambodjaanse kant van de Thaise grens. Toen Kim en Dara uit de vrachtauto klauterden was het donker. Ze waren stijf en hun armen en benen deden pijn. Kim rekte zich uit en zag alleen maar rijstvelden zo ver het oog reikte.

'Jullie worden zo opgehaald,' zei de chauffeur, en hij stak zijn hand uit. Kim gaf hem het geld. De chauffeur stapte weer in en reed weg. Een paar gespannen minuten lang stond Kim in de aarde te schoppen en keek Dara bezorgd de weg af. Toen er een jongeman van hun leeftijd verscheen, haalden ze allebei opgelucht adem.

'Kom maar mee,' zei hun gids. Ze liepen achter hem aan naar een lege hut, verscholen achter dikke bomen en struiken. Een paar minuten later kwam een bejaarde vrouw een klamboe, water, rijst en vis brengen. Toen vertrok ze weer. Ze aten en vielen daarna in een diepe slaap. Toen de gids hen wekte, was het donker buiten, met een heldere hemel. De sterren fonkelden en de maan wierp zilverkleurig licht op hen. Kim wilde de gids vragen hoe laat het was, maar deed dat niet.

'Trek dit aan,' zei hij, en hij gaf hun allebei een oude, donkere, wijde broek en hemd. Terwijl ze zich verkleedden zei de gids: 'Niet praten. Ik praat wel voor jullie. Ik heb de mannen met wie we reizen gezegd dat jullie neven van me zijn uit de stad en dat jullie hier zijn gekomen om te leren werken. We smokkelen droge vis en andere dingen die we aan de Thaise grens verkopen, en we kopen medicijnen, die we dan hier weer verkopen. Dat is illegaal, dus we reizen 's nachts om de politie te ontlopen. Jullie krijgen allebei een tas, zodat jullie eruitzien alsof jullie bij ons horen.'

De gids liep met hen naar een groepje van negen mannen, allemaal gespierd en mager. Toen smeerde hij modder op zijn lichaam en zei de jongens dat ook te doen. Kim nam een handvol modder en smeerde die op zijn gezicht, nek, armen en over zijn kleren. Hij moest van de rotte geur bijna overgeven, maar de gids fluisterde: 'Stinkende modder is goed tegen de muggen.'

De gids liet een tas over Kims schouders glijden. De banden sneden meteen in zijn vlees, waardoor hij achteruitwankelde.

'Jullie moeten precies in mijn voetstappen volgen,' zei de gids zacht. 'We moeten snel lopen en voor het licht wordt het grondgebied van de Rode Khmer verlaten hebben.' Kim hapte naar adem toen hij die woorden hoorde, want hij had al veel verhalen gehoord over mensen die daar ontvoerd en afgeslacht waren. In het licht van de maan ging de groep zwijgend en in ganzenpas op pad. De tijd ging langzaam voorbij, en bij elke stap werd de tas op Kims rug zwaarder.

'We komen nu bij het grondgebied van de Rode Khmer,' fluisterde de gids tegen Kim en Dara. 'We moeten nu drie uur lang op onze hoede zijn en geen enkel geluid maken.'

Kim knikte en liep achter hem aan. In de lucht kwam de maan telkens even achter de wolken tevoorschijn. Er stond een speels briesje, dat de bladeren en takken deed ruisen. Kim hoorde alle geluiden en probeerde te achterhalen of die van vriend of vijand afkomstig waren. Zo nu en dan dwaalden zijn gedachten af naar een toekomst waarin hij bij Oudste Broer woonde en naar een koksopleiding ging.

Plotseling rook Kim de stank van rottend vlees. De groep stapte zwijgend over twee lijken heen die met hun gezicht omlaag op het pad lagen. Kim sloeg zijn handen voor zijn neus en mond en hield zijn adem in, maar liep wel door. Een paar meter voor hen blokkeerde een dode os hun de weg; zijn voorpoten waren eraf geschoten. De gids liep voorzichtig van het gebaande pad af en een stukje grasland op. Kim liep precies in zijn voetsporen achter hem aan en keek maar heel even naar de uitstekende botten van de os.

Toen het licht werd, was de groep veilig door het gebied van de Rode Khmer gekomen. Kim had het gevoel dat iemand de spieren in zijn schouders met een hamer te lijf was gegaan. Toen de groep halt hield om uit te rusten, liet Kim zijn tas vallen en ging op het gras liggen. De gids kwam met Dara naar hem toe.

'Jullie gaan met een nieuwe gids verder,' zei hij, en hij wees op een magere man van in de veertig met grauwe tanden. 'Ik heb twee jongens ingehuurd om jullie tassen over te nemen. Bedankt dat jullie die gedragen hebben.' Hij glimlachte en vertrok met de rest van de groep.

'Ik jullie naar kamp brengen,' zei de nieuwe man. Kim en Dara knikten. 'Maar dag, nacht, hier slapen.' De gids gaf hun allebei een pakje rijst en vis, in bananenbladeren gewikkeld, en bracht hen naar een hut buiten het dorp, waar ze de nacht doorbrachten. Toen de zon opkwam, merkte Kim bij het wakker worden dat zijn schoenen gestolen waren. Dara en hij liepen blootsvoets twee uur lang achter hun nieuwe gids aan. Toen bleef hij staan. Kim keek op en zijn keel kneep samen: aan de overkant van de landweg, aan de andere kant van een grasveldje, doemde een twee meter hoog hek van prikkeldraad op, dat om een kamp liep van provisorische hutjes, houten huizen en tenten, waarvan Kim aannam dat er duizenden vluchtelingen woonden. In Kims ogen was het kamp een magische, verloren gewaande stad waar hoop en dromen herboren konden worden.

De gids wees op een nauwelijks zichtbaar pad. Kim keek het enigszins geplette gras af dat naar een paar dichte struiken leidde, waar onder het hek een klein kruipgat verscholen zat. De gids wees op een paar rode borden met doodshoofden in het veld aan weerskanten van het pad.

'Blijf op pad, geen mijnen,' fluisterde de gids. Kim knikte, en zijn maag draaide zich om.

Ze zaten drie kwartier in de struiken langs de kant van de weg te wachten tot er een grenspatrouilleauto langskwam. De gids trok hen dieper de struiken in, maar Kim had toch gezien dat een van de soldaten opstond, met zijn hand op zijn geweer. Toen het geronk van de jeep op de weggetjes in het oerwoud wegstierf, riep de gids: 'Rennen!' Kim sprong op, met bonkend hart, en haalde zijn blote voeten open aan de stenen en het versplinterde hout. Hij rende. Toen hij bij het prikkeldraad was, gleed hij er als een slang in het gras onderdoor. Aan de andere kant, uit het gat gekropen, kon hij een glimlach niet onderdrukken. Achter hem kwamen Dara en de gids op dezelfde manier het kamp binnen. Hij voelde zich heel sterk, alsof zijn lichaam vele malen zijn eigen lengte kon springen, als een sprinkhaan.

'Langzaam, gewoon doen, alsof je hier hoort,' waarschuwde de gids hem, en hij bracht Kim naar een hut van een vrouw met haar dochter. Nu zijn taak erop zat, verdween de gids met Dara. Over een paar dagen zou een van de mannen van de gids naar Khouy gaan om de rest van hun goud op te halen.

Die eerste avond werden Kim de ontnuchterende feiten van het leven van de vluchteling uitgelegd en verdween zijn droom over vrijheid als sneeuw voor de zon. Toen hij uit Cambodja was vertrokken, had hij niet geweten dat de kampen dichtgingen en dat Thailand geen vluchtelingen meer opnam. Toch kwamen er elke dag nog honderden vluchtelingen bij. Velen werden gevangengenomen, in de gevangenis gezet en dan met een vrachtwagen naar de grens van Cambodja en Thailand gebracht. Daar moesten ze uitstappen, het Dangrekgebergte oversteken en door velden lopen die bezaaid lagen met landmijnen en waar de hongerdood, ziekte, struikrovers en soldaten van de Rode Khmer hen opwachtten. Kim hoorde dat velen van hen niet meer thuiskwamen en dat degenen die wél thuiskwamen een leven vol schaamte en armoede te wachten stond. O, wat was hij naïef geweest toen hij dacht dat hij alleen maar aan een vluchtelingenwerker hoefde te vertellen dat hij familie in Amerika had en dat hij dan meteen naar hen toe zou mogen.

Vijf maanden later zat Kim nog steeds op zijn overtocht naar Amerika te wachten. Hij werd beschermd door de vrouw die hij via zijn gids had leren kennen, en vaak moest hij zich een meter onder haar hut verstoppen en zoog hij in stilte warme lucht via een poreuze bedstijl van bamboe naar binnen, die heel ingenieus precies boven zijn verstopplaats was gezet. Het was er pikkedonker en net breed genoeg voor zijn schouders. Kim trok zijn knieën op naar zijn borst en haakte zijn vingers in elkaar. Boven hem lag onder een laagje aarde van acht centimeter dik een stuk dik multiplex met een rond gaatje in het midden verstopt, als deksel op Kims onderduikplek. Boven op het hout stond een zwaar bed met vier stijlen van bamboe. In een van de stijlen waren gaatjes gemaakt, en die was boven op de opening in het hout gezet. Als Kim zijn nek strekte, kon hij zijn neus tegen het gat leggen en wanhopig lucht naar binnen zuigen, waarbij hij zichzelf dwong om kalm te blijven.

Na een kwartier was hij drijfnat van het zweet. Hij wilde zijn nek masseren, maar durfde niet – veel te bang om ook maar het geringste geluid te maken. Boven hem beenden een stuk of vijf Thaise soldaten door de hut, met zware laarzen aan. De voetstappen gingen het vertrek rond en de soldaten keken achter de gordijnen, kratten en onder een stapel kleren of er illegale vluchtelingen waren. Wanneer de soldaten rondliepen, concentreerde Kim zich erop om kalm te blijven en vooral geen enkel geluid te maken.

'Papieren!' blafte de soldaat in gebroken Khmer.

'Hier zijn ze, meneer.' De eigenares van de hut liep snel en zacht naar hem toe. Kim zag al voor zich hoe ze hem de papieren overhandigde en allebei haar handen uitstak om hem respect te betonen. Hij hoorde nog drie paar voetstappen, allemaal stil en zacht.

'Een, twee, drie, vier identiteitsbewijzen,' telde de soldaat. 'In deze hut wonen vier vluchtelingen.'

'Er is verder niemand,' meldde een andere soldaat nadat hij het huisje had doorzocht.

'Goed, dan gaan we.' Toen de soldaat zonder ook maar de geringste groet vertrok, wierpen ze met hun voetstappen aarde op, die als as op Kims hoofd en lichaam viel. De aarde vermengde zich met zijn zweet en trok in zijn huid, waardoor hij zich nog smeriger voelde. Hij verlangde naar een douche, maar kon de modder er alleen maar een beetje af vegen.

De seconden leken wel een eeuwigheid te duren, maar toen hoorde hij dan toch geen soldatenpassen meer. Hij wist dat hij nog een kwartier in zijn gat moest blijven zitten, voor de zekerheid. Kim zag de zon in gedachten ondergaan boven het kamp waar honderdduizenden vuurtjes werden gestookt om het avondeten op te koken. Zijn maag rommelde bij de gedachte alleen al. Hoeveel maanden zou hij zich nog moeten verstoppen tot zijn droom over een nieuw leven zou uitkomen?

De eigenares woonde samen met haar zoontje van negen, een dochter van dertien en een van negentien. Kim was deze vriendelijke en meelevende vrouw elke dag dankbaar. Hij wist dat zij en haar gezin als ze erop betrapt werd dat ze een illegale vluchteling verstopte, dood of levend, dezelfde straf zouden krijgen als Kim. De vrouw wist wat de risico's waren, maar koos er toch voor om hem, een vreemde, te helpen. Toen Kim haar vroeg waarom ze dat deed, zei ze dat ze haar man door de Rode Khmer verloren was en dat ze nu alleen nog maar leefde om haar kinderen een betere toekomst te bezorgen. Ze bekende dat ze, zodra ze haar kinderen in veiligheid had gebracht, haar hoofd zou kaalscheren, een boeddhistische non zou worden en haar leven aan de goden zou wijden. Maar tot het zover was, wilde ze haar weg met goed karma plaveien door goede daden te doen en haar landgenoten te helpen.

Kim had hun niks te bieden; ze moesten hem op zijn woord geloven. Hij beloofde de familie dat hij hun zou terugbetalen zodra hij geld van Meng had ontvangen. De eerste paar maanden woonde Kim bij het gezin en at met hen mee alsof hij een van hen was. Er kwamen geen brieven of betalingen uit Amerika.

Overdag kon Kim vrij door het kamp lopen, vrienden maken en met de buren volleyballen, zolang hij maar niet te ver uit de buurt van zijn schuilplaats ging. Eén keer per dag probeerden de Thaise soldaten vluchtelingen te verrassen door op een onverwacht tijdstip huiszoekingen te doen. Maar de vluchtelingen hielpen elkaar altijd en op de een of andere manier werd er gewaarschuwd, zodat Kim en de andere illegalen zich konden verstoppen. 's Nachts sliepen de twee dochters bij de vrouw in bed en Kim sliep naast de zoon en dacht aan zijn eigen familie.

Elke week leende hij geld om brieven naar Meng en tante Heng in Frankrijk te sturen. Hij schreef over het leven in het kamp, over het gezin waarbij hij woonde en over het steeds groter wordende risico dat de soldaten hem zouden snappen. Naarmate men bedrevener raakte in de smokkel van mensen, werden er meer vluchtelingen het kamp in gesmokkeld en de Thaise soldaten voerden de huiszoekingen op. Kim schreef met bevende hand dat een vriend gestikt was toen hij zich in een metalen watertank verstopt had. De lucht was opgeraakt, doordat de soldaten zijn gastgezin te lang hadden ondervraagd. Elke keer dat

Kim in zijn gat kroop en zich liet begraven, was hij bang dat dit ook zijn lot zou worden.

In de derde maand dat Kim in het kamp zat kreeg hij een brief met driehonderd dollar van Meng. Toen hij het geld zag, had hij zijn armen in de lucht gestoken, gejammerd van geluk en het gastgezin meteen terugbetaald voor de geboden bescherming. Die avond had hij het donkere hol minder verstikkend gevonden. Terwijl de soldaten boven de familie terroriseerden, hoorde Kim Meng zeggen dat hij moest volhouden en geduld hebben, dat er hulp aankwam!

Maar toen gingen er weer twee maanden voorbij en elke dag werd de schuilplaats benauwder en hadden de Thaise soldaten er langer voor nodig voordat ze alles doorzocht hadden. Op een dag bracht Kim zijn mond weer naar de stijl van bamboe en kreeg hij een hap stof binnen in plaats van de lucht die hij zo hard nodig had. Hij voelde dat zijn borst zich samentrok en in een verschrikkelijke onderdrukte hoestbui explodeerde. Kim zag witte flitsen van de pijn. Hij ademde oppervlakkig en kraste tegen het hout om eruit gelaten te worden. Kim had de soldaten al een eeuwigheid geleden horen vertrekken, maar de familie was nog steeds niet terug om hem eruit te laten. Hij bracht zijn armen omhoog en duwde met zijn handpalmen tegen het hout, maar de valdeur zat muurvast. Hij bonkte uit alle macht met zijn vuist tegen de plaat, maar er viel alleen maar stof op hem.

Alsjeblieft papa, laat me hier niet begraven worden, smeekte hij in stilte. Laat me hier niet moederziel alleen doodgaan. Net op dat moment hoorde Kim het onmiskenbare geluid van spatels die hem uit zijn graf haalden. Een paar minuten later verplaatsten ze het bed, trokken het houten deksel weg en vloog Kim als een bijna verdronken rat uit het hol.

'De soldaten zijn vandaag heel grondig te werk gegaan,' zei de vrouw tegen Kim.

'Ja, het duurde heel lang. Dank u wel,' zei Kim hees, terwijl hij op zijn knieën zonk, dankbaar dat hij weer voor een dag veilig was.

Die avond hield hij Mengs brief in zijn hand en riep hij hem aan. 'Oudste Broer, kom alsjeblieft snel. Ik weet niet hoe lang ik het nog volhoud.'

De volgende dag kwam er, terwijl hij aan het volleyballen was, een man in burger naar hem toe.

'Kim Ung?' vroeg de man, maar zo te horen wist hij al dat hij Kim voor zich had. Aan de manier waarop hij Kims naam uitsprak was te horen dat hij Thais was.

'Ja?' antwoordde Kim onzeker, en hij liep op de man toe. Heel even begaven Kims knieën het bijna, zo bang was hij dat de man een undercover patrouillesoldaat zou blijken te zijn. Hij keek naar links en naar rechts en vroeg zich af of hij het op een lopen moest zetten. Maar de man was veel ouder dan Kim, was tenger gebouwd en zag er niet zo dreigend uit als een patrouillesoldaat. Bovendien was hij alleen.

'Kim Ung,' herhaalde de man zacht, bijna alsof hij de naam voor zichzelf wilde bevestigen. Hij haalde een brief en een foto uit zijn zak. Hij keek naar Kim en toen weer naar de foto. Hij was tevredengesteld en stak de foto weer in zijn zak.

'Kim Ung, je tante in Frankrijk heeft me hierheen gestuurd om je op te halen. Je gaat met me mee,' kondigde de man aan. Toen draaide hij zich om, zonder te wachten of Kim het begrepen had.

Kim liep met knikkende knieën achter de man aan het volleybalveldje af. Er kwam geen enkele uitleg. Terwijl hij zich een weg door het kamp baande, nam hij in stilte afscheid van zijn nieuwe vrienden, van de vrouw en haar gezin en van het kamp. De man voor hem liep door, en de middagzon wierp lange schaduwen achter hem. Kim liep in de schaduw van het hoofd moedig door naar de volgende etappe van zijn reis.

Terwijl de zon naar de horizon daalde, voerde de man Kim over een verscholen voetpad dat niet door Thaise patrouilles werd bewaakt het kamp uit. Drie uur lang liep Kim achter de man aan, die nu eens op het pad liep, het dan weer verliet, dorpen in, dorpen uit, tot ze op de plaats van bestemming kwamen. Van daaraf werd hij aan een andere gids overgedragen en uiteindelijk moest hij zonder enige uitleg langs de kant van de weg blijven wachten. Na een uur hield er een groene militaire jeep bij Kim en zijn gids halt. Door het raampje zag Kim dat de bestuurder een grote zonnebril met goudkleurig montuur droeg, een groen militair uniform en de pet van een hooggeplaatste militair. De rest van de jeep was met dik groen zeildoek afgeschermd, dat helemaal om de carrosserie heen zat. De gids wisselde een paar woorden met de man, tilde het zeildoek aan de achterkant toen op en gebaarde Kim dat hij erin moest klimmen.

'Naar Bangkok, veel stoppen, jij niet praten,' instrueerde de gids hem. Weer schoot het door Kim heen dat hij deze mannen niet kende en dat, mochten ze van plan zijn hem te doden, niemand er ooit achter zou komen. Maar die gedachte zette hij snel uit zijn hoofd en hij klom in de jeep. Het is te laat om daar nu nog over na te denken, hield hij zichzelf voor, en hij legde zijn toekomst in handen van deze onbekenden.

Kim zat acht uur op de vloer van de jeep, terwijl de kapitein doorreed en alleen stopte om eten te kopen en naar de wc te gaan. Kim zat met zijn rug tegen het groene zeildoek en nam alle geluiden en geuren in zich op. De zon trok snel de hemel langs en de wegen gingen van landweggetjes over in geplaveide wegen, net zoals het geluid van koeien in het veld overging in dat van auto's. De lucht was warm en bedompt van de sputterende uitlaatgassen van het verkeer. Kim voelde zijn oogleden zwaar worden van vermoeidheid en zijn lichaam was stijf en deed pijn van al het gehots. Terwijl de wereld voorwaarts bleef gaan, stond de tijd voor Kim stil; hij dommelde uitgeput in slaap. Toen hij weer wakker werd, stond de jeep stil en hield de kapitein het zeildoek voor hem open. Kim klauterde naar buiten en zag dat ze de stad uit waren. Aan de horizon was de lucht, hoewel de zon al onderging, nog steeds licht van alle neonverlichting. Maar waar Kim stond waren de straten smal, telden de huizen maar één of twee verdiepingen en zag je helemaal geen neonverlichting.

'Wachten, zitten,' zei de kapitein, en hij wees op een kraampje een paar meter voor hen waar ze schaafijs verkochten. 'Meisje lang haar komen. Zij tikken zo,' zei de kapitein, en hierbij tikte hij Kim zachtjes op zijn rechterschouder, 'jij meegaan.' En na die woorden stapte de kapitein weer in zijn jeep en reed hij weg. Kim bleef langs de kant van de weg achter.

Kim liep gehoorzaam naar het kraampje en ging in het gras zitten. Twintig minuten lang keek hij hoe er kinderen met een verfrommeld bankbiljet naar de verkoper toe renden en met blauw ijs weer vertrokken. Kim keek naar het gevallen ijsschaafsel en zijn keel prikte van de dorst en uitdroging.

Toen tikte er plotseling, als uit het niets opgedoken, een hand op zijn schouder. Hij keek op en zag een knappe, slanke Thaise vrouw met lange vlechten. Kim slaakte een zucht van verlichting, de zorgen verlieten zijn borst en zijn schouders zakten af.

'Kom,' zei het meisje met een glimlach.

Kim knikte en liep achter haar aan. Hij probeerde haar bij te houden en vroeg zich ondertussen af hoe het kon dat een glimlach hem nog steeds blij kon maken, zelfs onder zulke vreemde omstandigheden. Na een half uur lopen ging het meisje een groot betonnen huis met één verdieping binnen. Het verbaasde hem wederom dat hij haar blindelings vertrouwde – net als iedereen op deze reis. Toen hij de drempel over liep, bad hij dat papa en mama voor hem zouden zorgen en hem niet hier zouden laten doodgaan. Een paar tellen laten werd hij begroet door een man die Chinees sprak en was hij alle gedachten aan zijn lichaam waar de armen en benen af gehakt waren en dat bij het vuilnis werd gegooid vergeten.

'We zijn hier met z'n tienen,' fluisterde de Chinese man terwijl hij Kim voorging naar de keuken, waar hem een kom rijst en geroerbakte groenten wachtten. 'Sommige mannen zijn hier al weken, anderen zijn er nog maar net.'

'Hoe lang blijven we hier?'

'Dat weet ik niet. Ik ben net als jij een Khmer-Chinees en spreek geen Thai. Sommige anderen zijn Vietnamees, Khmer en er is zelfs een Thai bij. De Thai spreekt Chinees en zegt dat de smokkelaars wachten tot we minstens met zestien man zijn en dat we dan naar Frankrijk gaan.

'Frankrijk,' herhaalde Kim. De moed zonk hem in de schoenen. 'Ik had gehoopt dat ik naar Amerika zou gaan. Mijn broer heeft geschreven dat hij me naar Amerika wil laten komen, maar dat het gemakkelijker is om Frankrijk binnen te komen. Maar hij zei dat hij het zou proberen.'

'Ach, Kim. Het is heel moeilijk om Amerika binnen te komen. Veel mensen proberen het en worden gepakt. Dan komen ze terug en zijn ze twintigduizend dollar armer.'

'Hoeveel kost het voor Frankrijk?'

'Frankrijk kom je gemakkelijker binnen en het kost maar tienduizend dollar.'

Kim had het gevoel dat iemand zijn ingewanden uit zijn buik had gehaald en die als een natte doek had uitgewrongen.

'Degene die opdracht heeft gegeven om je te laten overkomen heeft al vijfduizend dollar betaald; als je veilig in Frankrijk aankomt, krijgen de smokkelaars nog eens vijfduizend dollar.'

'Tienduizend dollar,' herhaalde Kim. Het getal woog hem zwaar in de mond en drukte op zijn geweten. Hij wist dat noch Oudste Broer noch tante Heng zo veel geld had. En in Cambodja hadden Khouy, Chou en oom Leang ongetwijfeld geld moeten lenen om zijn reis te financieren. Toen Kim eraan begon, wist hij niet dat zijn droom zijn familie zo veel geld zou kosten. Hij beloofde zichzelf plechtig dat hij zodra hij in veiligheid was een manier zou vinden om zijn familie te helpen.

In de dagen daarna komen er steeds meer mensen, tot hun groep uit zestien man bestaat. Gedurende twintig dagen kijken deze zestien mannen in de benauwde kamertjes zonder ramen, terwijl de wereld overeenkomstig de baan van de zon en de maan waakt en slaapt, stilletjes naar de televisie en kaarten wat. Sommige bewoners verdwijnen soms om even ergens alleen te kunnen zijn en te dromen, en anderen zwaaien wild met hun armen als vogels en springen als kikkers om lichaamsbeweging te krijgen. Met uitzondering van de kok die elke dag voor hen kookt, de gastheer en zijn team van paspoortvervalsers, kleermakers en schoenmakers, zien de bewoners niemand van de buitenwereld. Om ervoor te zorgen dat niemand van hun bestaan af weet, doet de gastheer elke keer dat hij het terrein verlaat de deur vanaf de buitenkant op slot.

Op de eenentwintigste dag komt de gastheer met een armvol op maat gemaakte pakken in allerlei kleuren, winterjassen en mutsen thuis.

'We gaan naar Frankrijk!' kondigt hij in het Thai aan. De Thaise man vertaalt het in het Chinees, en Kim vertaalt het in het Khmer. De bewoners klappen met ingehouden enthousiasme in hun handen.

'Hier zijn jullie valse paspoorten en pakken,' zegt de gastheer, en hij loopt de kamer rond en geeft iedere bewoner zijn papieren en kleren.

'Ik ben Maleis!'

'Ik kom uit Singapore!'

'Chinees!' roept Kim vrolijk uit, en hij slaat zijn valse paspoort open op de bladzijde waar zijn pasfoto staat. Daarop heeft hij hetzelfde blauwe pak aan dat de gastheer hem net heeft overhandigd.

'Ik ben ook Chinees!' zegt zijn vriend lachend.

'Rustig maar,' spreekt de gastheer hen kalmerend en met opgestoken

hand toe. 'Jullie gaan over een uur weg. Ga jullie spullen maar pakken.'
Twee dagen lang leeft Kim alsof hij een geest is en de wereld om hem heen met halsbrekende snelheid voortraast. De goedgeklede reizigers in hun winterjas worden door een bestelbusje bij het huis opgehaald en naar het vliegveld gebracht. In het busje zien ze de woonwijk plaatsmaken voor hoge glanzende gebouwen die als kristallen hoog de lucht in steken. Op het vliegveld worden ze opgewacht door een man van middelbare leeftijd die hen snel als groep toeristen door de beveiliging loodst. In het vliegtuig, op tienduizend meter boven de zeespiegel, slapen de bewoners tot ze helemaal in Rusland zijn. Ze worden alleen wakker om in Duitsland op een ander vliegtuig over te stappen. Daar stappen ze uit, trekken hun dikke winterjas over hun gekreukte pak aan en gaan door de douane. Aangezien ze duidelijk als groep toeristen met elkaar reizen, voert de gids het woord voor hen. Kim ziet dat het zweet langs zijn wijkende haarlijn staat. Maar even later stempelt de douanebeambte dan toch hun paspoort af en laat hen door. Ze hebben niets aan te geven; ze hebben zelfs geen reistas bij zich.

Buiten is de wereld net één grote vrieskist; koude wind blaast Kim in zijn gezicht en tegen zijn handen. Hij houdt zijn hoofd schuin achterover in de sneeuw en laat de vlokken op zijn huid smelten.

'Vallend ijs,' mompelt hij, maar dan jaagt de gids hen alweer in een ander busje.

De hele volgende dag slaapt de groep zijn jetlag weg in een vochtig, goedkoop motel. Buiten bedekt de lucht de stad met een zuiver wit poeder. Zodra de zon achter de horizon is gezakt, komt er een auto met een nieuwe gids om Kim en nog drie Khmers op te halen. Het is donker, de sterren fonkelen aan de hemel. De auto rijdt de hele avond en arriveert om twee uur 's nachts bij de Franse grens. Kim en de andere 'toeristen' doen net alsof ze slapen, terwijl de gids met de douanebeambte praat.

Als Kim de douanebeambte door hun paspoorten hoort bladeren, weet hij dat de man ook naar hun gezichten kijkt, dus hij concentreert zich om zijn gezichtsspieren stil te houden en rustig adem te halen. Onder zijn jas voelen zijn handen vochtig en koud aan.

'Dank u wel.' De gids schakelt en de auto schiet naar voren. 'Doodstil blijven,' waarschuwt de gids. 'Misschien kijkt de beambte nog steeds naar jullie.'

Kim blijft zitten zoals hij zit en haalt diep adem. De lucht stroomt rijkelijk in zijn aderen en longen en hij krijgt een licht gevoel in zijn hoofd.

'Jullie hebben het gehaald. Ik weet dat het voor jullie allemaal een lange reis is geweest. Welkom in Frankrijk.'

Als eindelijk de stress, de zorgen en de angst van het afgelopen half jaar loskomen, moet Kim zijn best doen om niet over zijn hele lichaam te beven.

Als Kim zijn verhaal heeft verteld, schaam ik me dat ik dit niet al eerder geweten heb. Kim voelt het en zegt speels: 'Niet te geloven dat ik nu eindelijk voor het eerst het hele verhaal aan iemand heb kunnen vertellen!' Hij begint te lachen.

'Ja, zeker als je bedenkt dat het nog beter klinkt dan een actiefilm,' giechel ik, en ik kijk hem dankbaar aan.

De rest van de middag brengen Kim, Hung, tante Heng, oom Lim en ik door met rondlopen, lachen en veel over Cambodja, Chou, Khouy en de rest van de familie praten. Oom Lim blijft om de paar straten staan en neemt foto's van de stad en van ons samen. Terwijl hij ons op zijn gemak neerzet en scherpstelt, kijk ik naar Kim. Zijn gezicht is voller, zijn ogen staan zachter en er lopen lijntjes over zijn voorhoofd, als een landkaart van zijn leven, en rondom zijn mond, waar ze wat dieper zijn. Met het zachte zonlicht op zijn gezicht zie ik dat Kim niet meer mama's aapje is maar een volwassen man.

In de verstilling van het moment waarop wij wachten tot de sluiter klikt, realiseer ik me dat mijn motto dat je je leven ten volle moet leven, dat je geen enkel moment mag missen en dat elke minuut ertoe doet, alleen maar om mijzelf heeft gedraaid. Maar nu ik opkijk naar Kim, begrijp ik eindelijk dat de onvoorwaardelijke vreugde en het geluk waarmee ik de pijn en het verdriet heb willen overstemmen slechts illusies zijn. Al lijkt mijn leven in Amerika of Frankrijk nog zo fantastisch, als ik het in mijn eentje moet leven zal het me nooit voldoening schenken. Ik weet nu dat Kim hetzelfde met zijn leven wil als Meng, Khouy en Chou. Maar op de een of andere manier hebben zij veel eerder dan ikzelf de waarheid achter mijn motto gezien, namelijk dat je je leven pas ten volle leeft als je samen bent met je familie.

26
De stad van Khouy

1993

Chou kijkt naar de nieuwe foto die ze net van Kim uit Frankrijk ontvangen heeft. Daarop staan Kim en Loung op een strand met blauwgrijs water achter zich. Kim glimlacht breed, heeft een bruin T-shirt en een spijkerbroek aan en kijkt recht in de camera. Naast hem staat Loung, in een blauwe blouse en zwarte broek, van opzij poserend, als een fotomodel. Chou kijkt naar haar volle gezicht en mooie lange haar, en ze voelt haar borst zwellen van trots. Kim schrijft in zijn brief dat ze naar Monaco zijn geweest en dat Loung het heel goed doet op de universiteit. Chous gezicht betrekt een beetje als ze ziet dat er in Kims pakje met medicijnen en kleren weer geen brief van Loung zelf zit. Chou legt de nieuwe foto voorzichtig boven op de andere en vouwt de punten van de doek eroverheen. Dan legt ze het pakketje in haar krat met sarongs en blouses.

'Kunnen we?' vraagt Pheng, en hij pakt het krat van haar aan.

'Ja,' zegt ze, en ze laat zich van het bed af glijden. Als ze staat steekt haar vijf maanden zwangere buik tegen haar blouse naar voren.

'De kinderen zitten al in de vrachtauto,' zegt Pheng.

Chou loopt achter Pheng aan naar buiten, waar hun oude verroeste pick-up staat te wachten. De stoffige laadbak staat vol dozen en kratten met potten, pannen, bestek, hamers, schoffels, klamboes en kleren, allemaal dicht op elkaar gestapeld. In de kleine ruimtes ertussen hebben hun buren zakken rijst en gedroogde maïs gepropt.

'Chou, Pheng, het ga jullie goed,' zegent een man hen, terwijl steeds meer vrienden en dorpsbewoners om de vrachtauto samendrommen.

'Bedankt voor al jullie hulp bij het pakken en verhuizen,' zegt Chou.

De afgelopen week hebben hun buren geholpen oom Leang en zijn familie naar een groter dorp te verhuizen en nu zijn ze hier om de laatste leden van de familie Ung uit te zwaaien.

'Ik bid ervoor dat je bedrijf goed mag lopen en dat je kinderen het goed maken en gelukkig zijn,' zegt een andere buurman. De andere aanwezigen herhalen luidkeels hun goede wensen en gebeden.

'Dank jullie wel, dank jullie wel,' zegt Chou, terwijl ze de handen van de vrouwen vastpakt. Pheng en de mannen binden de laatste touwen over de laadbak vast.

'Als wij weg zijn zal onze goede vriend hier,' zegt Pheng, en hij legt zijn hand op de schouder van hun naaste buurman, 'ons land voor ons in de gaten houden. Pas dus maar op wat jullie daarmee doen, want anders komen er problemen van!' grapt Pheng. 'We hopen dat we niet terugkomen, maar als we wel terugkomen hebben we in elk geval nog een huis.'

'Pheng, Chou, jullie grond in het dorp blijft voor altijd van jullie!' roept een van de dorpsbewoners terwijl Pheng en Chou voorin klimmen, waar hun drie kinderen al zitten te wachten.

'Mama!' Chang van twee steekt haar armpjes naar Chou uit. Chou pakt haar op uit de armen van haar grote zus.

'Kom, we gaan naar ons grote nieuwe huis!' zegt Pheng, en de kinderen juichen hem toe. Pheng start de motor en Chou glimlacht trots om haar man, die zichzelf heeft leren autorijden. Pheng trapt op het gaspedaal en de pick-up rijdt weg, waarbij onder de wielen aarde en gras opstuiven. De dorpsbewoners zwaaien hen uit.

De kinderen roepen en kijken naar buiten. Ze rijden weg van Krang Truop. Chou kijkt achterom naar haar hut. Ze ziet haar jeugd aan zich voorbijtrekken, die helemaal opgegaan is aan water halen, hout hakken, eten koken en aanvallen van de Rode Khmer weerstaan. Als de pick-up bij de bocht in de weg is aangekomen, glimlacht Chou om haar herinneringen, om het feit dat ze het allemaal overleefd heeft, om de geboorte van haar kinderen.

Sinds de eerste inval van de Rode Khmer in hun dorp wilde Chou er al weg. Oom Leang, die aanvankelijk met het gezin ver van het uitdijende Ou-Dong was weggetrokken, had gehoopt dat ze door de bomen, de bossen en hun bezigheden op het land veilig zouden zijn als de Rode Khmer weer aan de macht kwam. Hij dacht dat de Rode Khmer mensen uit de stad doodde, maar zijn familie liet leven omdat het zulke goede boeren waren. Maar naarmate de jaren verstreken werd het steeds minder waarschijnlijk dat de Rode Khmer ooit weer in Cambodja zou heersen. In de grotere steden was het vrij veilig, maar het platteland had nog steeds onder invallen te lijden.

Na de eerste aanval kwamen de Rode Khmer-soldaten bijna elke week terug om van hen te stelen. Chou werd angstig, paranoïde en zenuwachtig van deze wekelijkse aanvallen, en ze kon er moeilijk door slapen. Na een paar maanden trok de Rode Khmer weg en ging een ander dorp terroriseren, maar Chou raakte de angst die ze haar wederom hadden ingeboezemd niet meer kwijt. Zelfs wanneer de honden de hele nacht stil bleven, sliep Chou slecht en droomde ze ervan dat de soldaten haar man en kinderen ontvoerden. Als ze wakker werd, hield ze haar kinderen dicht bij zich in de buurt. Pheng vond ook dat het tijd werd om te verhuizen, maar ze hadden geen geld of grond waar ze naartoe konden gaan.

Toen kwam Meng langs en dat veranderde hun leven. Met het geld dat hij hun gaf kon Pheng een oude pick-up kopen. Maandenlang ging Pheng 's ochtends voor zonsopgang de deur uit en reed van dorp tot dorp. Onderweg stopte hij zodra hij mensen zag en vertelde hij dat hij een taxidienst had. Aangezien hij de enige uit alle dorpen in de buurt was met een pick-up, raakte dat al snel bekend en deed hij goede zaken. Elke dag stapte hij alleen in en tegen de tijd dat hij op zijn plaats van bestemming aankwam, zat zijn middelgrote wagen bomvol mensen. Als hij zijn eerste vracht passagiers had afgezet, laadde de tweede groep hun rijst, kip, groenten, maïs en andere spullen in de pick-up en reed, boven op hun inkopen gezeten, terug naar het dorp. Toen ze genoeg geld hadden gespaard, legden Pheng en oom Leang hun geld bij elkaar om een grotere pick-up te kopen. Pheng reed de hele dag, tot 's avonds laat, heen en weer, tot zijn ogen te moe waren om zich nog te concentreren en zijn lichaam te stijf om nog rechtop te zitten. Ze hadden al snel geld genoeg om een oude motorfiets te kopen.

'Morm is heel blij dat we bij hen in de buurt komen wonen,' zegt Pheng, waarmee hij Chous gedachten verstoort. 'Nu heeft ze iedereen bij zich: Tweede Oom, Tweede Tante, en Amah.' Met het geld dat tante Heng en Oudste Broer Amah hebben gestuurd kon ze een eigen stukje grond en een huisje kopen, waar zij, Eerste Tante en haar dochter gingen wonen.

'Amah heeft op haar leeftijd rust nodig, zonder al haar achterkleinkinderen om zich heen.'

'Dat zal niet meevallen. Hoe kan het ook anders? Want ze woont maar één huis verder dan Khouy,' grinnikt Pheng. Chou grinnikt ook als ze aan de vijf luidruchtige kinderen van Khouy denkt.

Door de contacten met de dorpsbewoners en boeren die gebruik hebben gemaakt van zijn taxibedrijf heeft Pheng veel geleerd over hun boerenbedrijfjes en over wat ze verbouwen. Voor het oogstseizoen begon, toen de dorpsbewoners het te druk hadden met op het land werken om te kunnen reizen, reden Chou en Pheng van dorp naar dorp en kwamen ze op boerderijen waar men watermeloenen, pompoenen en aardappelen verbouwde. Als de producten er goed uitzagen, spraken ze ter plekke af dat ze de hele oogst zouden kopen. Wanneer het gewas rijp was, huurden Pheng en Chou een paar mensen in om te helpen plukken. Chou hield toezicht op de arbeiders en plukte zelf mee, en Pheng verkocht hun producten aan kooplieden en bracht ze naar de markt.

Pheng sloot altijd de deals, maar Chou beheerde het geld en betaalde alle arbeiders en kooplieden. Toen hun bedrijfje groter werd, kreeg Chou ook een trotsere houding, doordat ze merkte dat ze zelfs zonder dat ze op school had gezeten getallen begreep en snel kon hoofdrekenen. Het geld groeide onder haar handen en een seizoen later zien de mensen haar niet alleen als de vrouw van Pheng, maar ook als een uitstekende boekhoudster.

Pheng stuurt zijn pick-up om de kuilen en hobbels in de weg heen, en Chou kijkt naar de rijstvelden en groene waterpoelen. De zon brandt op het dak en de kinderen doezelen weg in de warmte. Hok ligt al snel tegen Chou aan te slapen en Chang ademt zachtjes in haar armen. Pheng legt Eng neer op een tas met handdoeken op de middelste stoel en tilt de beentjes van het kind op zijn schoot. Chous armen worden moe en door de warme kinderlijfjes plakt haar hemd tegen haar rug. Ze droomt over hun nieuwe huis.

Als ze bij het houten huis aankomen, staan tante Keang, Khouy en zijn gezin te wachten om hen te begroeten.

'Tweede Broer, schoonzus, tante Keang,' zegt Chou.

'Chou,' zegt Morm, en ze pakt haar hand vast. 'Wat hebben jullie een mooi huis!'

'Kom schoonzus, dan gaan we het samen bekijken.' Chou loopt langs Chang heen naar haar man en gaat de dubbele deur door, een groot vertrek in. In de hoek zweeft een groot bed van donkere houten planken boven de aarden vloer, waardoor de kinderen alle ruimte hebben om rond te rennen. Dan voelt Chou aan het gladde hout waarvan de wand van de eigen kamer van Pheng en haar is gemaakt. Ze loopt de kamer binnen en gaat op haar bed zitten. Dan staat ze op en opent de twee ramen. Als ze de kamer uit gaat, doet ze haar deur achter zich dicht en giechelt.

'Chou, boven heb je nog een grote kamer!' zegt Morm ademloos.

Chou loopt snel de trap op naar haar open zolder. Ze raakt de muren aan. 'Hier kan ik een heleboel spullen kwijt,' roept ze naar Morm.

Als Chou weer beneden komt, loopt ze langs nog een deur haar keuken in, waar alleen een golfplaten dak op zit. Naast nog een klein plankenbed staat een rond vouwtafeltje. Chou loopt het erf achter het huis op en slaakt een kreet bij het zien van een waterpomp die uit de grond steekt. De mannen laden de pick-up uit en de vrouwen vullen de hut met geuren van gekookte rijst, geroosterde knoflook en gebakken vis. Dan gaan de volwassenen op witte plastic stoelen zitten om te eten, en de kinderen eten naast hen op het plankenbed. Na het eten loopt Chous zoontje Hok naar Khouy en kruipt bij hem op schoot. Hourt kijkt naar de vreemde zwarte tekens en stippen op Khouys arm en probeert ze eraf te vegen. Khouys rug en borst zitten er ook vol mee.

'Gekke jongen,' zegt Khouy lachend. 'Dat zijn tatoeages; die gaan er niet af.'

'Waarom niet?'

'De inkt is er met scherpe naalden in aangebracht.'

De jongen trekt een lelijk gezicht. 'Waarom?'

'Om me te beschermen tegen de kogels van de Rode Khmer,' zegt Khouy.

'Vecht je nog steeds tegen de Rode Khmer?' vraagt Chous dochter Eng, en ze gruwt bij de herinneringen aan de invallen.

'Niet meer. Ik mijn dorp ben ik nu de legerleider. Ik heb honderdtwintig man onder me,' zegt Khouy. Hij neemt een trek van zijn sigaret. 'Maar in mijn jaren als gewone soldaat heb ik heel vaak tegen de Rode Khmer gevochten.'

'Vertel eens over hoe je tegen de Rode Khmer gevochten hebt, papa,' dringt Khouys zoontje aan.

Chou vindt het vreselijk om te horen hoe Khouy overal naartoe reisde om tegen de Rode Khmer te vechten. Toen hij net bij het leger was, wist ze wel dat hij zijn familie weinig over zijn ervaringen in de strijd vertelde, omdat hij niet wilde dat zij zich zorgen zouden maken. Maar dat deden ze toch. Elke keer dat hij wegging, was Chou bang dat hij in het oerwoud zou sterven, alleen, zonder dat zijn familie de reis van deze wereld naar de volgende gemakkelijker voor hem kon maken. Ze vond het een verschrikkelijke gedachte dat papa, mama, Keav en Geak alleen waren gestorven en dat hun lichamen verdwenen waren, zodat zij ze niet eens een fatsoenlijke begrafenis kon geven. Ze bidt dat dit niet ook met Khouy zal gebeuren. Chou is uit haar oude dorp vertrokken om aan de Rode Khmer te ontkomen, maar ze is ook hiernaartoe gekomen om bij haar broer te kunnen zijn. Meng, Loung en Kim zijn weg – de gedachte dat ze Khouy ook zou kwijtraken vindt ze onverdraaglijk. Ze mag dan nu een vrouw zijn, een echtgenote en moeder van drie kinderen, het meisje in haar vraagt zich toch nog steeds af wat er van haar zou komen als Khouy doodging.

'Willen jullie het echt horen?' vraagt Khouy.

'Ja, vertel, vertel!' smeken de kinderen.

Khouy vertelt en laat zich meevoeren naar het verleden. 'Van 1987 tot 1989, toen de gevechten op hun hevigst waren, was ik vaak weg. Eén keer werd ik opgeroepen en moest ik ogenblikkelijk weg.'

De legerleider was hoger in rang dan Khouy, maar door hun vriendschap gingen ze buiten het slagveld op gelijke voet met elkaar om. Maar noch hun vriendschap, noch het feit dat Morm zwanger was weerhield de legerleider ervan om Khouy te laten meevechten tegen de Rode Khmer, met als doel een einde te maken aan de invallen in de omringende dorpen.

Khouy was op zijn achtentwintigste al een doorwinterde krijger. Hij wist dat hij kon weigeren, maar hij wist ook dat hij door zou gaan. Ook al vond hij het nog zo vervelend, hij begreep wel dat toch iemand het land van de Rode Khmer moest bevrijden. Hij was bang dat hij gedood zou worden of verminkt zou raken, maar als jonge vader was hij nog veel banger dat de Rode Khmer weer aan de macht zou komen.

De volgende ochtend pakte hij zijn hangmat, waterfles, pannetje, lepel, rantsoen rijst en gedroogde vis en een extra uniform in zijn groene militaire rugzak. Toen stak hij zijn pistool in de holster aan zijn riem. Voor hij vertrok plooide hij zijn verharde gezicht in een glimlach, omhelsde zijn kinderen en nam afscheid van zijn vrouw.

Vijf dagen later kroop hij door de modder van een rijstveld, terwijl de kogels van de Rode Khmer hem om de oren floten. Hij bleef liggen en drukte zijn wang plat tegen de twijgjes en de modder. Ergens voor hem scheurde de aarde door een enorme explosie uiteen en schudden de bladeren aan de bomen.

'Godver, landmijnen,' vloekte Khouy. Hij pakte zijn geweer en duwde zich met zijn onderarmen en dijen vooruit, met zijn buik over de grond, als een hagedis die naar een grote termietenheuvel sluipt.

Met een berg aarde als dekking stak Khouy voorzichtig zijn hoofd omhoog en telde zeven Rode Khmer-soldaten die zich in het veld probeerden te verstoppen. Zelf waren ze met drie keer zo veel soldaten. Ze weten dat ze met veel minder zijn en zitten vlak bij het oerwoud. Daar proberen ze zo meteen naartoe te rennen, dacht Khouy. Hij maakte liggend op de grond oogcontact met zijn soldaten en gebaarde hun dat ze op zijn teken moesten wachten.

Plotseling hoorde hij water spetteren: de Rode Khmer-soldaten sprongen op en zetten het op een lopen.

'Schieten!' schreeuwde Khouy tegen zijn soldaten, en hij kwam tevoorschijn vanachter zijn berg aarde, terwijl hij zijn geweer als Chinees vuurwerk liet ratelen. 'Schiet ze dood!' Khouy raakte een Rode Khmer-soldaat in de rug. Zijn knieën begaven het onmiddellijk en hij viel met zijn gezicht omlaag in het water. De andere Rode Khmer-soldaten probeerden terug te vechten, maar Khouys manschappen vielen aan en een paar seconden later was het voorbij. Er lagen zeven dode Rode Khmer-soldaten in het veld.

'Broer Khouy,' riep een jonge soldaat, en hij gaf Khouy een droge sigaret. 'Ze hebben op u geschoten, maar hun kogels konden u niet raken. U bent beschermd.' Khouy keek naar de beschermingstatoetages op zijn armen. Hij stak zijn sigaret op en voelde zich heel even onoverwinnelijk.

In de keuken van Chou strijkt Khouy achter zijn hand een lucifer af en steekt zijn sigaret aan. In het flakkerende vlammetje ziet Chou dat zijn gezicht strak en roerloos staat. De kinderen zitten met open mond vol ontzag naar hem te kijken en Chou en Morm zitten er verstijfd bij, met een van angst bonkend hart, maar dankbaar dat Khouy nog bij hen is.

Die avond valt Chou voor de eerste keer in haar nieuwe huis in slaap en droomt over papa. Ze zitten samen onder een boom en papa kijkt met zijn vriendelijke ogen naar haar en glimlacht. Naast hem is ze weer een klein kind: zwak, krachteloos en angstig.

'Papa, kom bij mij wonen,' zegt ze met een kinderstemmetje. 'Ik heb nu een groot huis.'

'Chou, je hebt me niet meer nodig,' zegt hij. 'Ik heb je geholpen om een bedrijf te runnen en genoeg geld te verdienen. Je hebt nu een goed leven.'

'Ik wil geen geld,' zegt ze. 'Ik wil alleen maar dat mijn gezin veilig is en dat niemand iets overkomt.'

'Ze zíjn ook veilig,' stelt hij haar gerust, en dan verdwijnt hij.

Voor het eerst droomt Chou dat ze ophoudt met huilen en hem niet achterna rent. Ze kijkt omlaag en ziet dat ze weer een vrouw is – een vrouw die moeder en echtgenote is, die de kost verdient en die anderen beschermt.

'Ik mis je,' zegt ze tegen hem, maar als ze wakker wordt weet ze dat voor haar eigen gezin kan zorgen.

27
De dochters van mama

Mei 1995

Het is vanuit Vermont heel ver rijden naar Maine, en in mijn Nissan Stanza uit 1982 lijkt het wel een eeuwigheid te duren. Ik heb mijn Nissan, die ik Kleine Rooie noem, voor mijn afstuderen van Meng gekregen. Kleine Rooie is heetgebakerd, maar als ik harder dan honderd kilometer per uur rijd, gaat dat wel gepaard met veel gekreun en gesteun. Als ik hem opjut, klaagt hij luidkeels. Op de achterbank staat een wasmand vol schone kleren en Tupperware-doosjes met allemaal heerlijke door Eang zelfgemaakte loempia's, gefrituurde wontons en gestoomde noedels, die tegen elkaar aan rammelen. Kleine Rooie schudt heen en weer alsof hij me wil zeggen dat hij zo meteen implodeert, met mij erbij, tenzij ik wat langzamer ga rijden.

Ik neem de waarschuwing ter harte en neem gas terug. Ik moet denken aan toen ik de auto kreeg. Aan mijn afstuderen. Ik weet nog hoe spannend ik het vond om op de luide klanken van de band die 'Pomp and Circumstance' speelde de aula binnen te lopen. Toen de studenten binnenkwamen, stonden alle mensen – het waren er wel vijfduizend – op, applaudisseerden en brulden, wat een koortsachtig aanzwellend geluid gaf. Ergens in het publiek zaten Meng, Eang en de meisjes trots te stralen omdat ik als eerste van de familie Ung aan de universiteit afstudeerde. Ik keek op naar de rijen en probeerde hen te vinden. Ik glimlachte blij om mijn eigen prestatie, maar realiseerde me toen plotseling dat tussen al die ouders de mijne ontbraken. Maar ik wist meteen dat papa en mama, waar ze ook mochten zijn, net zo trots waren.

Na mijn studie wilde ik iets doen wat met oorlog, kindsoldaten en genocide te maken had. Toen ik op zoek ging naar stichtingen die zich daarmee bezighielden, kwamen mijn nachtmerries terug. Ik realiseerde me dat mijn ziel meer tijd nodig had om nog verder te helen, maar toch wilde ik per se iets doen tegen geweld. Ik vond een baan als educatief medewerker in een opvanghuis voor mishandelde vrouwen in Lewiston, Maine. Aangezien dat maar vier uur rijden van Vermont is, ging ik om de paar maanden terug om in Essex Junction bij Meng, Eang, Maria en Tori op bezoek te gaan.

Toen ik de Kleine Rooie dit keer de oprit af reed, deed ik iets wat ik niet had moeten doen. Ik keek achter me. In mijn achteruitkijkspiegel zag ik hen staan, terwijl ik links afsloeg en uit het zicht verdween. Het beeld van Meng met zijn armen om zijn twee dochters heen, die mij uitzwaaiden, sneed me door mijn hart. Kleine Rooie scheurt over de US Route 2 New Hampshire in en voor me zie ik Mount Washington, die majestueus de lucht in torent. Rond de top van de berg plakken een paar wolkenflarden, met de strakblauwe lucht op de achtergrond. Het is zo mooi dat mijn borst plotseling zwaar op- en neergaat en mijn handen trillen.

'Mama, papa,' roep ik uit. 'Ik mis jullie.'

Ik heb de gewoonte ontwikkeld om op mijn ritjes tussen Maine en Vermont, over de bergachtige wegen, hardop tegen mama en papa te praten. Ik weet niet zeker of ze me kunnen horen, maar ik put meestal grote troost uit het geluid van mijn eigen stem terwijl ik hun over mijn leven vertel. Vandaag word ik er echter alleen maar verdrietiger van.

Als kind keek ik altijd uit naar het moment waarop ik volwassen zou zijn en het allemaal minder pijn zou doen. Maar het doet niet minder pijn. Ik zie nog steeds de gezichten van papa, mama, Keav en Geak voor me. Alleen in mijn Kleine Rooie, zonder dat iemand me ziet, op de rode ogen van de passerende auto's na.

'Mama, papa, ik mis jullie nog steeds zo erg.' Als ik die woorden uitspreek, komt alles samen: Meng die op zijn oprit staat te zwaaien, de hartverscheurende schoonheid van de bergen, de eenzaamheid van mijn lange reis. Ik voel dat ik in donker water kopje-onder word getrokken en ik weet niet of ik de energie heb om me weer naar boven te vechten. Heel even denk ik dat ik maar niet terugvecht, maar in plaats van me over te geven probeer ik de handen van mama en papa te pakken.

'Mama, papa!' roep ik. Mijn stem hapert en klinkt kleintjes in de harde wind die aan Kleine Rooie trekt. 'Ik heb jullie hulp nodig. Laat me alsjeblieft weten dat er engelen zijn die voor me zorgen. Laat me alsjeblieft merken dat ik niet alleen ben,' jammer ik. Ik voel me verloren en eenzaam. Ik woon nu vijftien jaar in Amerika, waarvan vier jaar op een katholieke universiteit, en ik geloof in engelen. Maar vanwege hun boeddhistische overtuiging kan ik papa en mama niet als engel zien. Ik zie hen meer als geesten die over mij waken. 'Laat me alsjeblieft andere mensen zien die hetzelfde hebben meegemaakt en die nu toch gelukkig zijn.'

Kleine Rooie rijdt een uur lang rustig door, terwijl ik mezelf probeer te vermannen en mama en papa over mijn werk en mijn vrienden vertel.

'En papa, Oudste Broer is van plan om over een paar maanden weer naar Cambodja te gaan,' vertel ik, alsof hij dat niet al weet.

Meng is nu een jaar bezig met de voorbereidingen voor een reis naar Cambodja, samen met Eang, Maria en Tori. Elke keer dat hij me belt, stelt hij me dezelfde vraag: 'Waarom ga je niet ook mee?'

'Ik heb niet genoeg vakantiedagen,' antwoord ik dan altijd. 'Als ik meega, heb ik als ik terugkom misschien geen baan meer.' Dat is niet waar. Ik wil niet mee, omdat de gedachte weer in Cambodja te zijn me bang maakt.

'Nou, denk er toch nog eens over,' zegt Meng voordat hij ophangt.

Dit gesprek voeren we wekelijks, en elke keer luidt mijn antwoord hetzelfde.

Tegen de tijd dat Kleine Rooie voor mijn flat stopt is mijn hoofd eindelijk helder. Ik pak mijn tas en loop naar de voordeur. Onder aan de trap maak ik mijn brievenbus open en als ik zie dat er een catalogus over engelen in gepropt zit, voel ik mezelf boven de grond zweven. Oké, het is een postordercatalogus waarin alle mogelijke soorten engelenborden, engelenklokjes, engelenpoppen, engelenbedeltjes en engelenvleugels te koop aangeboden worden. Maar toch ren ik de trap op, glimlachend om mijn teken.

Mijn kleine eenkamerflat ligt er nog net zo bij als bij mijn vertrek een paar dagen geleden. Ik heb mijn flat aangekleed met schilderijen van zonnebloemen aan de wanden, met tafels en stoelen, maar met geen enkele foto van mama, papa of van mijn familie in Cambodja. Ik plof neer op de bank en zet de televisie aan om even te ontspannen van de lange rit. Oprah is erop. Ze praat met een overlevende van de Holocaust, die uit een concentratiekamp is ontsnapt, toen getrouwd is met de Amerikaan die haar gered heeft en daarna nog lang en gelukkig leefde. Ik loop door de glazen schuifdeuren het balkon op. Als ik mijn ogen dichtdoe, zie ik papa naast me staan. In gedachten ben ik weer vijf jaar. Papa tilt me op en neemt me op schoot. Hij drukt me tegen zijn borst en ik weet dat hij niet alleen maar van me houdt, maar dat hij ook echt dol op me is. Ik weet dat papa ook van Cambodja hield en dat hij dat land nooit zou verlaten. En ergens in Cambodja wacht hij op mij.

'Dank je wel,' fluister ik. 'Dank je wel dat je hebt laten weten dat je er bent.' Dan loop ik weer naar binnen, krul me op en doe op de vloer, in de zon, een dutje.

Als de zon weg is, word ik wakker gebeld. Ik loop slaperig naar mijn bureau en neem de telefoon op.

'Met Loung.'

'Loung.' De stem van Meng vloeit door de lijn. 'Ben je goed thuisgekomen?' vraagt hij in het Khmer.

'Ja, prima. Het was goed weer onderweg.'

'Loung, je bent vergeten de videoband mee te nemen,' zegt Meng, doelend op de beelden die hij tijdens zijn verblijf in Cambodja heeft gefilmd. Ik denk aan de urenlange scènes van spetterende regen, wiegende palmbomen, drukke markten, tempels, monniken en rijstvelden, en die van Chou, Khouy en de familie die samen eten, wandelen, zitten, drinken, slapen en met hun kinderen spelen. Zodra ik thuis ben wordt steevast de videoband in het apparaat gestopt en moet ik er van Meng samen met hem naar kijken. Dit keer had ik er geen geduld voor, dus had ik tegen Meng gezegd dat ik de band wel zou meenemen en er thuis in Maine naar zou kijken.

'Wil je dat ik je hem toestuur?' vraagt hij.

'Nee, laat maar. Ik neem hem de volgende keer wel mee.'

'In september hebben we nieuwe videobanden,' grinnikt hij.

'Ja,' zeg ik, en ik haal diep adem. 'Ik ga met je mee.'

Naarmate de datum van mijn reis naar Cambodja nadert word ik steeds bedrukter. De laatste beelden die ik van mijn vaderland heb zijn die van kapotte wegen vol vuilnis en van vervallen, verbrande gebouwen vol kogelgaten. Elke avond zie ik vlak voordat ik in slaap val soldaten van de Rode Khmer door de dorpen paraderen en de moestuinen bewaken, terwijl mijn buik opzwelt van de honger. In mijn dromen stap ik als een onafhankelijke, zelfstandige volwassen vrouw in het vliegtuig naar Amerika, maar kom er als een kind weer uit. Het kind is moederziel alleen in Cambodja en roept wanhopig dat haar familie, papa, mama en Chou haar moeten zoeken. Maar elke ochtend denk ik aan het teken dat papa en mama me gegeven hebben en verdwijnt de paniek weer. Dan weet ik dat ik niet alleen ben.

Wekenlang ben ik bezig mijn grote rugzak te pakken, uit te pakken en opnieuw in te pakken. Op de dag van vertrek slaat mijn paniek eindelijk om in opwinding. Nu zal ik Chou eindelijk echt weer zien! Toen we niet na vijf jaar met elkaar herenigd waren, zoals Meng had beloofd, heb ik alle gedachten aan een weerzien met Chou uit mijn hoofd gezet. In de loop der jaren is Chou, naarmate ik het steeds drukker kreeg met school en met mijn eigen leven, verder in mijn gedachten weggezakt. De duizenden kilometers die ons scheidden leken niet te overbruggen.

Ik zit in mijn vliegtuigstoel en maak de gordel vast. Omdat ik niet eerder vrij kon krijgen zijn Meng, Eang, Maria en Tori vooruitgereisd. Ik leun met mijn hoofd tegen het raampje en fantaseer erover hoe het zal zijn om terug te keren naar het land waar ik thuishoor. Een land waar iedereen mijn taal spreekt, eruitziet zoals ik en hetzelfde verleden heeft. Ik zie al voor me hoe ik uit het vliegtuig zal stappen en me in de open armen van mijn familie zal storten, die een beschermende cocon om mij heen vormen.

Vijfentwintig uur later taxiet het vliegtuig piepend over het asfalt van de korte landingsbaan. Ik bereid me erop voor dat ik Chou zo meteen voor het eerst in vijftien jaar weer zal zien. De stewardess zegt dat we allemaal moeten blijven zitten tot het vliegtuig helemaal stilstaat. Ik pak mijn armleuning beet en stuiter in mijn stoel op en neer als een opgevoerde raceauto die wel in z'n vrij staat, maar elk moment kan wegscheuren. Als ik eindelijk uit het vliegtuig kom, slaan de hitte en de vochtigheid me als een klap in het gezicht en roepen herinneringen op aan vroeger, toen ik al mijn kleren uittrok en in de regen speelde.

Het duurt een eeuwigheid voordat ik door de douane ben en eindelijk buiten sta. Met mijn rugzak stevig op mijn rug gebonden tuur ik de menigte af en zie mijn familie staan. Mijn handen voelen meteen warm en zweterig. Voor me staan wel twintig of dertig familieleden die elkaar allemaal verdringen om een glimp van me op te vangen. Meng staat in het midden, naast Eang, Maria en Tori. Hij ziet er gelukkiger en kalmer uit dan ik hem ooit in Amerika heb gezien. Naast hem staat Khouy, die met hetzelfde gezicht naar me glimlacht als ik me van vroeger herinner. Hij heeft een T-shirt aan met I LOVE VERMONT erop. Dan zie ik Chou, en mijn keel knijpt samen. Ze is wel ouder, maar toch ben ik nog steeds langer en dikker dan zij. Ik zie haar wijdvallende donkerpaarse blouse, haar kreukloze zwarte broek en beige pumps met dichte neuzen. Ik kijk naar haar lange zwarte haar, haar gladde huid, haar volle lippen en haar gezicht, dat ze met roze poeder en rode rouge heeft opgemaakt. Als ze glimlacht gaat haar mond wijd open, zodat je haar tanden en tandvlees ziet – dat doet me aan mama denken. Ze is mooi. Het verbaast me hoeveel mijn zusje veranderd is.

Plotseling zie ik gefronste gezichten. Mijn Cambodjaanse familie kijkt niet-begrijpend naar mijn gemakkelijk zittende wijde zwarte broek, bruine T-shirt en zwarte Teva-sandalen.

'Je lijkt wel iemand van de Rode Khmer,' zegt een neef.

Ik kijk terug, verbijsterd dat dit het eerste is wat mijn familie in Cambodja, die ik zo lang niet gezien heb, tegen me zegt.

'Zo kleedt ze zich als ze reist,' legt Eang vriendelijk uit.

Ik bloos gegeneerd, maar zie dan dat Chou me aankijkt en dat ze net zulke ogen heeft als ik: vriendelijk en open. Plotseling slaat ze haar hand voor haar mond, slaakt een luide kreet en rent naar me toe. Terwijl Chou mijn hand pakt en ik haar tranen koel op mijn handpalm voel, kijkt de rest van de familie zwijgend toe. Onze vingers klemmen zich zo vanzelfsprekend ineen dat het net is of de ketting nooit verbroken is geweest.

'O, dat je er nu bent, ik kan het bijna niet geloven!' roept Chou tussen haar snikken door uit.

'Chou...' Meer kan ik door mijn eigen tranen niet uitbrengen.

'Je bent het echt,' zegt Chou hees. Ze huilt en lacht tegelijkertijd. Ik kijk naar haar, en de Amerikaanse in mij wil haar in mijn armen nemen en omhelzen, maar de Cambodjaans-Chinese houdt dat af. In Amerika omhels ik Maria, Tori en mijn vrienden en vriendinnen, maar Eang, Meng of andere Cambodjanen nooit. Dus sta ik daar maar met mijn armen onhandig langs mijn lichaam, terwijl de anderen toekijken.

'Loung, trek je maar niks van Chou aan, want die huilt toch altijd,' plaagt Khouy, terwijl Chou zich vermant.

'Tweede Broer, Oudste Broer, Oudste Schoonzus,' begroet ik Khouy, Meng en Eang.

'Dit is Morm, Pheng...' Meng stelt me aan een heleboel nieuwe gezichten voor, maar ik kan mijn ogen niet van de man van Chou af houden. Hij is niet lelijk, maar lang en knap, denk ik, en ik ben blij voor haar.

'Kom, we gaan.' Chou trekt me mee uit de menigte. Ze heeft nog steeds rode ogen.

Terwijl de anderen met mijn tas achter ons aan komen, loodst Chou me door een wirwar van bedelaars, mannen en vrouwen, zonder armen of benen. 'Veelal slachtoffers van de landmijnen,' zegt ze als ze merkt dat ik mijn pas inhoud. De familie gaat achter in de pick-up van Pheng zitten en Meng, Eang, Maria, Tori, Chou en ik stappen in de kleine gehuurde Honda Civic. Terwijl de chauffeur ons naar de stad brengt, loop ik over van emoties die allemaal om voorrang strijden. Chou zit naast me, glimlacht en gaapt me aan. Ze raakt zachtjes mijn arm aan en legt haar hand dan in mijn schoot.

'Hoe gaat het met jullie, lieverdjes?' vraag ik in het Engels aan Tori en Maria. Ze vertellen hoe hun reis naar het dorp is verlopen. Ik kijk naar buiten. Als ik jonge kinderen in lompen gehuld over straat zie rennen, met broodmagere armen en benen, betrekt mijn geicht. Achter hen zitten mannen en vrouwen in de zon op een krukje naast een berg afval. Ze proberen hun brood te verdienen door sinaasappels, granaatappels en broodvruchten te verkopen, die in manden naast hen staan. Het stof dat onze auto doet opwaaien komt in hun ogen. Het landschap ligt bezaaid met grijze in de zon verschoten eenkamerhutjes met rieten dak. Maar in mijn ogen is het Cambodja waar ik nu ben, zelfs met al die in het oog springende verpletterende armoede, niet het Cambodja uit mijn nachtmerries. De vervallen gebouwen en hobbelige wegen zijn wel dezelfde, maar dit Cambodja wordt bewoond door sterk uitziende mensen met een begeesterde glimlach op het gezicht.

'Loung, ben je niet misselijk?' vraagt Chou. 'Het was zo'n lange vlucht.'

'Nee, ik heb goed geslapen. Ik was kapot. Toen ik wakker werd, heb ik gelezen. Ik vind het leuk om te vliegen.' Ik spreek Khmer met een zwaar accent, en ik zie verwarring op Chous gezicht. Meng en Eang lachen hard.

'Loung,' zegt Meng in het Khmer tegen me. 'In het Khmer zeggen we niet "vliegen", maar "in een vliegtuig zitten". En zeg hier alsjeblieft nooit meer "ik was kapot".

'Oudste Broer,' giechelt Chou. 'Sprak Loung dan Khmer?'

'Chou, ik zal het Khmer van Loung voor jou in Cambodjaans Khmer moeten vertalen,' zegt Meng grinnikend. 'Na vijftien jaar bijna alleen maar Engels praten vertaalt ze Engelse worden letterlijk in haar versie van het Khmer.'

Ik geneer me een beetje, maar lach toch mee. Chou, Meng en Eang babbelen verder en schakelen van het Khmer over op het Chinees. Door hun blijdschap wordt het minder benauwd in de auto. In gedachten roep ik in het Engels uit: 'Niet te geloven dat ik hier naast Chou zit! O mijn god! Ik ben er echt!' We rijden door straten met betonnen gebouwen van drie verdiepingen, bedekt met een laag grijze schimmel. In een brede straat duwt een man een karretje met grote foto's van ijsjes voort en laat zijn bel klingelen. Plotseling herinner ik me dat ik vroeger met Keav, Geak en Chou naar zo'n verkoper toe rende. Ik moet glimlachen.

'We zijn bij het huis van Che Cheung,' zegt Chou als de auto voor een oud pand met twee verdiepingen stopt. 'Zij heeft samen met de andere meisjes een groot feestmaal ter ere van jouw komst bereid.' Chou pakt me bij de hand en loopt met me een grote modern uitziende kamer in, vol bedden van donkere planken, ladekasten en teakhouten stoelen. Ik trek mijn sandalen uit en gooi ze boven op de stapel andere schoenen, en ik zet mijn voeten op de koele beige tegels, terwijl de ventilator aan het plafond mijn geklitte haar koelte toeblaast. 'Che Cheung heeft veel geluk gehad,' fluistert Chou. 'Toen de soldaten van de UNTAC naar Cambodja kwamen om de verkiezingen te organiseren, heeft ze geld geleend en is ze een verkoop begonnen voor motors. Ze heeft goed geboerd.' Sinds haar eerste bezoek aan Phnom Penh in 1990 is Chou niet meer bang voor de stad en gaat ze er vaak naartoe om bij familieleden op bezoek te gaan. Toch sta ik ervan te kijken dat ze op de hoogte is van de UNTAC, dat voor de United Nations Transitional Authority Cambodia staat.

'Che Cheung, we zijn er!' roept Chou. Plotseling heb ik een zwerm nieuwe gezichten om me heen en klinkt uit alle hoeken van het huis mijn naam.

'Loung, welkom in mijn huis.' Nicht Cheung stapt naar voren. Ze is klein van stuk, tenger en moeder van vijf kinderen. Ze gaat met haar hand over mijn arm. 'Wat is ze knap, hè? En zulk jong en glad vlees,' zegt Cheung op de toon van een oudere zus. Iedereen knikt instemmend. Onder hun aandachtige blik gaat mijn huid, die eerst alleen maar glansde, zweten als een otter.

'Cheung, wat ben je aan het koken? Het ruikt heerlijk,' zegt Eang, waarmee ze mij redt.

Cheungs dochters reageren hierop door midden in de kamer een ronde tafel uit te klappen. Als volleerde serveersters zetten ze zoete en zure vissoep, geroosterde eend, gestoomde kip, gefrituurd varkensvlees en geroerbakte paksoi op tafel.

'Oudste Broer zegt dat jullie niet alleen maar groenten kunnen eten, dus ik heb veel vleesgerechten gemaakt,' glimlacht Cheung trots als ze naar het dure en overvloedige maal kijkt.

'Cheung, dat is veel te veel,' zegt Meng.

'Oudste Broer, we zien elkaar maar eens in de vijftien jaar,' werpt Cheung tegen.

De uren na de lunch praten we rustig met elkaar en vertellen verhalen, totdat het slaapverwekkende effect van te veel eten een beetje afneemt. Terwijl de anderen praten kijk ik zo nu en dan steels naar Khouy. Hij zit met zijn rug recht tegen de muur en zijn benen over elkaar. Hij maakt grapjes en lacht, en daarin herken ik de broer die zo dol was op zijn broeken met wijde pijpen en die op zijn achtsporenrecorder naar The Beatles luisterde. Terwijl Khouy zijn verhaal vertelt, kijk ik naar Pheng, die zijn pasgeboren zoontje vasthoudt – het vierde kind van Chou. In deze cultuur is men afkerig van openbare blijken van genegenheid, maar ik zie dat Pheng vaak naar Chou kijkt als ze in de kamer is. Als er mij vragen worden gesteld en ik mijn best doe om de geluiden en klanken van mijn moedertaal te vormen, voelt mijn tong vreemd aan in mijn mond. Als Chou dat ziet legt ze aan de familie uit wat Meng in de auto heeft gezegd over mijn problemen met het Khmer.

Wanneer de zon laag aan de hemel staat en het koeler geworden is, stappen Pheng, Meng en Tori voor in de Honda, en Eang, Maria, Chou en haar baby en ik achterin. Pheng slaat een drukke straat in en stopt voor een grote, dichtgespijkerde bioscoop.

'Weet je waar we zijn?' vraagt Chou, terwijl ik stil naar de vervallen gevel staar.

'Charles de Gaulle-straat, Rong Kon Saw Prom Meih,' zeg ik vlotjes – de naam van de bioscoop. Dan stap ik uit de auto, terug in 1975. 'Ons huis,' zeg ik zonder twijfel met gesmoorde stem. Ik loop onze straat in voel me kleiner worden naarmate er meer beelden van blote roze popjes, een gele bal en een kleine wollige Franse poedel uit het trottoir omhoogkomen om me te begroeten. Als ik omhoogkijk naar onze flat, voel ik mama's zachte aanraking. Ze wikkelt een lap rode chiffon om mijn lichaam en vraagt of ik hem mooi vind. 'De kleur staat je prachtig,' zegt ze. 'Die stof is lekker koel.' Ze heeft drie precies dezelfde jurkjes gemaakt, voor Geak, voor Chou en voor mij, voor Nieuwjaar. Allemaal met pofmouwtjes en een rok die boven de knie wijd uitloopt.

'Er woont nu een goede familie,' zegt Chou, waarmee ze me weer naar het hier en nu haalt. 'We mochten het huis bekijken. Als je het wilt zien, kunnen we het wel vragen.'

'Ik heb het gezien,' zegt Meng, die met zijn vrouw en dochters naast me komt staan. Plotseling is het heel druk op straat, met lawaaiige auto's en motors die allemaal uitlaatgassen uitbraken waar mijn hoofd van gaat bonzen. Ik realiseer me dat ik er nog niet aan toe ben om het huis te bekijken.

'Dat hoeft niet,' zeg ik tegen Chou. 'Het is al laat. We doen het wel een andere keer.'

Ik stap weer in de auto en draai me om om nog een keer naar ons oude huis te kijken. Ik zie mezelf op ons balkon, leunend over de balustrade, met mijn armen wijd als een draak, terwijl ik doe alsof ik over de stad ga vliegen en het me niets kan schelen of iemand me ziet. Papa staat in zijn hoekje achter me trots toe te kijken. Dan begrijp ik dat Amerika nu misschien mijn thuisland is, maar dat mijn hart en ziel altijd in Cambodja zullen horen.

'Ik ben niet bang meer,' fluister ik hem met een glimlach toe. Chou pakt mijn hand en we rijden weg.

EPILOOG

De terugkeer van het gelukkige kind

December 2003

Buiten blaffen de honden hard en wekken me uit een heerlijke droom. Met mijn ogen nog dicht laat ik de droom beeld voor beeld weer aan me voorbijtrekken om de details voor altijd in mijn geheugen te griffen.

Ik wandel tussen de ruïnes van Wat Banteay Srey, de mooie en prachtig bewaard gebleven roze zandstenen tempel voor vrouwen die in de tiende eeuw in Siem Reap is gebouwd. Ik raak de koele ruwe reliëfs aan en kijk naar de Apsara's, naga's, olifanten en tal van goden en monsters die in de stenen wonen. Dan hoor ik voetstappen achter me. Ik draai me om en zie mama staan, die naar me glimlacht. Ze leeft, ze is mooi en baadt in een zacht schemerlicht, waardoor ze er goudkleurig en engelachtig uitziet.

'Wat doe je hier?' vraag ik haar.

'Ik loop gewoon met je mee,' antwoordt ze, alsof dat de normaalste zaak van de wereld is.

Ik stel geen vragen meer en wacht tot ze me heeft ingehaald. We lopen verder de trap van de duizend jaar oude tempel op en zeggen allebei geen woord. Het is de eerste keer dat ik zonder gevoelens van verlies, angst of verdriet bij haar ben. Het is net alsof we parallel aan elkaar ons leven leiden, zonder dat er ooit oorlog tussen ons in heeft gestaan.

Als ik mijn ogen opendoe, heb ik nog steeds dat gevoel van vrede en sereniteit. Ik lig op een matras op het plankenbed van Chou, in Chous kamer in het dorp. Door de kieren in de houten ramen zie ik enkel duisternis. Zonder op mijn horloge te kijken weet ik dat het heel vroeg in de ochtend is. Onder mijn klamboe is het fris en koel. Als ik Chou in de andere kamer hoor schuifelen, bedenk ik dat zij en ik in deze wereld ook een leven leiden dat parallel aan elkaar loopt. Sinds onze eerste hereniging in 1995 hebben we een nieuwe zusterband gekregen, in een wereld waar genocide of de Rode Khmer geen plaats heeft. Ik knip een zaklamp aan en begin te schrijven.

'Ben je al wakker?' vraagt Chou. Ze staat in de deuropening met een olielamp in haar hand.

Het is mijn eerste dag in het dorp; de bedoeling is dat ik drie maanden in Cambodja blijf. Meestal zal ik voor mijn werk door de week in Phnom Penh zijn, maar ik ben van plan om elk weekend bij Chou in het dorp door te brengen.

'Ja, de honden hebben me wakker gemaakt,' zeg ik. Ik spreek inmiddels vloeiend Khmer. 'Word jij 's nachts niet wakker van dat geblaf?'

'Nee, ik ben eraan gewend,' zegt ze met een glimlach.

'Kun je niet tegen hun baasje zeggen dat ik die twee honden voor vijftig dollar wil kopen? Dan maken we er curry van.'

'Dat doen we hier niet,' zegt ze grinnikend, en ze loopt de kamer uit.

Als ik klaar ben met schrijven knip ik de zaklamp uit, ga op mijn rug liggen en luister naar de ratten die tussen de planken boven mijn hoofd kruipen. Pheng en hun vijf kinderen liggen in de andere kamer nog te slapen. De kinderen liggen dicht tegen elkaar en houden elkaar zo warm. Ik ben wakker en luister naar het gezoem van muggen buiten mijn klamboe. Mijn gedachten dwalen af naar het meisje in het open graf dat ooit in een droom om me geroepen heeft en me heeft vastgepakt. Ik weet dat ze bestaat, maar ze achtervolgt me niet meer. Ze loopt nu naast me in mijn schaduw en heeft eindelijk rust gevonden. Ik doe mijn ogen dicht, trek de dikke deken over me heen en wacht tot de zon aan de hemel verschijnt. Ik hoor dat Chou in de keuken droge takjes breekt om een vuur te maken waarop ze de rijstsoep voor het ontbijt van haar gezin kan koken.

Toen ik in 1995 terugkwam van mijn eerste bezoek aan Cambodja, heb ik mijn baan in Maine opgezegd en ben ik naar Washington DC, verhuisd om bij een actiegroep tegen landmijnen te gaan werken. In 1997 ben ik bij de Vietnam Veterans of American Foundation (VVAF) gaan werken, een grote internationale humanitaire organisatie. In Phnom Penh en drie andere provincies in Cambodja hebben ze revalidatieklinieken waar gratis arm- en beenprotheses, rolstoelen en andere hulpmiddelen om beter te kunnen bewegen te krijgen zijn. Als woordvoerder van de VVAF ben ik meer dan twintig keer naar Cambodja geweest en elke keer nam ik vrienden en donoren mee om de vele landmijn- en oorlogsslachtoffers van het land te helpen. Als ik op het vliegveld van de delegatie afscheid had genomen ging ik elke keer terug naar het dorp.

Maar het dorp is nu meer een stad. Het is er druk en bedrijvig, met meer dan driehonderd families en misschien wel vierduizend inwoners. Er is nog steeds geen stromend water, maar de afgelopen jaren konden de mensen die het kunnen betalen wel tussen zes uur 's avonds en negen uur 's avonds van elektriciteit gebruikmaken. Chou en Pheng hebben geen taxidienst meer, maar concentreren zich volledig op hun winkelbedrijfje. Eerst verkochten ze alleen fruit en wortelgroenten, maar nu hebben ze dat uitgebreid met rietsuiker, palmsuiker en bamboe bakjes, en zo nu en dan verhuren ze een pick-up. Zowel Chou als Pheng is een geweldige ondernemer, en naarmate hun bedrijf beter loopt, doen er meer moderne voorzieningen hun intrede in hun huishouden, zoals een televisie, een videorecorder, een radio, kastjes met glazen deuren, ladekasten, staande ventilatoren en een hurktoilet. Chou zorgt dat hun vijf kinderen allemaal drie keer per dag, zes dagen in de week, naar school gaan om Chinees, Khmer en Engels te leren. Toen haar oudste dochter Eng klaar was met school, heeft Chou haar naar Phnom Penh gestuurd om verder te leren. Daar woonde ze in bij haar nicht Cheung.

'Wakker worden, kleintjes.' Ik hoor dat Chou weer naar binnen loopt en haar kinderen wekt. 'Het is tijd om naar school te gaan.' De kinderen hoesten, snuffen, gapen en klagen onder hun klamboe, maar doen dan rustig wat hun moeder zegt. Chou kleedt de kleintjes aan voor school en Pheng doet de voordeur van het slot en begroet de dorpelingen die zich melden. Ik kom uit bed, pak mijn videocamera en ga naar buiten om het tafereel voor Meng te filmen.

Het wordt al lichter, de hanen kraaien, ergens knort een varken en de honden blaffen luidkeels nu de mensen komen die zullen helpen de markt voor Chous huis in te richten. De dorpelingen arriveren op wagens die door een pony of os wordt getrokken en waar ze dicht opeengepakt op zitten. Wie geluk heeft zit aan de rand met zijn voeten buiten boord en kauwt tabak. Anderen komen op een roestige fiets volgeladen met waterspinazie, citroengras, cassave, kleine banaantjes, groene sinaasappels, suikerriet, vleesproducten, vis en bamboescheuten, vastgebonden aan het stuur en de bagagedrager. Zodra ze er zijn zetten ze hun krukje neer en gaan ze hun schamele waar verkopen. Tegen de tijd dat de zon door de nevel heen brandt zijn er nog maar een paar achterblijvers die te voet zijn gekomen inkopen aan het doen, en de rest heeft zijn boodschappen ingepakt en is vertrokken met tassen op hun hoofd, heupen, schouders of rug. Als de menigte weg is, liggen er alleen nog rot fruit, vissenkoppen, mest, suikerriet waarop gekauwd is, de schalen van kokosnoten en ander afval, waar de vliegen zich verder te goed aan kunnen doen.

Als de zon verder aan de hemel klimt en zo hoog staat dat hij mijn huid verwarmt, loop ik naar het buitenhuis om te gaan douchen. Terwijl ik met een kommetje koud water schep om mijn gezicht te wassen, richten boven mijn hoofd talloze grote spinnen een feestmaal aan met de insecten die in hun web vastzitten. Ik kijk om me heen en realiseer me dat Chou in haar leven nog nooit warm gedoucht heeft of een bad heeft genomen. Als ik weer buiten kom, rennen de kinderen van Chou om me heen, halen een fles water voor me, brengen me een stoel en hangen mijn handdoek aan het touw, zodat hij kan drogen. Terwijl haar gezin gewone rijstsoep met gebakken eieren eet, komt Chou terug van de markt met een kom rijstcongee van varkensbloed en met fruit voor mijn ontbijt. Terwijl ik dat eet, klimt Ching, haar dochtertje van zes, bij me op schoot. Ching lijkt sprekend op Geak en als ik haar in mijn armen houd, heb ik ze allebei vast. Maar Chou stuurt de kinderen al snel naar school.

'Chou, ik ga even bij Tweede Broer langs,' zeg ik.

'Ik ga met je mee.'

Samen lopen we het stukje van twee minuten over de rode aarden weg naar het huis van Khouy, waar we door Morm worden begroet.

'Khouy is al naar zijn werk,' laat Morm ons weten. 'Maar kom even theedrinken.'

We gaan op de schommelstoel onder de boom zitten en Morm vertelt dat het nu goed gaat met haar gezin. Dankzij het salaris van Khouy en haar samenwerking met Chou – ze verkopen suiker en verder alles waarvan ze denken dat het wat oplevert – hebben ze genoeg geld om te eten, kleren te kopen en de kinderen naar school te laten gaan. We schommelen heen en weer en ik vertel hun over Kim.

Toen Kim in 1988 in Frankrijk was aangekomen, is hij Huy-Eng brieven gaan schrijven waarin hij haar vroeg op hem te wachten. Toen hij in 1993 Frans staatsburger werd, is hij teruggegaan naar Cambodja en zijn ze getrouwd, met de zegen van Amah en de rest van de familie. Toen hij weer wegging, heeft hij Huy-Eng meegenomen naar Frankrijk, waar ze beviel van een zoon, Nick, en een dochter, Nancy. In Frankrijk nam Kim een Franse naam aan, Maxime, maakte hij overdag plastic brilmonturen en leerde hij 's avonds hoe hij Frans brood en gebak moest maken. Hij droomde ervan ooit in Amerika een eigen Franse bakkerij te beginnen.

In Amerika vulde Meng ondertussen talloze immigratieformulieren in, en in het voorjaar van 2001 ontving Kim eindelijk zijn papieren en kon hij bij Meng gaan wonen. Maar na twee jaar besloten Kim en Huy-Eng dat ze de winters in Vermont maar niks vonden en verhuisden ze naar Los Angeles, waar ze bij de broer van Huy-Eng en diens gezin gingen wonen. Huy-Eng is in Californië huisvrouw en Kim heeft werk gevonden in een vijfsterrenhotel, waar hij Frans brood en gebak maakt. Na vier jaar hard werken had Kim genoeg geld gespaard om zijn eigen bakkerij te openen. Max Bakery is zeven dag per week open.

'Maakt hij lekkere taart?' vraagt Chou.

'Heerlijk!' roep ik uit, en het water loopt me in de mond. 'Als ik bij hem ben maakt hij altijd mijn lievelingsgebak: grote taartjes met room erin, die de Fransen éclairs noemen. Mmm.' Ik smak, wrijf over mijn buik en Chou en Morm moeten lachen.

'Kom je vanavond eten? Dan maak ik het Khmer-gerecht dat je het lekkerst vindt,' zegt Morm. Onderhand weet iedereen wel dat ik graag eet, maar niet kan koken. In Vermont belt Eang me zelfs voordat ik langskom om het menu te bespreken, zodat ze zeker weet dat ze tijdens mijn bezoek alles kan maken wat ik lekker vind.

'Goed, ik kom eten,' zeg ik snel.

'Tweede Schoonzus,' zegt Chou lachend, 'Loung leert nooit koken als wij het voor haar blijven doen!'

Van het huis van Khouy lopen Chou en ik naar het huis ernaast om een bezoek te brengen aan Amah, die vierennegentig jaar is en niet meer zonder hulp kan lopen. Tijdens mijn eerdere bezoeken ben ik veel bij deze fantastische vrouw geweest, die alleen maar vroeg of ik voor achterkleinkinderen en een goede fles Hennessey wilde zorgen. Ik lachte en kon haar alleen de Hennessey bezorgen. Ze vertelde me bloedserieus dat met een flinke bel per dag haar bloed warm en in beweging bleef, waardoor ze lang leefde. Vorig jaar heeft ze een beroerte gehad, waardoor ze geestelijk achteruit is gegaan, maar tot die tijd was ze de vleesgeworden geschiedenis van vier generaties van de familie Ung.

'Amah,' zeg ik, en ik ga bij haar zitten. Ze ligt op bed en pakt mijn hand.

'Ay Chourng,' zegt ze – de naam van mijn moeder. Ze knijpt haar ogen samen, die tranen. 'Je ziet er goed uit. Wat ben je lang weg geweest.'

Ik aai over haar knokige, gerimpelde hand en Amah vertelt me over haar leven, de familie en over haar pijntjes, alsof ik mama ben. Als ze moe is van het praten valt ze in slaap en laat ik haar alleen, dromend over mama.

Chou en ik steken de weg over om bij oom Leang en tante Keang langs te gaan. Hun kinderen zijn nu groot en kunnen voor zichzelf zorgen, en tante Keang vindt het heerlijk om oma te zijn. Oom Leang maakt van het stukje grond achter zijn huis een prachtige tuin. Nadat hij me zijn bloemen, peperstruiken, suikerrietstengels, guave, papaja, kokosnoot, palmboom, granaatappel- en mangobomen heeft laten zien, beladen met fruit, gaan we bij Chou en tante Keang op hun betonnen stoelen aan een tafel in de schaduw zitten.

'Uw tuin is net zo mooi als het oerwoud,' zeg ik. Maar dan realiseer ik me dat hij er waarschijnlijk geen oerwoud van heeft willen maken, dus voeg ik eraan toe: 'Ik bedoel: het is een mooie tuin.' Ik vertel hem dat ik nog een boek aan het schrijven ben, over Chou, mezelf en Cambodja. Hij knikt goedkeurend.

'De jonge kinderen hebben er geen weet van,' zegt hij, en dan zwijgt hij even. 'En voor ons is het te moeilijk; wij kunnen het ze niet vertellen. Voor de kleintjes is het goed dat ze jouw boek kunnen lezen.' Mijn boek is inmiddels in het Khmer gepubliceerd, maar ik weet dat oom Leang, Chou, Meng, Kim en de volwassenen in de familie het te pijnlijk vonden en er dus maar een paar stukjes uit gelezen hebben. Veel nichten en neven hebben het wel gelezen en zijn bij elkaar gekomen om erover te praten.

'Wist je dat je boek voor de radio is voorgelezen?' vraagt tante Keang.

'Ja,' zeg ik. Ik heb twee dagbladen in het Khmer toestemming gegeven het boek in feuilleton te publiceren, én om het uit te zenden.

'Veel vrienden hebben gezegd dat ze van begin tot eind moesten huilen,' vertelt tante Keang.

'Ik denk nog steeds vaak aan je vader en moeder,' zegt oom Leang somber. 'Ik hield veel van ze. Het waren heel goede mensen.' Dan kijkt hij op naar Chou en mij, en praat verder. 'Daarom hadden ze ook zulke goede kinderen.'

Tante Keang komt met de lunch: rijst en geroerbakte groenten. Chou snijdt rijpe mango's en een papaja uit de tuin van oom Leang klein voor het toetje. Onder het eten vertel ik hoe het met Meng en zijn gezin gaat.

In 1997 zijn Meng en zijn gezin naar hun nieuwbouwhuis, met vier slaapkamers en drie badkamers, verhuisd. Het is prachtig ingericht, echt hun droomhuis. Meng en Eang werken al jaren bij IBM en zitten nu in de dagdienst, waardoor ze de laatste jaren 's avonds vrij hadden om naar Tori te kunnen kijken, die aanvoerder van de cheerleaders van Essex Junction High School is, en om Maria mee uit eten nemen toen ze de National Honor Society heeft gehaald. Maria is afgestudeerd aan het Saint Michael's College en is lerares scheikunde in een andere stad. Tori studeert en wil architect worden. Meng en Eang denken erover om als ze met pensioen zijn gedeeltelijk in Cambodja en gedeeltelijk in Amerika te wonen. Tot het zover is blijft Meng naar alle videobanden kijken die ik voor hem gemaakt heb tijdens de minstens twintig bezoeken die ik aan Cambodja heb gebracht.

Als we bijna klaar zijn met eten zegt Chou plotseling: 'Ik zou heel graag een keer naar Amerika gaan en jouw huis zien.' Haar stem klinkt zacht en droevig. 'Ik ben heel gelukkig hier in Cambodja, ik vind het hier heerlijk en ik zou er nooit weg willen, maar ik zou dolgraag willen zien waar jij woont.'

Kim, Meng en ik zijn al vaak bij hen op bezoek geweest, maar niemand van mijn Cambodjaanse familie is ooit bij ons in Amerika geweest. Jarenlang hebben ze de reis nooit kunnen maken – eerst om politieke redenen, toen vanwege de slechte economie, de kleine kinderen, de Aziatische crisis, 11 september en SARS. Nu zijn de kinderen groot genoeg, is de politieke situatie in Cambodja stabiel en gaan er vliegtuigen. Het is Mengs grote droom om Khouy en Chou voor een bezoek naar Amerika te laten overkomen.

'Oudste Broer en ik zouden het enig vinden om jullie Amerika een keer te laten zien,' verzeker ik haar.

'Meng is net zo vriendelijk en zachtmoedig als jullie vader,' zegt tante Keang.

We gaan alle vier op het plankenbed buiten in de koele schaduw liggen en praten en eten fruit van de bomen van oom Leang totdat de zon ondergaat. Als Pheng komt, treft hij ons in een soort voedselcoma op het bed aan, waar we onze buik het zware werk laten doen om al het eten te verteren.

'Pheng, het is al laat,' zegt Chou. 'Laten we met Loung naar haar grond gaan kijken.'

We vertrekken. Ik zit achter op de motorfiets en Chou zit naast haar man. We rijden vijf minuten en komen dan bij het stuk groene vlakke grond dat ik vorig jaar heb gekocht, nadat Pheng me had laten weten dat het rond was.

'Prachtig,' zeg ik, en ik kijk naar mijn groene gras en dichte prikkende struiken.

'Als je hier je huis laat bouwen, wonen we maar vijf minuten met de motor van elkaar vandaan,' glimlacht ze, en ze loopt verder het veld op. 'Hier heb je al je eigen waterput.' Ze wijst op een afgebrokkelde ring van grijs beton die een halve meter boven de grond uitsteekt. Mijn eerste gedachte is dat de wand van de put te laag is.

'Daar kan zo iemand in vallen,' zeg ik.

'In Cambodja niet,' lacht ze. 'Hier zijn we met alles heel voorzichtig.'

Ik sta aan de rand van de put en kijk omlaag in het zwarte gat. Ik verwacht heel even dat er een dood lichaam in het water zal drijven en ik de geur van rottend vlees zal ruiken. Maar in mijn put zit geen geest.

'De put is diep,' constateert Chou. 'Het water is heel schoon en smaakt goed.'

Ik knik.

'Je hebt water bij de hand, dus je hoeft niet naar de plas. Je hebt alleen een emmer en een touw nodig, en dan heb je al het water dat je nodig hebt voor je huis!' zegt Chou opgewonden.

Ik glimlach en zwijg, maar denk bij mezelf: als ik hier mijn huis bouw, dek ik de put af en plaats ik een pomp en een wc die je kunt doorspoelen.

'Het is niet alleen een mooi stukje grond, maar de aarde is hier ook heel rijk,' laat Chou weten. 'Alles doet het hier goed!'

Ik draai me om en bekijk het perceel. In het schemerige zonlicht ziet het lange gras eruit alsof het met een groen kleurpotlood is getekend en het beweegt als golven in de wind. Ik loop hand in hand met Chou over mijn eigen stukje Cambodja, en in gedachten zie ik een oerwoudtuin zoals die van oom Leang, die in de toekomst mijn houten huisje schaduw zal bieden.

Als we weer bij Khouy thuis zijn, tref ik hem aan in de keuken met zijn ene hand in zijn zij en in de andere hand een lepel die hij naar zijn mond brengt.

'Tweede Broer,' zeg ik ter begroeting, 'wat ruikt er zo lekker?'

'Zure vissoep met waterspinazie,' antwoordt hij.

'Mmm, mijn lievelingseten!' roep ik uit, en Khouy glimlacht veelbetekenend. Als heer des huizes en commandant bij de politie kookt Khouy zelden, maar hij kan het verrassend goed. En als ik in de stad ben is hij een paar avonden in de keuken te vinden, waar hij zijn speciale soepen voor mij maakt.

Aan tafel slurp ik Khouys soep luidruchtig naar binnen, terwijl de zwarte vliegjes tegen de stroken doorzichtig tape vliegen die onder een tl-buis hangen. Tussen twee happen door beantwoord ik vragen over mijn geliefde Mark, die ik tijdens mijn studie heb leren kennen en met wie ik in 2002 ben getrouwd, na jaren van vriendschap en verkering. We zijn op huwelijksreis in Cambodja geweest, en mijn familie heeft hem toen als een van hen opgenomen. Als we klaar zijn met eten zijn de stroken helemaal zwart van de vliegjes.

Na het eten ga ik terug naar het huis van Chou en naar haar comfortabele bed. Voor ik in slaap val denk ik aan 1998, het jaar van de grote familiereünie van de broers en zussen van de familie Ung, in Ou-Dong. De rest van de wereld had die zomer alleen maar aandacht voor de dood van Pol Pot, maar Kim kwam met het vliegtuig uit Frankrijk en Meng en ik kwamen uit Amerika om Chou en Khouy te zien. Alle broers en zussen waren voor het eerst in achttien jaar weer samen en ter ere van papa, mama, Keav en Geak organiseerden we een grote boeddhistische ceremonie. Op die dag kwamen er meer dan vijfhonderd familieleden en vrienden, nieuwe en oude, uit de omringende dorpen naar de bijeenkomst. Tussen de luidruchtige Chinese en Cambodjaanse ceremoniële muziek door vertelden de jeugdvriendinnen van mama me dat zij het altijd heerlijk vond om te fietsen, en een oude vriend van papa moest lachen om papa's voorkeur voor geroerbakte schaaldieren en rijst van een dag oud.

Toen het moment daar was dat alle broers en zussen voor hen moesten bidden, knielde ik neer voor de foto van papa en mama. Met drie brandende wierookstokjes tussen mijn handpalmen gedrukt bracht ik mijn handen naar mijn voorhoofd. Ik keek naar hun gezichten en bedacht dat ik hun zoveel wilde vertellen. De monniken zongen en zegenden me met gewijd water en een snelle beweging van hun natte vingers. Mijn ogen brandden en mijn borst zwol. Ik wilde mama om vergeving smeken omdat ik haar zwak had gevonden en omdat ik boos was geweest toen ze me wegstuurde. Papa wilde ik bedanken voor het feit dat hij ons niet in de steek had gelaten, ook al had hij daarmee zijn leven kunnen redden. Ik wilde hun zeggen dat ik dan wel getuige was geweest van de ergste onmenselijkheid die de mens jegens zijn medemens kan begaan, maar dat ik in mijn familie en leven ook de mooiste menselijkheid van de mens jegens zijn medemens had mogen meemaken.

Keav en Geak wilde ik laten weten dat we voor altijd zusjes waren. Ik raakte mijn voorhoofd drie keer met mijn handen aan en boog één keer voor de Boeddha voor wijsheid, één keer voor Dhamma voor waarheid en tot slot één keer voor Sangha voor deugdzaamheid. Maar in mijn stille gebed vertelde ik mijn overleden familieleden alleen maar dat ik van hen hield en hen miste. Plotseling zat Chou naast me te bidden. Ik stond op, legde de wierook in de kom en keek naar Chou. Ze glimlachte geruststellend naar me, zoals ze altijd doet als we elkaar aankijken. Toen stond ze op, pakte mijn hand en liepen we samen terug de menigte in.

Dankwoord

Aan Bobby Muller, mijn baas, mentor en vriend: je bent de *cool rocking daddy* van Bruce Springsteen ten voeten uit! Aan mijn held senator Patrick Leahy: bedankt dat u de wereld voor ons allemaal wat beter maakt. Voor Mark Perry: je bent een fantastische Leermeester. Aan Tim Rieser: je bent een echte prins. En aan Emmylou Harris, die niet alleen als een engel zingt, maar ook het hart van een engel heeft. Dank jullie wel voor jullie steun aan VVAF.

Aan mijn geweldige agent Gail Ross van Gail Ross Literary Agency, mijn fantastische redacteur Gail Winston van HarperCollins en aan de getalenteerde Christine Walsh: bedankt voor al jullie steun en aanmoediging. Aan het superteam van George Greenfield en Beth Quitman van Creativewell, Inc.: bedankt dat jullie me geholpen hebben over de Rode Khmer te vertellen. Tot slot gaat mijn innige dank uit naar de weergaloze Jenna Free – mijn lezer, Leermeester en cheerleader. Zonder jullie zou er helemaal geen *Het kind dat ik was* zijn.

Ik mag ook van geluk spreken dat er zo veel fantastische mensen in mijn leven zijn, zowel in Cambodja als hier in Amerika. Zonder hen zou ik niet zijn wie ik nu ben. Mijn speciale dank gaat uit naar Lynn en Gordon, omdat ze zulke geweldige mensen op de wereld hebben gezet. Veel liefs voor alle Priemers, want dat is een mand die geen rotte appels kent. En de Costello's, de Lucenti's, de Willisen, de Aleisky's, de Bunkers, Beverly Knapp, Ellis Severence en al mijn vrienden en leraren in Vermont: jullie hebben allemaal geholpen om de haat en de pijn uit dit oorlogskind te halen. Voor mijn vrienden Nicole Bagley, Wendy Appel, Michael Appel, Roberta Baskin, Joanne Moore, Tom Wright, Ly Carbonneau, Beth Poole, Rachel Snyder, Colleen Lanzaretta, Carol Butler, Erin McClintic, Chivy Sok, Kelly Cullins, John Shore, Noel Salwan,

Sam McNulty, Paul Heald, Ken Asin, Mike Thornton, Lynn Smith, Jeannie Boone, Jess en Sheri Kraus, Chet Atkins, Terry en Jo-Harvey Allen, Bob Stiller, Youk Chhang, Heidi Randall en vele anderen: jullie inspireren mij allemaal om een beter mens te zijn. Maria en Tori: ik hou oneindig veel van jullie. Tot slot richt ik me tot mijn man Mark: doordat jij me al die jaren hebt laten lachen ben ik nu een gelukkiger mens.

Aan de geweldige gemeenschap van Saint Michael's College en Essex Junction, Vermont: waar de schoonheid van de bladeren zich alleen kan meten met de hartelijkheid van de mensen.

Adressen en aanbevolen literatuur

Adressen

Voor informatie over de landmijncampagne van de Vietnam Veterans of America Foundation:
VVAF
1725 I Street, NW
4th Floor
Washington DC, 20009
T 00 1 202 483 9222
I www.vvaf.org

Voor wie meer wil weten over de genocide door de Rode Khmer:
Documentation Center of Cambodia (DC-Cam)
P.O. Box 1110
Phnom Penh, Cambodja
I www.dccam.org
E dccam@online.com.kh

Neem voor lezingen door Loung Ung contact op met:
CreativeWell Inc.
P.O. Box 3130
Memorial Station
Upper Monclair, NJ 07043
T 00 1 973 783 7575
I www.creativewell.com
E info@creativewell.com

Voor actuele informatie over de familie van Loung Ung, Max Bakery of Loungs lezingen en over haar werk met andere liefdadigheidsorganisaties:
I www.loungung.com

Aanbevolen literatuur

Elizabeth Becker, *When the War Was Over: Cambodia and the Khmer Rouge Revolution*, Public Affairs, New York, 1998

Nayan Chanda, *Brother Enemy: The War after the War*, Simon & Schuster, New York, 1988

David P. Chandler, *Brother Number One: A Political Biography*, Westview Press, Boulder, CO, 1999

Dith Pran (red.), *Children of Cambodia's Killing Fields: Memoirs by Survivors*, Yale University Press, New Haven, CT, 1999

Evan Gottesman, *Cambodia after the Khmer Rouge: Inside the Politics of Nation Building*, Yale University Press, New Haven, CT, 2004

Haing Ngor en Roger Warner, *Survival in the Killing Fields*, Simon & Schuster, New York, 1988

Henry Kamm, *Cambodia: Report from a Stricken Land*, Arcade Books, New York, 2002

Ben Kierman, *How Pol Pot Came to Power and The Pol Pot Regime*, Yale University Press, New Haven, CT, 2004

Steve McCurry, *Sanctuary: The Temples of Angkor*, Phaidon Press, New York, 2002

Sharon May en Frank Stewart, *In the Shadow of Angkor: Contemporary Writing from Cambodia*, University of Hawaii Press, Honolulu, 2004

William Shawcross, *Sideshow: Kissinger, Nixon and the Destruction of Cambodia*, Cooper Square Publishers, New York, 2002

John Swain, *River of Time*, Berkley Publishing Group, New York, 1999

Carol Wagner, *Soul Survivors: Stories of Women and Children in Cambodia*, Creative Arts Book Company, Berkeley, CA, 2002